Après la mort, qu'est-ce qui m'attend ?

Catalogage avant publication de Bibliothèque et Archives nationales du Québec et Bibliothèque et Archives Canada

Ouellet, Sylvie, 1964-

    Après la mort, qu'est-ce qui m'attend ? : Où irai-je ? Qui verrai-je ? Que ferai-je ?

    Comprend des réf. bibliogr.

    ISBN 978-2-89436-333-1

    1. Mort - Aspect psychologique. 2. Vie future. I. Titre.

BF789.D4O93 2012   155.9'37   C2011-942526-2

Nous reconnaissons l'aide financière du gouvernement du Canada par l'entremise du Fonds du livre du Canada (FLC) pour nos activités d'édition.

Nous remercions la Société de développement des entreprises culturelles du Québec (SODEC) pour son appui à notre programme de publication.

Infographie de la couverture et mise en pages : Marjorie Patry
Révision linguistique : Amélie Lapierre
Correction d'épreuves : Michèle Blais

Éditeur : Les Éditions Le Dauphin Blanc inc.
          Complexe Lebourgneuf, bureau 125
          825, boulevard Lebourgneuf
          Québec (Québec) G2J 0B9 CANADA
          Tél. : (418) 845-4045   Téléc. : (418) 845-1933
          Courriel : info@dauphinblanc.com
          Site Web : www.dauphinblanc.com

ISBN : 978-2-89436-333-1

Dépôt légal : 1er trimestre 2012
          Bibliothèque nationale du Québec
          Bibliothèque nationale du Canada

Imprimé au Canada

Sylvie Ouellet

Après la mort, qu'est-ce qui m'attend ?

Où irai-je ?
Qui verrai-je ?
Que ferai-je ?

Le Dauphin Blanc

Autres livres de l'auteure aux Éditions Le Dauphin Blanc

Pétales de vie, 2010
Bienvenue sur Terre !, 2008
J'aimerais tant te parler..., 2006
Ils nous parlent... entendons-nous ?, 2004

À tous les maîtres et enseignants qui me précèdent
et qui illuminent ma conscience grâce à leur précieux héritage,
puisse leur volonté profonde à nous faire découvrir
la grandeur et la beauté de la vie
contribuer à magnifier le visage de la mort dans notre société.

À tous ceux qui cherchent une signification
à la souffrance associée à la perte d'un être cher,
puissent ces mots être porteurs de réconfort et de sens.
Puissent-ils aussi vous entourer
de ma profonde compassion et de ma sollicitude.

Table des matières

Chapitre 3

Chapitre 4

Les premiers moments dans l'au-delà **111**

Chapitre 7

À ceux qui tiennent la main… **243**

Chapitre 8

Vivre plus en conscience **267**

Introduction

*Q*uelle joie de reprendre l'écriture ! Il y a déjà quelques semaines que mes pensées se mettent en place. Mon cœur est rempli de bonheur et de gratitude à l'idée d'amorcer enfin la réalisation de ce livre. En fait, le thème du passage de la mort me passionne au plus haut point. Plus je découvre des facettes de la mort, plus ma vie se transforme. Elle se solidifie et s'approfondit. Ce projet de livre est emballant parce que je sens qu'il transformera encore ma vision de l'incarnation et de la vie. Chaque fois que des idées me viennent, je me sens envahie d'une telle joie, celle de comprendre, d'apprendre, de partager. Je souhaite au plus profond de mon cœur qu'au-delà des mots, cette vibration du cœur vous accompagne tout au long de la lecture.

Depuis que j'ai écrit *Ils nous parlent… entendons-nous ?*[1], j'ai eu le privilège de rencontrer de nombreuses personnes touchées par la mort d'un proche. J'ai également reçu une multitude de courriels grâce auxquels les gens m'ont partagé ce qu'ils ont vécu lors de la mort d'un proche. Tous ces témoignages furent un véritable cadeau d'amour et de confiance. Je vous en suis tellement reconnaissante. À travers eux, j'ai grandi, j'ai appris et je souhaite aujourd'hui vous offrir le fruit de mes compréhensions.

D'abord, un premier constat s'impose : il n'est pas facile de parler de la mort, de trouver du réconfort et un sens à ce passage si bouleversant. La mort nous force à affronter nos plus grandes peurs et elle nous laisse souvent tant d'incompréhensions. Elle est source de souffrance et de crainte. Dans notre société qui évacue la mort de toute part, nous en avons perdu le sens profond. C'est justement ce qui m'incite aujourd'hui à entreprendre ce nouveau projet d'écriture : offrir un réconfort en partageant une vision de la mort fondée sur un sens profond des concepts reconnus, une vision remplie d'amour et de compassion pour tous ceux qui aspirent à découvrir toute la beauté de ce passage aux apparences parfois si effroyables.

Il peut sembler difficile d'imaginer quelqu'un qui écrit sur la mort avec un sentiment de joie profonde ou qui évoque qu'elle peut révéler une quelconque beauté. Certes, la mort apporte son lot de souffrances et d'incompréhensions et les personnes éprouvées par la perte d'un être cher peuvent aisément trouver irrespectueux de l'envisager avec de tels sentiments. Sachez que j'éprouve beaucoup de sollicitude et d'amour à l'égard de ceux qui s'engagent dans ce passage ou qui sont concernés par la perte d'un être cher. C'est en conséquence avec une profonde considération à l'égard de ce qu'ils vivent que j'aborde ce sujet. L'allégresse que je ressens représente tout mon empressement à transmettre une vision de la mort plus apaisante, à la voir autrement qu'une inopinée faucheuse de vie afin qu'ainsi la souffrance inhérente à l'incompréhension cesse. Je souhaite de tout cœur que les observations de mes guides et des maîtres d'incarnations quant aux grandes questions que soulève la mort et quant à celles qui viennent de ma compréhension au fil des expériences d'accompagnements, des lectures et des recherches effectuées soient porteuses de sens et de réconfort pour vous.

J'aborde ce livre dans un but de partage, d'échange et d'ouverture de cœur, car c'est ainsi que le passage de la mort trouve sa signification. Au fil des pages, nous verrons les étapes du passage de la mort autant avec les informations très terre à terre qui viennent de la science ou d'autres sources fiables d'informations qu'avec mon point de vue personnel, qui comprend bien évidemment des informations intuitives et des informations liées à mon expérimentation d'accompagnante d'âmes en transition entre terre et ciel, où de nombreux renseignements précieux m'ont été offerts. Lorsque mes guides m'ont insufflé l'idée de changer la formule employée dans les autres livres pour marier des informations venant de diverses recherches aux propos intuitifs, j'ai tout de suite été emballée, car elle me semblait être une occasion d'explorer davantage le passage de la mort. En effet, cela me semblait être une excellente occasion d'avoir une compréhension élargie de tout le processus de la mort.

L'objectif de ce livre est d'apporter des informations pour mieux comprendre le sens de la mort et des outils pour mieux vivre le passage vers l'au-delà et l'incarnation. Il se veut un moteur de réflexion et d'introspection. Il ne trace pas un itinéraire immuable. Le passage de la mort n'a rien de statique ni d'établi. À l'instar de l'incarnation, il se vit en fonction de l'état de conscience et de la présence de cœur qui nous habitent. Il ne pourrait, en conséquence, n'y avoir qu'un seul chemin à emprunter, qu'une seule façon de faire ou qu'une seule manière d'entrevoir les choses. Les informations offertes ici ne dressent pas une « carte du ciel », mais une manière d'entrevoir

> ## *Une vision qui se confirme*
>
> *Beaucoup de choses nous échappent, mais il en est une qui s'impose : la conscience ne disparaît pas quand cessent les fonctions du cerveau et du corps. Elle persiste, elle peut être rappelée, et du moins pour un temps, on peut communiquer avec elle.*
>
> Dr Ervin Laszlo
> *Science et champ akashique*, p. 49

le « cœur de l'être » à travers le passage de la mort. Dans l'au-delà, comme sur terre, notre chemin se crée au fil des apprentissages et des prises de conscience. Plus nous sommes à l'affût de ce que nous vivons tant ici-bas que dans l'au-delà, meilleur sera notre chemin. Par surcroît, cela nous permettra d'aider les âmes qui nous entourent à améliorer leur propre cheminement.

On dit que la mort fait peur. Certes, elle comporte sa grande part d'inconnu. C'est davantage cette dernière notion qui nous effraie. La connaissance du fonctionnement de la mort et de la vie ne peut en conséquence qu'être une source d'assurance. Plus nous acceptons de plonger au cœur du sens de la vie et de la mort, plus nos appréhensions fondent comme neige au soleil. Le processus de la mort, même s'il se vit différemment pour chacun, comporte certaines étapes communes à tous. La connaissance de ces étapes nous aide à voir le vrai visage de la mort. Au cours de ce livre, nous verrons ce qui se passe durant le processus de la mort, comment il se prépare, ce qui survient au moment de la mort et après. Nous verrons le cheminement que nous franchissons dans l'au-delà, les êtres qui nous accompagnent et ce que nous y accomplissons. Nous aborderons certaines questions qui concernent l'accompagnement d'un être cher dans ce passage. Enfin, dans le dernier chapitre, nous verrons comment toutes les informations au sujet du passage de la mort peuvent contribuer à transformer notre manière de vivre au quotidien. À l'aide d'exercices concrets, de « trucs » et d'observations, ceux qui le désirent pourront faire un pas de plus vers eux-mêmes, vers leur paix intérieure.

La connaissance du processus de la mort enlève toutes les idées morbides qui y sont associées. La connaissance nous incite à vivre encore plus pleinement notre vie pour enrichir notre voyage dans l'au-delà. Au moment de notre mort, qu'allons-nous vivre ? Qu'est-ce qui nous attend de l'autre côté du voile ? Cela dépend de ce que nous avons dans nos bagages. Cela dépend de notre état et de ce que nous avons cultivé dans notre vie. Voilà pourquoi il est si important de comprendre ce passage avant que la mort survienne.

La mort nous fascine depuis toujours. Elle nous pousse à nous interroger. Bien plus qu'une simple curiosité naturelle, il s'agit là d'un appel de notre être à chercher des réponses, car non seulement ces dernières nous aident à nous abandonner en toute confiance au processus de la mort, mais elles nous aident à mieux vivre notre quotidien et à mieux accompagner les êtres chers qui doivent faire face à la mort. Tout comme vous, je suis en quête de réponses. L'écriture de ce livre m'a permis d'en découvrir et d'en redécouvrir plusieurs. En lisant les pages qui suivent, je vous convie à observer vos réactions. Si la vibration de ces mots ne correspond pas à la vôtre, voilà une belle occasion d'aller découvrir ce que votre cœur porte en lui. Écoutez-le afin d'y puiser les réponses qui vous conviennent. Nous avons tout ce que nous cherchons en nous. Mon souhait le plus profond est que d'une manière ou d'une autre, ce livre serve de catalyseur pour vous mener vers vos propres réponses.

Avec tout mon amour,

⇒ Chapitre 1 ⇐

Quelques prémisses

La mort est la continuation de ce que nous sommes
en ce moment même de notre vie.

Christine Longaker, *Trouver l'espoir face à la mort*

I l existe plusieurs manières d'aborder le thème de la mort. Le mystère de la mort apporte son lot de mythes et de croyances, qui viennent teinter la compréhension que nous en avons. Pour la plupart des Occidentaux, la mort marque la fin de la vie. Cette vision peu rassurante engendre peurs et angoisses. Selon cette manière de concevoir la mort, il est difficile de trouver des réponses satisfaisantes aux grandes questions de la vie, d'y trouver sens et réconfort. En conséquence, elle engendre plusieurs souffrances. Dans son livre *De l'autre côté de la tristesse*[1], George A. Bonanno souligne que notre vision occidentale de la mort influence directement notre manière de traverser un deuil. Alors, nous pouvons aisément en déduire qu'elle influence aussi notre façon d'envisager la mort et de traverser ce passage, puisque nous mourons de la même manière dont nous vivons. Bonanno nous parle de différentes cultures où la mort est célébrée et vénérée. Pour ces sociétés, le jour des Morts prend véritablement l'allure d'une fête heureuse et merveilleuse que l'on prépare avec soin, avec amour et souvent avec beaucoup d'humour. Elle est une occasion de retrouvailles et de partage. Ici, nous sommes loin de célébrer la mort. Au contraire ! Pour le constater, il suffit de regarder ce que nous avons fait du 2 novembre, notre jour des Morts. Auparavant, cette célébration était plutôt austère et solennelle. Maintenant, elle passe pratiquement sous silence. Elle est souvent confondue avec la Toussaint, une fête religieuse dédiée à la célébration de tous les saints, ou avec le jour du Souvenir, une commémoration des soldats morts au combat durant la guerre. Aujourd'hui, c'est l'Halloween qui a pris davantage d'ampleur. Certes, au départ, cette fête avait pour but de célébrer les défunts, mais au fil du temps, elle a perdu toute sa signification pour devenir une fête commerciale où les défunts n'occupent plus nos pensées. Il en est de même dans plusieurs autres pays occidentaux qui ont aussi délaissé le véritable sens du jour dédié aux défunts.

Les gens qui parviennent à célébrer la mort ne sont pas différents de nous. Ils ne sont pas insensibles à la perte ni irrespectueux. Ce n'est que leur manière de comprendre la mort qui leur permet d'en voir les beautés et de les accueillir dans leur vie avec plus d'aisance. La mort n'est qu'une facette de la vie. Loin d'être un aboutissement, elle représente un passage, une transition entre des plans de conscience. Elle ne marque pas la fin de notre existence, elle souligne seulement la fin d'une étape importante : l'incarnation. Au moment de la mort, seul le corps physique meurt. Notre âme et nos corps énergétiques demeurent bien vivants et ils poursuivront leur cheminement dans ce que l'on appelle communément l'au-delà. L'au-delà, c'est un monde vibratoire qui regroupe de nombreux plans de conscience où nous poursuivons notre cheminement et nos apprentissages. La mort ne fait donc pas

---

L'au-delà pourrait se définir comme un univers particulier où le temps et l'espace n'existent pas. Cet aspect des choses rejoint les connaissances de la physique quantique.

Jean-Jacques Charbonnier,
médecin anesthésiste et auteur de *La mort décodée*
Extrait de www.besoindesavoir.com/article/article/id/3295

opposition à la vie. À l'instar de la naissance, elle n'est qu'un passage qui marque la transition entre les mondes. Les peuples qui chérissent cette vision de la vie voient la mort comme une occasion de se transformer et de s'élever. Voilà pourquoi ils s'en réjouissent. Certes, toute mort apporte également un passage à traverser pour ceux qui restent. Il est communément appelé le deuil. Durant cette étape de transformation, c'est le fait de découvrir un sens à cette mort qui permet de trouver espoir et apaisement. Au-delà du sens de la mort, la certitude de la continuité de la vie et du lien d'amour qui nous unit aux êtres chers décédés est le phare qui éclaire notre route durant le passage plus ombrageux du deuil. Elle est le baume qui panse notre cœur meurtri. Voilà pourquoi il me tarde tant de vous parler de ce qui nous attend après la mort.

Avant d'entrer dans le vif du sujet, il me semble important de donner des détails sur certaines notions qui nous accompagneront tout au long de ce livre afin de défaire ou à tout le moins de remettre en contexte certaines croyances ou différents mythes. Les informations présentées ici apportent un éclairage précieux pour comprendre l'angle sous lequel seront abordées toutes les autres informations. De plus, j'y ferai référence à l'occasion en guise de rappel.

Question de sens

Pour une meilleure compréhension du texte, voici le sens qui est donné à certains termes dans ce livre puisque ceux-ci sont souvent utilisés et que leur sens varie énormément d'un auteur à l'autre.

Grands maîtres

Lorsque les mots *grands maîtres* sont employés, ils ne font référence à aucune religion ou à aucun dogme particulier. Ils visent plutôt les enseignements d'une grande sagesse qui nous ont été laissés au fil du temps par des enseignants spirituels de haut niveau. Bien que certains de ces enseignements aient été prodigués à travers une religion ou une philosophie spirituelle, toute allusion à ceux-ci ou à leur messager s'intéresse à la profondeur des pensées qu'ils contiennent et non au cadre de référence dans lequel ils ont été transmis.

Ego

L'ego fait référence à notre conscience individuelle, à tout ce qui nous définit comme être séparé du tout (ou encore de la source, de Dieu, de la lumière ou de l'amour pur). Il est divisé en deux parties distinctes : le Soi, aussi appelé conscience divine ou conscience de Soi, fait référence aux capacités de l'esprit et à l'intelligence divine ; le Moi, aussi appelé personnalité, fait référence aux capacités de l'intellect. Le « Soi » est le siège de toutes nos capacités intuitives, de la polarité féminine qui ouvre la voie vers la communication subtile. Le « Moi » porte la polarité masculine qui ouvre la voie à l'action concrète et à notre capacité de créer les manifestations intuitives que nous recevons.

Corps énergétiques

Les corps énergétiques font référence aux sept corps subtils que nous revêtons durant une incarnation : éthérique, émotionnel, mental, causal, bouddhique, monadique et atmique. Après le passage terrestre, nous nous départons de certains de ces corps, mais l'essence de notre être demeure intacte grâce à notre esprit qui demeure unifié à la source et à notre ego qui continue son cheminement grâce aux corps énergétiques restants. Nous verrons cela plus en détail dans les chapitres suivants.

Esprit

L'esprit représente la partie de notre être la plus élevée. Il se divise en trois parties. L'esprit divin est la partie unifiée de notre être, là où il n'y a ni espace-temps, ni peur, ni doute, ni dualité, là où nous sommes tout simplement pure lumière. C'est lui qui régit le corps monadique. L'esprit vital permet la création et l'activation de l'individualité. C'est lui qui régit les corps atmique, bouddhique et causal. Puis, l'esprit humain donne naissance à la personnalité. C'est lui qui régit les corps énergétiques inférieurs (mental, émotionnel, éthérique et physique).

Âme

L'âme est le lien énergétique entre les corps, physique, éthérique, émotionnel, mental, et l'esprit durant tout le long processus d'incarnation. Elle est le siège de la personnalité et y accumule toutes les informations dont celle-ci a besoin pour vivre son incarnation. Elle garde la mémoire de notre projet d'incarnation ou, à tout le moins, de certaines informations cruciales. Elle porte le souvenir de notre origine unifiée et le profond désir d'y retourner. Durant le long processus d'incarnation, elle a le rôle de nous aider à rester en contact avec notre esprit. À ce titre, elle reflète le développement de notre conscience de « Soi ».

Utilisation de ces termes

Les termes *corps énergétiques* seront employés lorsqu'il sera question de la matière qui nous compose ou des parties corporelles plus intangibles que nous revêtons encore après la mort. Puisque c'est l'âme qui porte l'état de conscience individuelle, c'est donc à partir de son point de vue que les explications exposées tout au long de ce livre viendront. Le terme *âme* désignera en conséquence la partie de notre être en cheminement vers l'unité. Le mot *ego* visera la conscience de Soi de manière globale. Autrement, le mot *personnalité* sera utilisé pour désigner le Moi. Quant au mot *esprit*, nous nous y référerons pour parler de notre sagesse innée et du réservoir de connaissances illimitées auquel nous avons accès grâce au « Soi » ou à notre partie divine.

Tout ce qui est en bas est en haut

Lorsque nous parlons du ciel, de l'au-delà ou encore de ce que nous appelons l'autre côté, nous avons tendance à envisager cet endroit comme quelque chose de mystérieux dont nous ne savons rien ou, à tout le moins, très peu de choses. Nous associons le ciel à l'après-vie, principalement à cause d'un savoir inné qui nous amène à situer la vie en dehors du corps physique à une vibration plus élevée, plus haute, d'où l'association au ciel. Ce savoir inné a aussi été transmis dans de nombreux enseignements de sagesse, dont plusieurs textes religieux.

Il représente la dimension intangible de la vie. Il nous est difficile de l'expliquer avec le vocabulaire humain. La terre, évidemment, représente tout ce que nous connaissons, la matérialité et l'aspect tangible de la vie. Bien que le ciel semble entouré d'un mystère insondable, il ne diffère pas vraiment de la terre, à part une vibration énergétique qui les sépare. Pour le reste, « tout ce qui se passe ici-bas se passe aussi au ciel ». Cela étonne de nombreuses personnes, car en entendant cette phrase, la première chose

> ### *D'un autre œil*
>
> *[…] il est donc aisé de reconnaître que nous possédons au moins des limites physiques considérables lorsque nous tentons de comprendre des aspects de l'Univers qui se cachent au-delà de notre monde quotidien tridimensionnel, là où notre cerveau et nos sens sont à leur mieux. Quand nous allons au-delà de cet éventail de fonctions, nous avons de la difficulté à déterminer et à comprendre les réalités.*
>
> Dr Sam Parnia, auteur et fondateur du
> Consciousness Research Group
> Tiré de *Que se passe-t-il lorsque nous mourons ?*

que l'on imagine, c'est le ciel avec le même environnement extérieur qui nous entoure. Ce faisant, le ciel semble dénaturé. Pour saisir toute la portée de cette phrase, il faut la concevoir d'un point de vue intérieur. Cela veut donc dire que tout ce qui existe en nous existera au ciel.

Ainsi, non seulement nos besoins, nos désirs, nos goûts, nos aspirations, mais également nos peines, nos déceptions, nos colères et nos haines demeurent. La perte de notre corps physique ne transforme pas ce que nous sommes ni ce que nous portons en notre for intérieur. Ainsi, nos comportements, nos réactions et nos actions resteront identiques dans l'au-delà. Nous poursuivrons notre chemin de la même manière que nous le faisions ici-bas. Notre manière d'entrer en relation avec les autres et de percevoir nos interactions sera identique. Nous serons attirés par les mêmes champs d'intérêt, par les mêmes âmes et nous éprouverons encore des peurs, des doutes, de l'amour, de la joie et de la tristesse.

Le ciel et la terre sont des plans vibratoires qui nous permettent d'explorer nos différents états intérieurs. Ces plans pourraient être illustrés comme les marches d'un escalier. Sur terre, nous nous retrouvons au bas de l'escalier. Une fois départis de notre corps de chair, nous avons en quelque sorte gravi une marche. Nous voyons les choses d'un peu plus haut, mais c'est là le seul changement notable. Certes, nos capacités physiques changent. Sans le corps physique, tous nos sens sont décuplés. La vision, l'ouïe, le toucher, le « ressenti » ne fonctionnent plus selon nos repères physiologiques. Cela représente évidemment un grand changement du point de vue de nos capacités, mais ce changement ne nuit en rien à ce que nous sommes intrinsèquement. Le fait de quitter notre corps nous aide donc à avoir un point de vue différent et à élargir notre conscience, mais il ne fait pas de nous un être différent. Nous verrons les effets de ce changement ultérieurement.

La mort ne nous transforme pas

Comme mentionné plus haut, la mort est un passage dans lequel nous quittons un plan vibratoire pour accéder à un autre. Elle ne change pas notre être profond. Pour l'âme, c'est comme si elle enlevait un vêtement. Il est facile d'imaginer la situation. Par exemple, en fin de journée, nous enlevons nos vêtements de jour pour mettre notre tenue de nuit. Sauf un certain confort qui s'installe, rien d'autre n'a changé. La perte du corps physique a le même effet, c'est-à-dire qu'elle offre une amplitude vibratoire causée par cette perte du corps physique. Notre être se sent à l'étroit lorsqu'il habite le corps physique. Une fois libérés de ce carcan vibratoire de plus basses fréquences, les autres corps ont immédiatement une sensation de liberté. C'est exactement comme lorsque nous enfilons un vêtement de détente.

Cependant, outre ce changement mineur, notre état profond ne se transforme pas comme par magie. Au chapitre 4, nous verrons qu'après la mort, il y a un effet grisant occasionné par la sortie du corps. C'est ici que la confusion s'installe à propos de la mort. Plusieurs croient que cette euphorie nous habite pour toujours. En fait, celle-ci est un des états transitoires qui nous permettent de prendre conscience de la mort de notre corps physique. Cet état de transition dure un moment, mais nous revenons relativement rapidement à l'état qui nous définit au moment de la mort. Il est possible de comparer cela à la sensation que nous éprouvons lorsque nous sommes en vacances. Une sensation de liberté nous envahit et nous habitera durant un moment. Cependant, nos préoccupations existentielles reviendront un jour ou l'autre à notre esprit. Toutes les émotions – agréables ou désagréables – demeurent après la mort. Cela nous permet de les observer d'un autre point de vue, à partir d'une vibration plus élevée et d'en tirer les apprentissages inhérents.

La mort n'est pas une panacée

Lors de funérailles d'un proche, nous avons tous déjà entendu les phrases suivantes : « Il est bien mieux maintenant » ou encore « sa misère ou sa souffrance est finie ». Ces phrases font référence à la souffrance physique qui est enfin terminée. À force d'être propagées, ces dernières ont fini par créer une sorte de croyance que la mort nous soulage de tous les maux. Puisque la mort ne nous transforme pas, elle n'effacera pas tout ce qui nous concerne. Comme nous le verrons plus loin dans le chapitre 4, après la mort du corps physique, il est possible, voire probable, selon les circonstances de vie et de mort, que durant un certain temps, l'âme soit confuse ou qu'elle ne soit pas totalement libérée de la souffrance.

La croyance que la mort nous soulage totalement de nos maux est si fortement installée dans notre société que plusieurs personnes s'étonnent d'entendre le contraire. Elles sont souvent ébranlées de savoir qu'il y a de la souffrance dans l'au-delà et qu'elle n'est pas seulement émotive. Il arrive que les corps énergétiques soient touchés par une longue maladie ou par des circonstances de vie ou de mort difficiles. Ces derniers sont encore imprégnés des vibrations émotionnelles et de tout ce que le corps physique a subi et ingéré dans les derniers moments de vie terrestre. Le passage d'un plan à l'autre ne dissout pas ces vibrations instantanément. Tout comme ici-bas, de telles vibrations se résorberont dans un processus de guérison et de prise de conscience.

Rassurons-nous. La perte du corps physique allège inévitablement une grande partie des douleurs et ne laisse que des traces résiduelles dans les corps énergétiques. De plus, la guérison énergétique est beaucoup plus rapide que la guérison physique. Ainsi, les sensations douloureuses ressenties dans les corps énergétiques se résorbent habituellement rapidement. Il faut donc s'empresser de défaire cette croyance pour pouvoir mieux accompagner les êtres chers dans le processus de la mort. Le processus de guérison ne diffère pas au ciel. Ici-bas, après une longue maladie, nous avons souvent besoin d'une période de convalescence pour refaire nos forces, pour faire des prises de conscience et pour en tirer des leçons. Il en sera exactement de même après la mort. L'âme pourra elle aussi avoir besoin d'un temps de convalescence où elle pourra être chouchoutée, aimée et accompagnée.

L'élévation est un processus

Lorsqu'un être cher meurt, nous désirons ce qu'il y a de mieux pour lui. Nous lui disons d'aller dans la lumière. Nous prions pour que les âmes des ancêtres et les guides l'accompagnent dans la lumière. Cela est très aidant pour l'âme si nos prières et nos intentions sont libres de toute direction ou croyance et que l'être cher est prêt à s'élever. Cependant, il faut comprendre que l'élévation dans l'au-delà est un processus qui se déroule sur une période plus ou moins longue selon l'état de conscience, la volonté de l'âme et le mouvement de transformation vibratoire lui-même. Cela requiert du temps. L'élévation n'a rien d'automatique. Au contraire, c'est un cheminement qui nécessite du travail sur soi. Sauf l'âme des grands maîtres, la plupart des âmes qui entrent dans ce processus auront besoin de plusieurs semaines, voire de plusieurs mois et même de quelques années pour parvenir à se détacher de la terre et accéder à des plans vibratoires plus élevés. Ainsi, lorsque nous prions pour l'âme, il est préférable de l'entourer de lumière tout en lui rappelant que c'est en elle qu'elle trouvera sa direction au lieu de l'inciter à un mouvement qu'elle n'est peut-être pas prête à vivre dans l'immédiat. Après la mort du corps physique, l'âme doit d'abord et avant tout prendre conscience qu'elle est désormais sur un autre plan vibratoire pour pouvoir commencer à s'élever. Nous verrons tout cela plus en détail dans les prochains chapitres, mais retenons ici que le décès du corps physique amorce l'élévation. Le reste du cheminement dépend de l'état de conscience de l'âme et du rythme avec lequel elle choisira de cheminer dans l'au-delà. Nos prières doivent donc tenir compte des étapes que l'âme aura à traverser plutôt que de lui imposer une direction qui ne lui correspond peut-être pas dans l'immédiat.

La lumière n'est pas un lieu

Dans la conception populaire, la lumière est très fréquemment conçue comme un lieu où se retrouvent les âmes immédiatement après le passage sur terre. En fait, selon cette conception, la lumière correspond à ce que la religion appelle « le paradis ». On l'imagine alors comme un endroit merveilleux où règnent amour, paix, sérénité et grâce. Certes, tout cela existe, mais pas dans un endroit spécifique. En effet, l'amour, la sérénité et la grâce sont des états. Nous y avons accès non pas en nous rendant dans un endroit particulier, mais en les suscitant en nous. La lumière ou le paradis sont donc en nous et nous les atteignons en élevant nos vibrations. Lorsque nos vibrations sont suffisamment élevées et qu'elles le demeurent de manière constante, nous atteignons ce que l'on appelle « l'illumination ». Le but du cycle d'incarnations est l'atteinte de cet état.

Après la mort d'un être cher, c'est son état qui détermine son parcours. Nos prières et les intentions que nous lui offrons auront un effet bénéfique et l'aideront incontestablement à élever ses vibrations. Cependant, puisque la lumière est un état, personne, pas même le plus grand maître qui soit, ne peut amener une âme dans la lumière puisque cela relève d'un mouvement intérieur. Il en est de même sur terre. Personne n'a le pouvoir ou la capacité de transformer l'état d'une autre personne. Nous ne pouvons que l'influencer à le transformer. La seule manière d'atteindre la lumière est d'élever consciemment notre état vibratoire. Certes, l'aide des autres peut accélérer le mouvement, mais elle ne peut jamais faire à elle seule tout le chemin.

Cela dit, la lumière n'est pas un état qui n'arrive qu'à la toute fin du processus d'élévation. Elle n'est pas son ultime aboutissement. La lumière est toujours en nous. Nous y avons accès sur terre. Chaque fois que nous sommes dans la pure gratitude, dans la joie ou dans l'amour, nous sommes dans la lumière. L'âme qui entreprend le processus transitoire de la mort touchera également à divers niveaux vibratoires. Ces états lumineux l'amèneront graduellement au fil des incarnations à l'illumination complète. Comme nous le verrons au chapitre 5, il faut du temps et un cheminement avant d'atteindre cette fameuse lumière que nous souhaitons tant pour nos défunts. Cela dit, entre-temps, ces derniers ont accès à divers plans de conscience où ils peuvent accéder à des états lumineux. Dans les premiers moments après la mort, nous vivrons sur le plan de conscience qui correspond à notre état vibratoire. L'au-delà est composé de nombreux plans et sous-plans de conscience. Pour illustrer cela, imaginons l'au-delà comme une longue échelle vibratoire correspondant à divers niveaux de lumière. Ce que nous espérons tous au fond de nous, c'est d'accéder enfin au plus haut niveau de conscience pour toucher à la lumière la plus pure et la plus intense, celle d'où nous sommes issus et que nous aspirons à recouvrer. C'est grâce au processus d'élévation que nous y parviendrons.

Voilà que ces quelques prémisses nous offrent la possibilité de regarder la mort d'un même point de vue. Chacun de nous peut, en prenant le temps de se centrer, accéder à une foule d'informations au sujet de ce passage. En effet, nous avons tous emprunté ce passage maintes et maintes fois au cours des nombreuses incarnations que nous avons vécues sur terre. Alors, en notre for intérieur, cette transition n'a réellement rien de mystérieux. Nous pouvons retracer des réponses non seulement dans nos mémoires, mais également en accédant au vaste réseau de connaissances dont l'âme dispose. Plus nous laisserons ces réponses émerger, moins la mort sera perçue comme une énigme encore irrésolue. Ce passage d'un plan à l'autre nous permet de parfaire nos apprentissages, de les mettre en pratique et de faire le point. La mort du corps physique n'est ni plus ni moins qu'une occasion propice de faire le bilan des expériences vécues sur terre et d'en intégrer toutes les leçons. Le seul mystère qui demeure alors est de savoir si nous allons parvenir à découvrir qui nous sommes en réalité et ce que nous portons comme richesse...

Résumé

- Tout ce qui est en bas est en haut. La terre et le ciel sont des plans vibratoires distincts qui sont régis par les mêmes règles.

- La mort ne nous transforme pas. Après l'abandon de notre corps physique, nous demeurons essentiellement les mêmes.

- L'élévation est un processus qui se déroule en plusieurs étapes.

- La lumière n'est pas un lieu, mais un état vibratoire que nous émanons.

Chapitre 2

La mort :
un passage préparé

Ce que nous tentons de vous dire est que la transition
ultime peut se préparer très longtemps et s'aligner lors
des âges transitoires de la vie bien avant qu'elle advienne.
Ainsi, l'âme se prépare, même si la personnalité
n'est point prête.

Marie Lise Labonté, *Accompagnement d'âmes*

La vie est un magnifique voyage qui nous offre tant de possibilités. Dans sa grandeur et sa beauté infinies, elle nous reflète constamment le miroir de notre création intérieure pour ouvrir notre conscience, pour découvrir les trésors inouïs qui se cachent en notre être. L'effet de la dualité masque souvent le message que nous envoie l'extérieur. Perçue dans une vision de séparation, la mort ne peut offrir le sens profond qu'elle revêt, d'autant plus que dans notre société, nous ne réalisons pas toujours à quel point elle est porteuse de sens. Certes, nous sommes de plus en plus conscients que la vie n'est pas le fruit du hasard. Depuis plusieurs années, nous entendons parler de synchronicité, du pouvoir de nos pensées et des forces énergétiques qui nous entourent. Nous commençons à accepter l'idée que tout est interrelié et que notre monde est régi par des règles très précises. La science quantique nous apporte un éclairage nouveau qui nous permet d'avoir un aperçu de son fonctionnement.

Cependant, lorsque vient le temps de parler de la mort, une impression d'exception s'installe. La science n'a pas encore les outils pour explorer ce qui se passe au-delà du corps physique. Ce qui compose l'après-vie semble donc exclu des règles établies, comme si le mystère de la mort ne pouvait être sondé. Pourtant, il n'en est rien. La mort fait partie du grand processus de vie. Elle n'a rien de hasardeux ni de « laissé pour compte ». De

> ❧ **Saviez-vous que...**
>
> *Carl Jung et Albert Einstein ont développé ensemble le concept de la synchronicité qui établit une correspondance entre un état psychique et un événement externe qui se produisent simultanément malgré un degré élevé d'improbabilité.*
>
> Tiré de l'émission *Occultisme et science* paru sur le site Inexpliqué en débat

nombreux parallèles peuvent être faits avec les études actuelles pour comprendre ce qui se passe durant le passage de la mort. Au cours des prochains chapitres, nous verrons ce qui se passe après la mort, du point de vue de l'âme. Cela dit, avant d'aborder ces différentes étapes, il importe de scruter la préparation de l'âme à ce passage, car bien que cette étape passe la plupart du temps inaperçue, elle en est tout de même une partie primordiale à reconnaître pour y puiser toute sagesse.

1 - Quelques notions pour mieux comprendre ce que vit l'âme

Du point de vue de l'âme, la mort revêt un caractère sacré puisqu'elle marque le passage d'un état de conscience à un autre. Il s'agit d'un passage capital préparé et orchestré selon des lois cosmiques indéniables de l'amour pur, même si, à nos yeux humains, la mort se présente sous des apparences tantôt incompréhensibles, tantôt chaotiques. Elle survient au moment opportun et de la manière la plus propice pour l'âme. Les circonstances qui l'entourent font partie intégrante de la préparation qui s'est amorcée des mois et parfois même des années avant qu'elles se matérialisent. À l'instar des grandes étapes de notre incarnation, aucun détail n'est oublié et tous les événements qui se manifestent durant ce passage font partie de la parfaite mise en scène nécessaire pour que le sens de l'incarnation se révèle à l'être qui s'y engage.

Mourir et naître

À nos yeux, la naissance et la mort sont fort divergentes. L'une est synonyme de joie, de vie et d'espérance. L'autre est associée à la finitude, aux angoisses existentielles et à la souffrance. Pourtant, ces deux passages comportent de grandes similitudes. Ils ont en commun le fait de quitter un monde que nous aimons et auquel nous sommes attachés pour poursuivre notre vie ailleurs, autrement, dans d'autres énergies. En naissant à la terre, nous devons nous détacher de notre famille céleste et de toute la vibration d'amour inconditionnel qui s'y trouve. En mourant à la terre, nous devons quitter nos attachements affectifs et matériels. Ainsi, peu importe que nous nous trouvions en train de naître ou de mourir, le passage d'un monde à l'autre marque une séparation qui apporte son lot d'angoisses, de doutes et de peines. Il nous est difficile de réaliser que la naissance représente exactement un processus identique à celui de la mort et qui s'avère être plus éprouvant encore que la mort elle-même. En effet, la naissance nous amène à quitter le monde céleste où nous expérimentons différents états d'unité pour venir vivre dans un monde de dualité. La mort, quant à elle, représente le deuil de nos attachements terrestres dans le but de retourner vivre dans les divers niveaux d'unité. Ainsi, la mort nous fait délaisser le monde matériel pour retrouver un mouvement d'expansion vibratoire unifié, contrairement à la naissance qui nous propulse dans un mouvement de contraction et de dualité. Ces deux passages engendrent un deuil important qui nécessite une présence de cœur pour être vécu pleinement.

La naissance et la mort requièrent toutes deux d'accepter de poursuivre notre vie sur un plan vibratoire différent avec tous les renoncements inhérents à cette décision. Naître à la terre, c'est mourir au ciel et mourir à la terre, c'est naître au ciel. J'ai adoré les propos de Maggie Callanan, auteure du livre *Final Gifts*[1], une infirmière qui a accompagné de nombreuses personnes en fin de vie qui affirme être « une sage-femme à l'autre bout de la vie[2] ». C'est une si belle image pour nous aider à voir toute l'espérance que la mort porte. Elle n'est pas une fin en elle-même, elle n'est que la transition entre deux mondes.

Bien que ces passages possèdent des similitudes importantes, ils diffèrent à d'autres égards, notamment en ce qui a trait aux sentiments qu'éprouve l'âme durant cette transition. Le passage de la mort amorce le retour chez soi et il comporte plusieurs étapes. L'une d'elles est le délaissement du corps physique qui apporte un changement vibratoire permettant à l'âme de se sentir plus légère et plus consciente de ce qui se passe en elle et autour d'elle. Au fur et à mesure qu'elle s'élève, elle franchira d'autres étapes qui lui permettront d'abandonner ses corps émotionnel et mental. Cela accroîtra de plus en plus son sentiment de légèreté. Durant le passage de la naissance, c'est tout le contraire qui se produit. L'âme se sent alourdie par les corps énergétiques qu'elle revêt au fil de sa descente, et sa conscience se rétrécit peu à peu à mesure qu'elle traverse les plans de conscience de plus basses vibrations. Comme autre distinction, il y a aussi ce que l'âme éprouve par rapport à cette transition. Durant le mouvement d'élévation vers les plans célestes supérieurs, l'âme fait le deuil de la terre en sachant que les liens qu'elle y a créés ne se tariront jamais. Par contre, durant sa descente vers la terre, l'âme doit faire le deuil de sa famille céleste en sachant qu'elle oubliera une bonne partie de ses connaissances, de sa nature profonde et du lien intense qui l'unit aux âmes qui l'accompagnent durant ce voyage. Elle gagnera donc en clarté au fur et à mesure qu'elle s'élève et elle augmentera sa confusion au fil de sa descente vers la terre et de son incarnation. Voilà pourquoi l'âme ressent le besoin de bien planifier chacun de ces passages.

Une occasion ultime

Parce que la mort est d'une importance capitale, l'âme se prépare longtemps avant de quitter la terre, exception faite du suicide que nous aborderons plus amplement au chapitre 6. L'âme ne s'envole jamais au ciel aléatoirement, même dans le cas d'accidents, de morts violentes, de catastrophes naturelles ou d'autres désastres. Lorsque de tels événements surviennent, les âmes qui s'y trouvent avaient un rendez-vous pour les ramener au bercail. Cet événement leur procure tout ce dont elles ont besoin pour effectuer ce passage. Les circonstances de la mort sont au service de l'âme, tout comme les épreuves le sont durant l'incarnation. Elles ne sont jamais un triste sort pour clore une incarnation, mais une occasion extraordinaire d'élargir la conscience.

Dans notre société, nous acceptons plus facilement la mort lorsqu'elle se pointe durant la période que nous qualifions de vieillesse. Pour notre personnalité, c'est dans l'ordre des choses de naître, de grandir, d'apprendre, de mettre en pratique, de transmettre puis de tirer notre révérence. Nous voyons un sens à la vie et une source de réconfort lorsque l'incarnation a duré longtemps, car nous avons l'impression qu'alors cette incarnation a été pleinement vécue. Cette vision où le sens de la vie est attribué à sa longueur pose cependant un problème lorsque la mort survient durant l'enfance, l'adolescence ou la fleur de l'âge. En effet, cet être n'a pas eu le privilège de vivre tous les espoirs de la vie. Sa mort nous apparaît donc comme une injustice criante. Or, derrière les apparences, il n'y a pas de tyrannie. La fin d'une incarnation ne se justifie pas en raison du nombre d'années passées sur terre, mais plutôt en raison d'achèvements des apprentissages prévus avant de s'incarner, de la nécessité de faire le point ou de l'impossibilité d'acquérir les apprentissages que l'âme souhaitait réaliser en venant sur terre. Ainsi, la mort prend tout son sens. Elle survient dans un but précis : servir le dessein de l'âme et celui des âmes qui l'entourent dans leur cheminement mutuel d'ouverture de conscience. Lorsqu'une âme quitte le plan terrestre, c'est parce que ce mouvement est en accord avec les objectifs d'apprentissage qu'elle s'est fixés ou en accord avec un changement de cap effectué en cours d'incarnation avec l'aide des maîtres d'incarnations. Le retour dans les sphères célestes vise toujours un accroissement du taux vibratoire et de la conscience de Soi. À cette fin, il y a un vaste réseau d'aide où les maîtres d'incarnations et les guides aident l'âme dans cette préparation afin de veiller à ce que ce passage soit le plus évolutif pour elle.

Avant de venir sur la terre, toute âme se prépare et planifie son incarnation en fonction de leçons qu'elle souhaite acquérir. Ces nouvelles connaissances visent à accroître autant sa propre ouverture de conscience que celle des âmes avec qui elle partagera sa route terrestre. Dans le livre *Bienvenue sur Terre*[3], cette étape préparatoire à la naissance où l'âme détermine ce qu'elle souhaite intégrer est plus amplement expliquée. Disons pour l'heure que tout ce que nous vivrons durant l'incarnation représente des occasions d'apprendre ces leçons. Toutefois, au fur et à mesure de notre descente sur terre, notre mémoire consciente se voile et ces objectifs d'apprentissage ne sont souvent que de vagues réminiscences qu'il nous faut suivre sans que nous puissions en comprendre les profondes motivations. Heureusement, notre âme veille au grain et elle nous guide vers leur réalisation, éveillant ces mémoires inconscientes jusqu'à notre conscience. En apprenant à écouter notre âme, nous pouvons éviter bien des détours et des difficultés sur notre parcours, car l'espace du cœur peut nous dévoiler toutes les informations dont nous avons besoin.

Ainsi, une fois que les expériences contenant les leçons de vie dont nous avions besoin ont été vécues, notre âme est prête à quitter la terre. La durée de notre passage dépend en grande partie de l'acquisition et de l'intégration des apprentissages. La grande épopée des incarnations au cœur de la dualité est au service de notre ouverture de conscience. Chaque passage dans la matière est une précieuse contribution à cette ouverture. Tout est question d'apprentissage et d'ouverture de conscience et non d'années passées à fouler le sol de Gaïa. Une âme peut donc vivre pleinement son passage sur terre en quelques heures seulement si l'objectif d'apprentissage qu'elle s'est fixé est réalisé en début de vie. Illustrons cela à l'aide d'un exemple.

Supposons qu'une personne ait mis fin à ses jours durant une précédente incarnation, alors qu'elle était en fin de vie et qu'il ne lui restait que l'étape cruciale de la mort à vivre. Puisque cet apprentissage n'a pas été accompli, l'âme devra refaire l'étape qui lui manque.

Elle n'a donc pas besoin de vivre toute une vie terrestre. Les heures ou les jours interrompus dans la vie précédente seront suffisants pour lui permettre d'acquérir la leçon interrompue. On ne réalise pas toujours à quel point la mort est un cadeau puissant, à quel point elle est primordiale pour défaire les nœuds accumulés durant l'incarnation et pour voir la beauté de la vie. Aux yeux de la personnalité, les derniers moments de vie semblent totalement inutiles et vains. Ne serait-il pas plus facile et plus utile d'escamoter tous les inconvénients inhérents à la fin de vie ? Absolument pas ! En fait, il serait plus utile de transformer notre vision de ces moments pour pouvoir les vivre pleinement. Les derniers moments dans notre corps de chair représentent une occasion propice d'utiliser les outils acquis tout au long de notre incarnation pour faire face à la mort consciemment ou à tout le moins accepter d'entrer dans ce passage le plus en conscience possible. Cette étape incite à l'intériorisation, au questionnement et à la découverte de l'essence de notre vie terrestre. Si ce processus est court-circuité, la leçon finale est manquée. C'est comme si nous avions un beau cadeau entre les mains et que nous refusions de le déballer parce que nous n'aimons pas l'emballage.

Le ressenti : un allié de taille dans les passages importants

Le processus de la mort s'enclenche lorsque l'âme sent qu'il est temps pour elle de rentrer à la « maison » ou lorsque les guides et les maîtres d'incarnations observent qu'il n'est plus utile à l'âme de poursuivre sa route ici-bas. Une rencontre dans les sphères énergétiques de l'astral sera fixée pour que toutes les âmes concernées par ce passage soient mises au parfum. Ici, il faut comprendre que toute cette mise en scène se passe en coulisse et que la personnalité n'est pratiquement jamais au fait de ce qui se trame à ce stade du processus, sauf évidemment pour les grands maîtres qui sont en mesure de vivre ce passage de manière plus consciente et d'avoir accès à l'heure exacte de leur mort ou à tout le moins de connaître l'amorce de ce processus. C'est grâce à leur maîtrise des règles de la vie, de la sagesse et de l'amour qu'ils accèdent à cette information privilégiée. En fait, théoriquement, cette information nous est également accessible puisqu'elle gît au fond de nous, mais en pratique, c'est le brouillage du mental et des émotions qui nous empêche de la percevoir. Voilà pourquoi tous les grands maîtres spirituels nous enseignent à écouter ce qui se passe en nous. Ils désirent nous aider non seulement à vivre ce moment en harmonie, mais également à y cueillir toute la richesse qu'il contient.

Le rôle des maîtres d'incarnations est de s'assurer que nos expérimentations sur terre mènent aux apprentissages visés. À l'instar du maître d'école, ils observent nos expérimentations et ils nous guident vers leur accomplissement. Cependant, lorsque nous nous éloignons trop, ils se font un point d'honneur de nous aider à nous ramener dans notre trajectoire. Si cela s'avère impossible, alors le passage de la mort sera envisagé. Loin d'être une voie punitive, il s'agit au contraire d'une manière de nous permettre de faire le point et de nous recentrer pour parvenir à intégrer les apprentissages désirés. À l'école comme dans la vie, l'élève qui ne peut plus suivre les enseignements doit être réorienté pour son propre mieux-être. Il en est de même en cours d'incarnation. La vigile de nos guides et des maîtres d'incarnations nous permet de suivre notre programme « éducatif » et d'y apporter les ajustements nécessaires en cours de route. Il nous est cependant difficile durant l'incarnation de mesurer ou d'évaluer à quel stade de nos apprentissages nous sommes rendus.

En effet, durant l'incarnation, nous sommes comme le randonneur novice en forêt. Partis pour plusieurs kilomètres sur un sentier pédestre inconnu, nous n'avons souvent pas appris à reconnaître les repères qui nous indiquent où nous nous situons. Alors, sans prendre le temps de nous arrêter pour observer ce qui se passe, nous marchons à l'aveuglette en suivant le sentier de la vie. Parfois, lorsque la fatigue s'empare de nous, nous délaissons le sentier pour tenter de trouver un raccourci. Arrive alors la confusion ou le sentiment d'égarement qui nous incite à chercher un promontoire où nous pourrons observer le cheminement parcouru, les obstacles auxquels nous nous butons pour nous recentrer sur le chemin à parcourir. Parfois, il nous est difficile d'accéder à ce promontoire ou même de le trouver. Pourtant, il y en a toujours un si nous savons où chercher… Il est dans notre cœur. Notre itinéraire est gravé dans notre cœur. Il s'agit là de la meilleure carte routière ou du meilleur GPS qui soit. Lorsque notre randonnée sur terre est terminée, nous nous élevons vers notre famille céleste et nous avons accès à une vision panoramique de notre vie sur terre. La sortie du corps physique et le recouvrement de notre mémoire nous offrent une vue aérienne du chemin parcouru et nous permettent de mieux comprendre pourquoi nous nous sommes égarés. Ce n'est qu'au fil de notre montée que nous pouvons comprendre de plus en plus le sens des expériences vécues durant notre incarnation et en voir les véritables enjeux. En présence de nos guides et des maîtres d'incarnations, nous scrutons ces expériences pour découvrir le cadeau ultime qu'elles cachaient : une plus grande conscience de nous-mêmes, de la vie et de l'amour.

Certes, durant l'incarnation, nous avons souvent accès à des bribes d'information qui nous propulsent vers de belles prises de conscience. Mais, parfois, nous ne saisissons pas la signification d'une épreuve ou d'une relation conflictuelle. Pour éviter de nous égarer, il est nécessaire de nous fier à notre ressenti. Il est le promontoire qui nous indique si nous sommes bien alignés. Le sentiment d'être au bon endroit au bon moment représente notre meilleur baromètre. Cette conviction profonde nous aide à poursuivre notre route malgré les difficultés éprouvées. Rester alignés sur notre ressenti et sur nos intuitions représente donc le moyen de ne pas perdre de vue que nous sommes venus expérimenter la matière pour apprendre à mieux nous connaître, à découvrir nos forces intérieures et toute la beauté et la grandeur qui nous habitent. Savoir que tout a un sens profond malgré les apparences aide à faire confiance à notre ressenti et à la vie quand nous marchons à tâtons. Ces connaissances au sujet de la vie et de la mort nous procurent espoir, tant dans notre manière d'envisager notre vie que dans la façon de vivre le départ d'un être cher. Dans la grande danse de la vie, il n'y a pas de faux pas. Tout a un sens profond et sacré. Bien que, au point de vue humain, ce ballet puisse sembler fort imprévisible, les âmes, elles, connaissent la chorégraphie et elles sont guidées pour que le bal soit riche en expérimentations.

Un changement important s'annonce

Au point de vue énergétique, la mort s'amorce bien avant l'arrêt complet des fonctions vitales. Les thérapeutes énergétiques et les médiums observent en effet qu'à l'approche de la mort, les centres énergétiques inférieurs se dévitalisent et l'énergie vitale se concentre peu à peu soit dans le haut du corps sur le plan du chakra coronal, soit sur le plan du cœur ou du plexus solaire. Ce sont en effet les derniers centres énergétiques en activité juste avant la mort. L'âme quitte définitivement le corps par l'un de ces centres. Nous y reviendrons plus amplement au chapitre 4, qui aborde les étapes du processus de la mort et des premiers moments dans l'au-delà. Il importe ici de comprendre que la mort n'arrive jamais subitement, même si le corps physique, lui, peut mourir en un éclair.

Le processus de la mort requiert d'abord l'acceptation de l'âme et la réalisation de toutes les étapes préparatoires. Ainsi, selon le degré d'accueil, il peut s'étaler sur une plus ou moins longue période. Il est difficile ici de parler de durée précise, car aucune âme ne vivra ces étapes au même rythme. La mort n'a rien de mé-

> ## Une célèbre prémonition
>
> *La scientifique Émilie du Châtelet, connue pour sa théorie de la force vive, eut une forte prémonition qu'elle allait mourir en fin de grossesse. Elle redoubla d'ardeur pour terminer le manuscrit sur lequel elle travaillait. Elle le remit à son éditeur juste avant d'accoucher et elle mourut en mettant au monde son enfant.*
>
> Tiré du film $E = mc2$, une biographie de l'équation

canique. Elle est intégration; elle est ouverture de conscience et acceptation. Tout cela ne se mesure pas en temps. À l'instar de la naissance, le mouvement transitoire de la mort s'amorce au moins neuf mois avant la mort de l'enveloppe charnelle. Par contre, contrairement à la gestation qui prendra fin naturellement autour du neuvième mois, la gestation de la mort peut se prolonger au-delà de cette période.

Pourquoi l'âme commence-t-elle à planifier ce passage avant que la mort de notre corps de chair survienne? Bonne question! L'âme est mue par le désir profond de réaliser son projet « Conscience[4] ». Les incarnations lui fournissent les expériences nécessaires pour y parvenir. Elle éprouve donc un ressenti flou qui lui vient de sa connexion à l'esprit l'incitant à vivre tout ce qui est nécessaire à l'accomplissement de son projet Conscience. Certes, l'aide des guides et des maîtres d'incarnations lui est essentielle pour la guider et même parfois pour l'inciter à entreprendre ces passages, car il lui arrive de ne pas saisir la portée de ce ressenti flou ou d'y résister ardemment. Comme à l'école, les maîtres nous annoncent à l'avance la date des examens terminaux et nous aident à nous y préparer. La mort marque la dernière occasion de notre incarnation d'expérimenter la matière et d'utiliser tout notre bagage accumulé pour la traverser le plus sereinement possible. Nos aides célestes y concourent activement. Leur sagesse et leur connaissance de nos objectifs d'apprentissage seront de mise pour aider notre âme à se préparer au retour sur les plans supérieurs. Pour s'assurer de finir l'incarnation en beauté, l'âme sait qu'il est nécessaire de s'allier aux services de la personnalité. Cela représente souvent un grand défi puisque celle-ci s'identifie à la matière et y est très attachée. Il est donc normal que l'âme cherche à régler méthodiquement tout ce qui lui est possible de clore avant son départ.

La manière dont nous vivons ce passage témoigne des intégrations que nous avons effectuées tout au long de notre incarnation. Voilà pourquoi il y a une telle urgence pour l'âme de préparer la personnalité à ouvrir sa conscience. Elle désire tirer les grandes leçons de son incarnation. Pour cela, notre personnalité doit accepter de laisser tomber les barrières, les masques et les mécanismes de défense. Elle doit défaire les carcans qu'elle a construits depuis son arrivée sur terre pour parvenir à survivre dans ce monde de dualité. Or, comme elle possède ses propres sensibilités et ses réactions émotionnelles prévisibles, l'âme doit œuvrer tout en douceur pour parvenir à son objectif d'ouverture. La personnalité habituée à tirer les ficelles n'accepte pas facilement de baisser la garde. C'est pourquoi dans la très grande majorité des cas, tout ce processus préparatoire s'amorce sur le plan inconscient. Ainsi, les demandes de l'âme ont moins de chance d'éveiller la panique, les peurs, les doutes ou de susciter une rébellion intérieure. Cela diffère pour les personnes qui ont atteint un état de maîtrise puisqu'elles parviennent à capter certaines, voire l'ensemble des étapes préparatoires. En étant à l'affût de leur ressenti, elles ont alors la possibilité de maximiser chacune d'elles pour terminer tous les apprentissages visés en venant ici-bas ou à tout le moins pour en achever le plus possible.

Signes subtils et apparents

Pour plusicurs, l'idée de se préparer à la mort semble tout à fait improbable et même quasi impossible. Cela se comprend aisément si nous tentons de saisir la question du strict point de vue matériel. Comment pourrions-nous en effet nous préparer à cette éventualité, alors que nous n'en connaissons pas les tenants et les aboutissants? Comment pourrions-nous en reconnaître les signes avant-coureurs, alors que nous n'avons aucune idée du type de mort ni du délai dans lequel elle surviendra? Il ne fait aucun doute qu'il s'avère extrêmement difficile de concevoir la planification qu'avec nos yeux humains. Pour découvrir l'ampleur du mouvement de préparation et les nombreux signes qu'il laisse au passage, il faut changer de perspective et observer avec les yeux du cœur. Certes, ces signes s'avèrent difficilement mesurables et interprétables avant la mort. Notre personnalité a peine à en comprendre leur signification au moment de leur manifestation, car elle manque des informations importantes. Ainsi, c'est pratiquement toujours après le constat du décès que le sens de ces signes se révèle clairement. Les plus sceptiques diront ici qu'il est facile de conclure que notre perception est biaisée et que nous utilisons les événements pour tirer la conclusion et l'apparence de signes prémonitoires. D'autant plus que, du point de vue médical, il n'est en ce moment pas encore possible de prédire le moment exact de la mort. Alors, comment pourrait-on accorder foi à des signes préalables à la mort qui, dans bien des cas, ne peuvent être mesurés et quantifiés rigoureusement? Cependant, il faut remettre les choses en perspective. La médecine ne traite que le corps. Elle n'a pas encore intégré l'aspect immatériel de l'être dans ses conclusions. De plus, depuis plusieurs années, la science s'intéresse à de nombreux phénomènes qui surviennent avant la mort, dont certains signes avant-coureurs et les expériences de conscience accrue (ECA), dont nous reparlerons plus loin. Enfin, ce que la science commence à découvrir à propos de la préparation à la mort est reconnu depuis fort longtemps dans les enseignements ésotériques. Alors, ce grand mouvement préparatoire n'a rien d'une fabulation, même si c'est indubitablement la mort qui nous permet de comprendre la plupart des signes reçus ou à tout le moins d'y trouver une certitude.

Bien qu'il faille rester vigilant pour ne pas voir des signes là où il n'y en a pas, il n'en demeure pas moins qu'en observant de manière objective de nombreux événements qui se sont produits avant le décès d'une personne, il appert qu'aucune autre explication logique à la préparation à la mort ne peut être formulée. En voici un exemple :

Je retourne à la maison

Dans le livre *Ils nous parlent... entendons-nous ?*[5], je raconte en détail une communication d'âme à âme que j'ai vécue avec mon grand-père. J'étais en méditation lorsque l'âme de mon grand-père est venue me demander de transmettre un message à ses enfants. Or, à ce moment, il était encore en vie. Cette communication s'est passée autour du 12 décembre et mon grand-père est décédé le 28 de ce même mois. Après ma méditation, je n'étais évidemment pas en mesure de comprendre ce qui se passait. Aux dernières nouvelles, mon grand-papa n'était pas mourant et son état de santé était relativement bon. Je ne pouvais donc avoir la certitude absolue que la communication avec lui était préparatoire à une mort imminente, même si tout y était présage. Pourtant, je me souviens d'avoir éprouvé ambivalence et doutes quant à cette communication. Quelques jours plus tard, j'ai appris que mon grand-père avait fait un petit AVC le jour où il est entré en communication avec moi. Avec l'éclairage de cette information, je me suis dit que c'était parce que mon grand-père avait frôlé la mort que nous avions pu avoir cette communication. Puis, le 28 décembre, au moment de sa mort, mon grand-père m'a offert le privilège de l'accompagner en énergie. Plus tard, ce soir-là, lorsque j'ai reçu l'appel de ma mère m'informant du décès de mon grand-père, j'ai pu comprendre un bout de l'histoire vécue avec grand-papa. Puisqu'il avait toujours eu très peur de la mort, les communications que nous avions eues ensemble avaient eu lieu pour le préparer à vivre ce passage et pour qu'il se sente accompagné et soutenu.

Puis, voilà que d'autres indices sont venus confirmer cette hypothèse. Après la mort de mon grand-père, ma mère, qui s'occupait de l'administration de ses affaires, m'a raconté qu'au début du mois de décembre, mon grand-père s'est mis à lui répéter : « Je ne veux pas que tu fasses le chèque pour le loyer du mois de janvier, car je retourne à la maison. Tu m'as compris. Ne fais pas de chèque pour janvier. » Comme mon grand-père possédait encore la maison familiale, ma mère a alors cru qu'il souhaitait y retourner. Cependant, son état de santé ne lui permettait plus d'y vivre. Connaissant bien son père, ma mère a décidé d'attendre à la dernière minute pour compléter ce chèque, histoire qu'il réalise de lui-même qu'il ne serait pas en mesure de retourner dans sa maison comme il le disait.

Cependant, l'avenir a donné raison à mon grand-père. Il est rentré *chez lui* avant janvier et ces mots n'avaient rien à voir avec sa résidence matérielle ! Il avait prévenu ma mère, car il savait inconsciemment qu'il n'occuperait plus sa chambre en janvier. Ainsi, ce n'est qu'après la mort de grand-papa que j'ai pu mettre tous les événements qui sont survenus les uns à la suite des autres et c'est là que le sens est apparu : l'âme de mon grand-père s'est vraiment préparée à ce passage. Par surcroît, elle nous en a donné des signes pour que nous puissions nous aussi nous y préparer et l'aider à vivre ce passage de manière plus harmonieuse. Je lui suis tellement reconnaissante de m'avoir permis de participer à ce grand mouvement de la vie. Ce n'est qu'au fur et à mesure que j'acquiers des clés de compréhension sur ce thème que je mesure l'ampleur du cadeau qu'il m'a alors offert et je sais que je n'ai pas encore fini de m'exclamer...

La mort nous apporte bien souvent l'élément indispensable pour trouver le sens à de nombreux événements passés inaperçus ou qui ont su attirer notre attention sans que nous en comprenions réellement le sens. À ce sujet, de nombreuses personnes qui œuvrent auprès des mourants témoignent d'histoires similaires à celle de mon grand-père. Chaque âme prépare le passage vers l'autre monde. En apprenant le langage de l'âme, nous pouvons beaucoup plus facilement observer et surtout comprendre les messages qu'elle cherche à nous transmettre.

Même si ce n'est souvent qu'après le départ d'un être cher que nous pouvons constater l'ampleur et la grandeur de toute l'orchestration derrière un signe, cela ne doit pas remettre en cause le signe lui-même. D'ailleurs, certains scientifiques l'ont bien compris et ils ont consacré plusieurs heures à observer ces phénomènes pour en comprendre les fondements.

Une conscience accrue

La similitude entre certaines histoires de fin de vie nous incite à voir bien au-delà d'une manifestation du hasard. De nombreuses personnes ont vécu un événement particulier qui s'est produit avant le décès d'un proche. Parfois même, c'est un animal de compagnie qui arrive à pressentir la mort de son maître ou d'une personne dans son entourage. C'est le cas notamment d'un célèbre chat, Oscar, qui a été accueilli dans un département de soins gériatriques d'un hôpital du Rhode Island aux États-Unis pour tenir compagnie aux personnes atteintes de la maladie d'Alzheimer[6]. Rapidement, quelques membres du personnel soignant ont remarqué qu'Oscar, habituellement très solitaire, avait un comportement assez particulier dans les dernières heures de vie des patients du département. Oscar semblait en effet comprendre que la fin d'une personne arrivait, et ce, malgré des pronostics médicaux contraires. Quelques heures avant la mort, il quittait son refuge solitaire et s'allongeait auprès de l'être qui s'apprêtait à partir. Il y demeurait jusqu'à ce que ce dernier ait rendu l'âme. Au fil du temps, il devint évident que le comportement d'Oscar n'avait rien d'aléatoire. Au contraire, il avait même à plusieurs reprises déboussolé l'équipe médicale. En effet, il est arrivé qu'Oscar se rende auprès d'un patient qui ne semblait pas prêt à partir, de l'avis des soignants, mais, chaque fois, il avait vu juste, laissant tout l'entourage complètement coi.

David Dosa, gériatre, qui a pu observer le comportement d'Oscar, croit qu'il parvenait à détecter un changement dans les composantes chimiques que libère un corps avant la mort grâce à son odorat très fin. Bien que cette conclusion n'ait rien de scientifique, il n'en demeure pas moins qu'il est reconnu que les animaux captent des informations qui passent inaperçues pour la majorité de nos sens humains.

Buffy cherche à la prévenir

Mon amie Hélène m'a raconté que, la veille de la mort de sa mère, son chien Buffy a eu un comportement des plus étranges et incompréhensibles. Il n'avait pas du tout l'entrain habituel. Il la suivait partout dans la maison avec son toutou en pleurant. Hélène ne comprenait pas ce qu'il avait. C'était la première fois qu'il agissait ainsi. Elle ne pouvait pas non plus établir un lien avec la fin de vie de sa mère, car rien ne laissait alors présager un départ imminent.

Le lendemain, l'état de sa mère s'était rapidement détérioré. Hélène et sa famille s'étaient regroupées autour du lit de sa mère pour prier et l'accompagner vers sa demeure céleste. À peine quelques secondes après le décès de sa mère, Buffy était arrivé sur le pas de la porte en pleurant et attendant d'avoir la permission d'entrer. Hélène lui avait dit : « Toi aussi, tu veux dire au revoir. Viens. » Buffy s'était approché, il avait posé ses pattes de devant sur le rebord du lit et il avait léché la main de la mère d'Hélène. Il s'était ensuite couché sous le lit, juste à côté des pantoufles appartenant à la mère d'Hélène. Il y était resté jusqu'à ce que toute la famille ait quitté la chambre.

Ce n'est que plus tard, en repensant à tous les événements entourant le départ de sa mère, qu'Hélène a su que Buffy avait pressenti le départ de sa mère et qu'il avait cherché à la prévenir.

L'instinct animal peut de toute évidence détecter l'approche de la mort. De notre côté, quand notre heure de retour est sur le point de sonner, nous avons accès à des informations conscientes et inconscientes qui nous préparent à ce grand passage. En nous s'installent des changements profonds. Nos gestes, nos paroles et notre état se transforment et cette transformation laisse des traces, des signes ou des messages. Pour l'entourage d'un défunt, bien des faits et gestes deviennent limpides après la mort. À l'approche de la mort, il arrive fréquemment que la personne en fin de vie voie ou entende des âmes désincarnées ou encore qu'elle raconte avoir vu des paysages d'une grande beauté ou des Êtres de lumière dans la pièce. Il arrive aussi qu'elle prédise avec justesse l'heure de sa mort ou à tout le moins qu'elle avise son entourage de son départ. Même si le milieu médical a longtemps considéré ces manifestations comme des hallucinations ou des désordres mentaux causés par la médication ou la détérioration de fonctions cérébrales, avec le temps, le nombre de cas rapportés n'a pu qu'éveiller la curiosité des scientifiques. De plus, les recherches scientifiques et la physique quantique apportent des éléments nouveaux qui permettent d'envisager ce qui se passe réellement en fin de vie. Tout cela allié aux quelques études effectuées sur ces phénomènes de fin de vie depuis le début du siècle a mené Karlis Osis et Erlendur Haraldsson[7] à en savoir davantage. Ils ont voulu savoir s'il était possible de départager les cas de troubles mentaux vécus en fin de vie des ECA, également appelées états de conscience modifiée, à l'approche de la mort. Osis et Haraldsson ont constaté que les cas d'ECA sont beaucoup plus fréquents qu'ils ne l'avaient d'abord envisagé. En effet, sur plus de 35 000 cas étudiés tant aux États-Unis qu'en Inde, il appert que tout au plus 13 % de ces phénomènes sont ou pourraient être associés à des troubles du cerveau ou à de la médication causant des phénomènes hallucinatoires. Les

---

Quelques chiffres tirés des études menées par Karlis Osis et Erlendur Haraldsson :

- *91 % des personnes en fin de vie disent voir un proche défunt au moment de la mort ;*

- *84 % des personnes en fin de vie qui ont vu des lieux inconnus d'une grande beauté les relient au passage de la mort qu'elles envisagent alors comme agréable ;*

- *72 % des personnes affirment éprouver beaucoup de quiétude après une telle vision ;*

- *80 % des patients qui ont vécu une ECA n'étaient aucunement troublés par la médication ou des hallucinations.*

Tiré du *Manuel clinique des expériences extraordinaires*

auteurs concluent que bien qu'ils ne soient pas en mesure d'expliquer la nature de ces expériences, leur étude confirme qu'au-delà de tous dogmes ou de toutes croyances, de nombreuses personnes en fin de vie accèdent à un niveau de conscience accrue qui leur permet de se préparer à la mort.

Tous les gens qui ont été témoins d'une ECA s'entendent pour dire que la compréhension d'une telle expérience et surtout du sens subtil qui en émane passe par une écoute attentive qui requiert de voir au-delà des apparences parfois si étranges. Maggie Callanan et Patricia Kelley, dans leur merveilleux livre *Final Gifts*, racontent plusieurs cas où des personnes accèdent à des communications avec l'au-delà dans les derniers instants de leur incarnation et où elles parlent de sujets étranges ou d'idées qui semblent parfois troubles. Pourtant, à la lecture de ces récits, nous constatons qu'en prenant vraiment le temps de les écouter avec tout notre cœur, il nous est possible de capter l'essence que la personne en fin de vie tente de nous livrer. Il faut enlever les œillères de notre mental pour parvenir à entendre ce message subtil, car ce dernier vient d'ailleurs, d'un autre monde. Loin d'être un charabia incompréhensible, il se révèle être un puissant langage symbolique qui utilise un tableau marquant de l'histoire de vie du mourant pour exprimer un besoin, un désir, un adieu. Il est si puissant qu'il laisse des traces observables dans le cerveau de la personne qui vit une telle expérience.

En effet, selon les observations de John Lerma[8], l'activité cérébrale des personnes en fin de vie qui vivent une ECA est comparable à celle qui se passe dans le cerveau de ceux qui atteignent un état de conscience modifiée ou altérée[9]. Grâce à une étude qu'il a effectuée auprès de patients en fin de vie et de personnes souffrant d'hallucination, il appert que lors des ECA, certaines zones du cerveau s'activent alors qu'elles demeurent inanimées durant une période d'hallucination ou de confusion. Les zones du cerveau sollicitées par une ECA font référence à celles qui procurent une sensation de paix et de réconfort, contrairement aux zones sollicitées lors d'expériences hallucinatoires et de confusions qui suscitent de l'anxiété et de l'agitation. Puisque les ECA sont difficilement prévisibles, même en fin de vie, il n'est donc pas aisé d'en mesurer le phénomène par rapport à toutes les circonstances de mort. Cependant, à ce jour, les informations qui sont issues des ECA à l'approche de la mort et l'effet bénéfique qu'elles laissent aux personnes qui les ont vécues font dire aux chercheurs qui se sont intéressés au sujet qu'il se passe bel et bien quelque chose, même s'ils ne sont pas encore capables d'en comprendre les tenants et les aboutissants.

Expérience de conscience accrue (ECA) et élévation vibratoire

Certes, cette vision de la science aide à prendre davantage au sérieux le phénomène d'ECA, au grand bénéfice des personnes en fin de vie qui trouvent de plus en plus une oreille attentive lorsqu'elles tentent de partager une telle manifestation. N'allons pas croire cependant que ce phénomène est nouveau. Il a toujours existé. Les ECA font partie du processus préparatoire à la mort. Elles ont pour fonction d'éveiller la conscience au passage qui s'amorce et d'aider l'âme à clore son voyage terrestre en beauté. Elles n'ont rien d'étrange. Elles sont simplement le résultat d'une transformation énergétique nécessaire à l'abandon du corps physique. Ce phénomène s'explique par le fait que l'âme commence à se détacher du corps physique bien avant de l'avoir quitté définitivement. Il s'agit du processus inverse qui se produit lors de l'incarnation. Lorsque l'âme amorce le voyage vers la terre, elle vit le détachement des plans célestes en intégrant graduellement la vibration de tous ces corps énergétiques. Cela l'amènera donc à abaisser tranquillement sa vibration pour atteindre la matière dense. Pour quitter les énergies terrestres, l'âme doit recouvrer peu à peu des énergies plus élevées. En conséquence, elle fera de nombreuses incursions dans l'au-delà. Ces visites se déroulent principalement sur le plan émotionnel, plus souvent appelé astral, mais peuvent aussi s'étendre sur les plans mental et causal. Elles servent à renouer avec des vibrations plus élevées et à mettre tout en place dans la matière afin de faciliter ce départ. C'est donc grâce à cette élévation de vibration que nos sens et nos perceptions s'affinent durant le passage de la mort et que les ECA peuvent survenir.

De nombreuses prises de conscience surviennent en fin de vie, grâce à cette augmentation du taux vibratoire. Elle apporte un regard neuf sur les événements passés de notre vie, sur tout ce que nous y avons accompli ou manqué. Cela crée une ouverture propice aux réconciliations et au pardon. Voilà pourquoi les valeurs, les motivations et la vision de la vie se transforment à vue d'œil. Les voyages sur les plans de conscience plus élevés aident l'âme et la personnalité à focaliser sur ce qui est essentiel à ce passage. Du coup, un alignement sur l'âme et la personnalité est plus propice, faisant ainsi élever le taux vibratoire de la personne en fin de vie. Cette dernière est donc en mesure d'expérimenter ce que l'on appelle dans le langage scientifique des perceptions extrasensorielles (PES), ou capacités « psi »[10]. Ainsi, les ECA ne sont ni plus ni moins que des PES qui se manifestent au terme de la vie.

> ### Le psi reconnu
>
> *Étant donné l'importance des résultats obtenus, la reconnaissance scientifique des phénomènes psi est inéluctable.*
>
> Dean Radin, docteur en psychologie, ingénieur et chercheur à l'Institut des sciences noétiques, en Californie
>
> Extrait de *La conscience invisible*, p. 21

Ces expériences vécues en état d'éveil apportent une transformation consciente de l'être, car elles offrent un aperçu de la vie après la vie et une nouvelle compréhension de ce qui a été vécu durant l'incarnation. Puisqu'elles se produisent sur des plans de conscience plus élevés, elles procurent une sensation de paix intérieure intense qui dure longtemps après l'expérience elle-même. Cet état intérieur est transformateur puisqu'il permet d'entendre le sens inhérent aux événements de l'incarnation. C'est là où la signification de la vie commence enfin à se révéler. Les ECA servent donc non seulement à la préparation énergétique, mais également à rassurer la personnalité et à faire taire les peurs, les anxiétés et les doutes quant à la mort. Chacune d'elles représente une occasion de toucher, d'entendre, de ressentir ou de voir un bout de ciel.

2 - Où, quand et comment l'âme se prépare-t-elle à ce passage ?

Comme mentionné au début du chapitre, la préparation s'amorce longtemps avant la mort elle-même. Il faut plusieurs mois de préparation avant la mort et il arrive que certaines âmes aient besoin de plus de temps. Ce passage peut donc se tramer plusieurs années à l'avance. Il nous est cependant difficile de mesurer avec exactitude ce délai dans la matière. En effet, des faits très précis et très marquants doivent se produire pour établir des liens avec cette préparation. Cependant, la plupart du temps, les éléments préparatoires se produisent à notre insu et les plus marquants surviennent majoritairement peu de temps avant le décès. De plus, il est possible que l'âme ait amorcé le processus de la mort et qu'elle l'interrompe en cours de route pour le reprendre quelque temps plus tard. Tout comme l'âme qui s'incarne change parfois d'idée en cours de route, il arrive que le passage de la mort ne se fasse pas d'un seul coup. L'âme pourra donc faire quelques tentatives avant de l'achever définitivement. Ainsi, le processus préparatoire à la mort peut avoir commencé longtemps avant la mort et s'être interrompu pour finalement parvenir à l'ultime passage lorsque l'âme s'y sent enfin prête.

Du rêve à la réalité

C'est durant la nuit que s'amorce le grand voyage de retour vers notre famille céleste. Pour quitter la terre, nous devons élever nos vibrations. Est-ce l'approche de la mort elle-même qui nous ouvre la voie vers les plans vibratoires supérieurs ? En fait, nous accédons à des plans vibratoires plus élevés durant notre incarnation, mais la plupart du temps, nous n'en avons pas conscience. D'une part, en état de veille, nous accédons de courts instants à des vibrations plus élevés qui nous permettent de capter des informations intuitives, mais n'ayant pas appris à écouter notre ressenti, nous ne reconnaissons pas souvent l'origine des informations que nous captons. D'autre part, durant le sommeil profond, l'âme voyage sur le plan astral et elle peut également accéder à des plans plus élevés si cela fait partie de son cheminement. Ainsi, de manière générale, deux à trois fois par nuit, nous accédons au plan astral et même parfois à des plans supérieurs pour y découvrir une multitude d'informations. L'astral nous est donc familier puisque c'est là que, toutes les nuits, nous allons pour nous instruire ; nous visitons des âmes chères à notre cœur ; nous faisons le point sur notre incarnation avec nos guides ; nous acquérons de nouvelles connaissances ; nous nous détendons et nous nous ressourçons. Par exemple, lorsque nous nous couchons préoccupés, il n'est pas rare que le lendemain matin nous ayons la solution à notre problème. « La nuit porte conseil », dit-on. Et c'est effectivement le cas. Ces allers-retours nous servent principalement à maintenir l'harmonie dans l'incarnation, à trouver toutes les ressources et l'aide dont nous avons besoin pour pouvoir réaliser notre projet Conscience[11].

Bien que nous ayons accès aux plans vibratoires plus élevés durant l'incarnation, l'approche de la mort facilite l'accession à ces vibrations puisque les corps énergétiques commencent à se détacher du corps physique, favorisant ainsi l'augmentation de nos capacités extrasensorielles conscientes[12]. L'astral correspond au plan vibratoire où se retrouvent la plupart des âmes immédiatement après la mort. Il est le plan de conscience le plus près de la terre et, du coup, il représente le lieu de prédilection pour amorcer notre préparation au passage de la mort. L'âme profitera de ces périodes nocturnes dans l'astral pour planifier la fin de son incarnation. Elle y rencontrera ses guides et les maîtres d'incarnations. Au début du processus du passage de la mort, ces temps de préparation sont éloignés et ils servent à mettre en place les bases de ce départ. La plupart du temps, au réveil, il ne nous reste aucun souvenir franc de ces rencontres. Il arrive parfois d'être habité par une impression qu'il s'est déroulé quelque chose de particulier sans pouvoir mettre de mots sur cette impression. Notre conscience de veille est tenue à l'écart de ce stade préparatoire, sauf si nous maîtrisons les grands principes spirituels. Ainsi, seuls les grands maîtres parviennent à capter la mise en place de ce processus dans les débuts.

Au fur et à mesure que le processus de préparation avance, il arrive cependant que certaines personnes soient habitées par une certitude inexplicable qu'elles n'en ont plus pour longtemps ou qu'un grand changement se prépare. Celles-ci ne sont généralement pas en mesure de dire pourquoi elles ont cette certitude, ni quand et comment les choses surviendront. Et ce qui est le plus étrange, c'est que ces personnes sont généralement en santé au moment où elles éprouvent cette certitude et qu'il n'y a rien qui laisse présager qu'elles pourraient mourir. En voici quelques exemples :

C'est mon dernier Noël

Nous fêtions Noël dans la famille de mon conjoint. Au beau milieu des festivités, sa grand-mère qui était alors bien portante a dit : « C'est mon dernier Noël avec vous. » Évidemment, tous ceux qui l'ont entendue se sont dépêchés de répondre : « Pourquoi dis-tu cela ? Tu es en forme et il te reste encore bien d'autres moments à vivre avec nous », ne comprenant pas pourquoi elle faisait une telle affirmation. Pourtant, elle avait raison. Peu de temps après, on lui a diagnostiqué la maladie d'Alzheimer. Le Noël suivant, elle était très confuse. Même s'il y a eu d'autres célébrations de Noël avant qu'elle décède, elle n'était plus suffisamment consciente pour célébrer avec nous. Au fond d'elle, elle savait qu'il s'agissait bel et bien de son dernier Noël en conscience avec nous.

Pas de rente pour moi

Fêtant son soixante-quatrième anniversaire de naissance, la mère d'un de mes amis lui dit qu'elle n'aurait jamais de rente de retraite. Ne comprenant pas trop ce qu'elle voulait dire, mon ami a cru qu'elle ne souhaitait pas réclamer cette rente. Cependant, cette phrase lui est revenue après la mort de sa mère, décédée un mois avant d'avoir 65 ans. Elle avait vu juste. Elle ne bénéficierait effectivement jamais d'une rente de retraite.

Une musique céleste

Un mois avant de mourir dans un accident de voiture, Karine a téléphoné à la maison pour parler avec son frère. Au cours de cette longue conversation, une musique jouait en boucle chez Karine. Celle-ci s'intitulait « Aux portes du paradis ». Quand son frère lui a demandé quelle était la pièce qui jouait, Karine lui a donné le titre et lui a dit qu'elle ressentait le besoin de la faire jouer en boucle depuis quelque temps. Puis, la veille de son accident, Karine a de nouveau téléphoné à sa famille. Cette fois, elle a insisté pour parler à tout le monde. Comme son père était absent, elle a même rappelé quatre à cinq fois jusqu'à ce qu'elle parvienne à lui parler, ce qu'elle ne faisait pas à l'habitude. Inconsciemment, elle sentait que quelque chose se tramait pour elle et elle a écouté ce que son intuition lui dictait pour se préparer à partir et passer du temps avec ses proches. Étant loin, le téléphone devenait le moyen idéal pour faire ses adieux.

Ces exemples illustrent la manière inconsciente dont la personnalité reçoit les informations de l'âme pour se préparer à ce grand voyage. En effet, aucune de ces personnes n'aurait pu affirmer qu'elle s'apprêtait à mourir, mais chacune a fait ou dit des choses avec certitude, sachant que cela était juste sans pouvoir l'expliquer.

L'astral nous prépare

À l'approche de la mort, les incursions dans l'astral deviennent plus fréquentes et selon notre degré de réceptivité, elles peuvent demeurer à l'état d'inconscience jusqu'à la fin pour la personnalité. Le rêve est un véhicule de communication extraordinaire pour lui transmettre des messages souvent symboliques de l'approche de la mort. De nombreuses personnes qui ont côtoyé un être en fin de vie racontent la pertinence des rêves du mourant. Dans ces rêves, le mourant apprivoise les énergies de l'astral, les personnes qui s'y trouvent et les effets de la désincarnation. Il recevra parfois des messages importants de choses à régler avant sa mort. Certains rêves fournissent même l'heure de la mort à venir[13]. Dans la série télévisée *La vie après la mort*, diffusée sur les ondes de Canal Vie, l'émission portant sur le thème des mourants et de leurs rêves, Kimberly Clark Sharp, médecin de l'université de Washington, rapporte le cas d'un vieil homme qui a rêvé que son frère décédé venait lui dire qu'ils se retrouveraient le dimanche suivant à quatorze heures. L'homme a fait ce rêve le vendredi et l'a aussitôt raconté à son médecin dans le but de lui demander d'être là le dimanche. Elle a acquiescé à cette demande sans jamais penser qu'il mourrait ce jour-là. À la surprise de tous, ce vieil homme est bel et bien décédé à quatorze heures le dimanche suivant en présence de sa médecin, stupéfaite de voir la concrétisation de ce rêve.

Le sommeil est donc encore l'endroit privilégié pour la préparation au passage de la mort. Cependant, à l'imminence de la mort, les communications avec l'au-delà pourront également survenir en dehors du sommeil. Elles se manifesteront alors sous forme d'intuitions, de clairvoyance, de clairaudience, de « clairsenti », de rêves éveillés ou de forts ressentis qui, comme nous l'avons abordé en début de chapitre, se regroupent sous le nom d'ECA. Même si de telles manifestations ne se passent plus à l'insu de la personnalité, cela ne veut pourtant pas dire que leur objectif profond soit conscient. L'expérience intuitive est vécue et ressentie par la personnalité, mais cette dernière ne sait pas nécessairement que cette expérience fait partie des étapes préparatoires au passage de la mort, surtout si la mort qui s'annonce doit avoir lieu de manière subite. Toutefois, les ECA à l'approche de la mort sont souvent vécues en toute connaissance et c'est ce qui permet l'ultime abandon à la mort.

Ainsi, la plupart des âmes effectuent pratiquement toute leur préparation dans l'astral, c'est-à-dire sur le plan vibratoire associé au monde et au corps émotionnels. À l'occasion, dans de brèves visites nocturnes, elles peuvent renouer avec les énergies des plans mental et causal pour parfaire cette préparation lorsque le cheminement spirituel l'exige. C'est le cas pour l'âme des maîtres spirituels et des personnes qui ont un long cheminement intérieur. Ceux-ci accèdent souvent au plan vibratoire du monde mental et ils séjournent de temps à autre sur le plan causal pour peaufiner leur voyage de retour. Nous parlerons plus amplement des divers plans de conscience au chapitre 5. En sachant que le cheminement spirituel nous ouvre l'accès à d'autres plans de conscience pour effectuer une meilleure préparation à la mort, nous pouvons comprendre toute son importance. Ce dernier nous permet de participer activement à cette préparation en étant conscients ou à tout le moins plus alertes quant à ce qui se trame et à ce qui nous attend. Certes, il n'est jamais trop tard pour entreprendre ce cheminement, et tout ce qui pourrait être compris consciemment, même aux limites de ce voyage terrestre, sera un grand pas d'acquis dans notre projet Conscience. Pouvoir regarder la mort avec tout l'espoir qu'elle nous apporte nous procure une grande force intérieure. Cela nous conduit vers la sérénité dont nous avons besoin pour accomplir la dernière étape de notre incarnation. Celle-ci exige que nous lâchions prise sur la matière dense qui est souvent notre unique référence en cours d'incarnation. En effet, ce corps que nous revêtons depuis notre naissance et les attachements que nous avons noués au fil du temps sont nos points de repère et servent souvent à nous définir. L'arrivée de la mort nous oblige à revoir ces repères en renouant avec notre âme, avec notre esprit.

Des variations dans la préparation

Une question se pose ici : les circonstances de la mort influencent-elles l'accès à cette force intérieure ? Les étapes d'une maladie dégénérative nous semblent souvent propices aux retrouvailles conscientes de cette force, mais en est-il toujours ainsi ? Toute mort est préparée par l'âme, sauf le suicide, comme nous l'avons indiqué en début de chapitre. Cependant, la préparation varie selon la cause de la mort. L'âme qui quitte le plan terrestre à la suite d'une maladie dégénérative aura la tâche facilitée puisque la personnalité sait, sent et voit la mort approcher au fur et à mesure que la maladie gagne du terrain. Les intuitions envoyées à la personnalité auront beaucoup plus de chance d'être captées que celles envoyées dans le cas d'une mort accidentelle ou subite. Cela se comprend aisément. La personnalité qui n'a aucun signal de dégénérescence du corps physique aura peine à accorder crédit aux intuitions d'urgence, aux besoins de réconciliation ou aux besoins de discuter de la mort avec ses proches. Ainsi, dans les cas de départs inattendus, la tâche de l'âme est beaucoup plus grande, surtout si la personnalité n'a pas tendance de façon naturelle à écouter sa voix intuitive.

Dans les derniers moments sur terre, l'âme se fait de plus en plus insistante. Il devient de plus en plus difficile pour la personnalité de faire fi des messages reçus, même si celle-ci n'en comprend pas toujours le sens. En voici un exemple :

Des faits qui parlent

Environ deux semaines avant d'être happée par une voiture, Marie-Josée discute avec sa mère Aline lors d'une promenade en auto. Après une longue conversation, Marie-Josée en vient à parler de son travail. Étant infirmière, elle raconte à sa mère qu'il lui arrive d'accompagner des patients en ambulance dans un autre hôpital avec un ambulancier qui conduit prudemment, mais très vite. En entendant ces mots, la mère se sent soudainement envahie d'une colère incontrôlable vis-à-vis de cet homme qu'elle ne connaît même pas. Cela la bouleverse tellement qu'elle pressent un danger pour elle-même. Elle demande alors à Marie-Josée ceci : « Si un jour je devais être branchée à un respirateur artificiel pour le reste de ma vie, laisse-moi trois jours pour voir comment tout se passe et si, après ce délai, rien n'a changé, promets-moi de voir à ce que l'on me débranche. » Marie-Josée lui promet et lui demande de faire de même pour elle. Puis, elle ajoute ceci : « Tu devrais aussi en parler à quelqu'un d'autre au cas où je ne serais pas là. » Après quoi Marie-Josée a ajouté : « Maman, toute la semaine, j'ai eu l'impression que les voitures qui passaient près de moi voulaient me couper la route et à plusieurs reprises j'ai eu très peur. »

Deux semaines plus tard, Aline se rend avec son mari et des amis chez Marie-Josée. Elle est alors envahie par une forte odeur de sang qu'elle seule arrive à percevoir. En chemin, elle arrête dans une librairie pour acheter le livre *Dans les bras de la lumière* de Betty J. Eadie[14]. Puis, son achat à peine terminé, Aline apprend que sa fille vient d'être happée dans un accident et qu'elle est dans un état critique.

Marie-Josée ne devait pas travailler ce matin-là. Son quart de travail débutait à seize heures. Mais après trois appels de son département, elle a finalement accepté de changer son horaire. C'est en quittant l'hôpital pour rentrer à la maison qu'une ambulance l'a percutée de plein fouet. L'ambulancier qui travaillait avec Marie-Josée lors des accompagnements dans d'autres hôpitaux était au volant de l'ambulance au moment de l'impact. Marie-Josée était grièvement blessée et les médecins n'avaient aucun espoir. Après trois jours et trois nuits passés auprès de leur fille, Aline et son mari, toujours sous le choc, acceptèrent de la laisser voler vers sa demeure céleste et ils demandèrent à ce qu'elle soit débranchée.

Aline m'a écrit quelque temps après pour me raconter toutes les synchronicités qui se sont passées avant la mort de Marie-Josée, convaincue qu'elles étaient préparatoires à ce passage si éprouvant.

Ce récit démontre bien l'insistance de l'âme de Marie-Josée et d'Aline à mettre tout en place pour se préparer à ce passage. Toutes deux ont pressenti des choses avant le départ de Marie-Josée. Ces ressentis incompréhensibles ne trouvent leur sens qu'avec l'avènement fatal de l'accident. Tant de questions surgissent à leur lecture. Pourquoi Aline et Marie-Josée ont-elles ressenti le besoin de parler de débranchement? Pourquoi Aline a-t-elle ressenti cette colère envers quelqu'un qu'elle ne connaissait pas? Pourquoi Marie-Josée a-t-elle accepté de changer de quart de travail? Pourquoi Aline a-t-elle ressenti l'odeur de sang? Pourquoi Aline voulait-elle lire ce livre qui traite de la vie après la mort? La seule réponse qui puisse donner un sens à tous ces événements, c'est que l'âme d'Aline et celle de Marie-Josée ont cherché à les préparer à ce qui allait survenir. Mais, au moment où ces informations leur sont parvenues, ni Aline ni Marie-Josée n'étaient en mesure d'en comprendre la portée. Par contre, la vibration du message s'est imprégnée de manière indélébile dans leurs corps physiques et énergétiques, augmentant ainsi leur taux vibratoire pour leur permettre de vivre ce passage de la meilleure manière qui soit, dans les circonstances.

Même dans les cas de mort subite, l'âme sait qu'elle est engagée dans ce passage. Son temps est compté pour terminer ce qu'elle a entrepris en venant sur terre. Elle utilisera tous les moyens à sa disposition pour amener la personnalité à vivre ce passage comme une expérience spirituelle riche de sens. Les PES seront donc des outils à sa disposition à l'approche de la mort, peu importe le type de mort qui surviendra. Grâce à elles, l'âme peut exprimer ses besoins, ses aspirations profondes, ses peurs et ses doutes. Les voyages dans l'astral l'aideront à élever ses vibrations pour accéder au chemin du retour, même dans les cas de mort subite, et les ECA deviendront la voie d'expression pour compléter cette élévation. Derrière tout ce grand tableau, nous pouvons voir l'ampleur et la beauté de la mort. Cette dernière est loin d'être une cruelle ravisseuse. Au contraire, elle donne en abondance si nous acceptons d'y entrer sans résistance.

3 - Un regard sur les besoins de l'âme durant cette transition

Les ECA nous propulsent au cœur même des préoccupations de l'âme, de ce qui lui est essentiel pour pouvoir quitter son corps de chair en toute légèreté. Elles surviennent pour que la personnalité s'ouvre à l'essence de la vie, pour qu'elle parvienne à délaisser tout contrôle sur la matière et qu'elle accueille tout l'amour que la grande dame appelée « mort » offre au passage. Puisqu'elles viennent d'une vibration supérieure, leur message utilise très souvent des éléments symboliques pour illustrer ces préoccupations. Cela n'a rien de surprenant, car tel est le langage du cœur : imagé, concis, puissant et direct. Pour parvenir à le comprendre, il est nécessaire de s'arrêter et de l'accueillir avec le cœur. La tête ne nous sera d'aucune utilité ici, seule une lecture du cœur nous transmettra le message avec une telle limpidité. Parfois, la personne qui vit une ECA connaît le sens profond du message, mais n'arrive pas à y mettre des mots justes. Parfois, ces mots lui parviennent à l'esprit, mais elle ne réussit pas à les dire à ses proches par peur de les blesser ou de heurter leurs croyances. Il sera plus facile à ces personnes de livrer le message symbolique en espérant que le sens se révélera à ceux qui l'entendent.

Comprendre nos besoins pour mieux vivre ce passage

L'âme fera naître des sentiments d'urgence auprès de la personnalité pour s'assurer d'atteindre son but. Par exemple, il est fréquent d'entendre les proches d'un être décédé subitement dire : « C'est drôle, il n'avait pas l'habitude d'être très rangé, mais la semaine dernière, il a mis de l'ordre dans tous ses papiers. C'est étrange ! On aurait dit qu'il le savait ou qu'il le pressentait » ou « elle ne laissait jamais de mot sur le frigo, mais ce matin-là, elle en a mis un disant qu'elle nous aimait ». Ce sont des exemples où l'âme a le profond désir de ne pas partir sans avoir fait ou dit quelque chose dont le but est voilé sous un désir ardent. Notre personnalité ne peut résister à cette forte impulsion, même si elle n'en saisit pas toujours la portée. Lorsque le processus de la mort est enclenché, tout ce qui peut nous apporter un mieux-être et une joie profonde devient notre leitmotiv. Une transformation en nous s'opère et nous incite à parler des préoccupations et des besoins qui nous habitent alors. Les besoins des âmes sont nombreux et variés à l'instar des besoins des humains. Ils peuvent cependant être regroupés dans certaines catégories.

Prévenir l'entourage

À l'approche de la mort, l'âme éprouve souvent le besoin de prévenir son entourage que la fin de son incarnation approche. Ici, il est souvent difficile de comprendre les messages que la personne en fin de vie nous donne à ce sujet puisqu'elle-même a souvent peine à mettre de l'ordre dans ses idées. Il faut beaucoup de courage et de force pour oser avouer à ceux que nous aimons que la fin de notre incarnation approche. Cela demande d'avoir transcendé ses peurs et ses angoisses de la mort et d'être prêt à accueillir celles de son entourage. Il faut être assurément solide intérieurement pour regarder nos proches dans les yeux et leur dire : « Voilà, je sens que je vais mourir. Peux-tu m'aider dans ce passage ? » Les messages symboliques lui seront donc d'une grande utilité pour tenter d'ouvrir la conversation avec l'entourage. Si la personnalité capte l'imminence de la mort, cela provoque habituellement un grand tumulte intérieur où peurs, angoisses et peine seront remuées. S'il n'est déjà pas facile de départager tout cela, imaginez ce que cela exige de clarté pour le partager avec nos proches qui sont eux aussi aux prises avec leur propre tourbillon émotionnel.

Ainsi, de manière bien inconsciente, il n'est pas rare que les personnes en fin de vie passent leur message en parlant d'entreprendre un *voyage*, de rentrer à la *maison*, de commencer un *projet* important ou encore en évoquant leur grande *fatigue* ou le fait qu'elles ne veulent plus être ici. À mots couverts, elles désirent entamer une discussion franche sur leur avenir en utilisant ces symboles. Or, souvent, nous ne captons pas le symbolisme derrière ces mots et nous manquons le message qu'il nous apporte. Nous allons souvent répondre à de telles affirmations ainsi : « Voyons, tu sais bien que tu n'es pas en état de voyager ou pour rentrer à la maison » ou encore « tu as tout le loisir de te reposer ici, profites-en ». Sans le vouloir, nous venons de clore la conversation et cela ne fait qu'engendrer de l'incompréhension et de la confusion de part et d'autre. Pour découvrir le sens de ces messages, il faut oser poser directement des questions : « Que veux-tu dire par voyage ? Parles-tu de quitter la terre ou de simplement partir quelques jours ? » ou « quand tu dis que tu es fatigué, es-tu fatigué de vivre ? ». Il ne faut pas hésiter à ouvrir la porte à un être cher en lui disant : « Tu sais, si tu as envie de parler de la mort, je suis disponible. Je n'ai peut-être pas les réponses que tu cherches, mais je pourrai au moins t'aider à les trouver. »

Le besoin de prévenir notre entourage ne renvoie pas simplement à la mort elle-même, mais il peut aussi indiquer le moment exact de la mort, bien que cette information soit souvent des plus difficiles à décoder. Encore une fois, citons l'exemple vécu avec mon grand-père. Il était difficile de décoder le sens de son message au moment où il indiquait à ma mère de ne pas signer le chèque de son loyer. Cependant, en étant sensibilisés à ce genre de propos et en y portant attention, nous pouvons être guidés à poser les bonnes questions, surtout si elles reviennent à quelques reprises sur le tapis. Derrière cette répétition se cache un besoin d'exprimer un ressenti par rapport à la mort. En l'exprimant, nous demandons à nos proches de nous aider à nous préparer à ce passage. En l'entendant, nous offrons non seulement un merveilleux cadeau à la personne en fin de vie puisqu'elle peut ainsi révéler ce qu'elle ressent, mais nous nous offrons également une occasion extraordinaire de côtoyer la mort et d'en voir la grandeur. Devant la mort, nous sommes incités à toucher à notre vraie nature, à descendre au cœur même de la vie qui nous habite. Nous avons besoin d'en parler pour y entrer avec plus de sérénité. Notre âme tente ardemment de nous ouvrir des voies de discussion. Les fuir ne nous éloignera pas de la mort, mais de nous-mêmes et d'une occasion de croissance importante.

Même dans les cas de mort subite, on retrouve cette volonté de l'âme de prévenir ses proches en transmettant des signes révélateurs qui font leur travail sur les plans énergétiques, mais qui sont difficilement compréhensibles par le mental. De nombreuses personnes qui ont vécu le départ d'un être cher découvrent le sens du ressenti profond qu'elles éprouvaient depuis quelque temps lorsqu'elles apprennent la mort de celui-ci. En voici un exemple :

Si Dieu le veut

Un peu avant le départ de son fils Janick pour la Bolivie, Micheline remarque la grande nervosité de ce dernier.

Ce n'est pourtant pas son premier voyage et il n'arrive pas à s'expliquer ce qui le rend aussi nerveux. Lorsque l'heure de la séparation sonne, Micheline est frappée de plein fouet par les propos de ce dernier. Il lui dit : « On se revoit en septembre, si Dieu le veut et si je reviens. » Elle ressent alors un nœud dans son estomac, qui a persisté des mois durant. Tout au long de son voyage, à plusieurs reprises, Janick termine leur entretien par cette même phrase qui s'enfonce toujours un peu plus creux dans le corps et le cœur de Micheline. À l'heure même de la mort de Janick, Micheline, sans savoir ce qui se trame à des kilomètres pour son fils, éprouve la douloureuse sensation qu'on lui enfonce un coup de poignard au creux de l'estomac. Elle ne comprend pas ce qui se passe et elle ne parvient pas à identifier pourquoi elle se sent ainsi. Elle en comprend le sens seulement 22 heures plus tard, au moment où la police vient lui apprendre que son fils s'est noyé à l'heure exacte où elle a ressenti cette douleur intense. L'âme de Janick connaissait la fin imminente de son incarnation. Par cette phrase à la fois des plus incompréhensibles et des plus limpides, elle a cherché à prévenir sa mère de cette éventualité. Le mental de Micheline ne pouvait en comprendre la teneur, mais tous ses corps énergétiques et son corps physique l'ont saisi. Le nœud qui s'est logé dans son estomac était en fait un signal d'alerte pour la prévenir du passage important qu'elle et son fils allaient bientôt vivre. Malgré le départ aux apparences imprévisibles de Janick, il y avait pourtant un mouvement préparatoire, tant pour sa mère que pour lui. À cet effet, il a consigné des écrits dans son journal de bord qui en témoignent. Janick était auteur-compositeur et son âme en préparation a inspiré plusieurs de ses chansons, dont notamment ces deux extraits qu'il a composés six jours avant son décès :

Premier extrait :

Imaginons l'œuvre de Dieu dans un gros aquarium
J'ai bu et m'y suis noyé

Deuxième extrait :

Je suis le chercheur.
La terre, l'Univers, Dieu et même plus
Ne sont point les frontières qui me font peur
Mais j'implore la justice qu'elle soit juste
Pour un cœur mourant qui saigne et s'assèche
Tranquillement, mais sûrement, il faudra refermer la brèche.
Amour, amour, amour, toi qui me tueras,
Ne joue plus au sourd, mais écoute et aie pitié.

La dernière phrase que Janick a consignée dans ce journal est la suivante :

Et Spiritus Sanctus (et le Saint-Esprit)

L'âme de Janick connaissait son départ, et ces paroles de chansons laissent un message à ses proches pour leur dire : « Ne vous en faites pas pour moi. Ce qui m'arrive n'est pas un triste sort. Bien au contraire. Il s'agit de la voie qui me mène vers un retour planifié à la maison. Ne vous sentez pas responsable de ce départ qui semble précipité. Personne d'entre vous n'a causé ma mort ou n'aurait pu la prévenir. Elle était prévue. Il me fallait partir. C'était mon heure et ces écrits vous le démontreront. Je souhaite qu'ils vous aident à comprendre que mon départ faisait partie de mon chemin de vie et qu'ils fassent taire à jamais toute la culpabilité, tous les remords. » L'âme de Janick savait ce qui se tramait pour son corps physique. Elle a tenté de l'exprimer à ses proches pour qu'ils comprennent que ce départ n'est pas vain ni futile. Derrière toute cette mise en scène, l'amour pur œuvre pour apaiser les cœurs éprouvés.

Le besoin de prévenir ses proches est donc très grand parce que l'âme sait qu'elle entre dans un passage important. Elle sent qu'elle aura besoin de toutes les ressources disponibles pour l'aider dans cette grande traversée.

Être accompagné

L'âme qui s'apprête à s'élever dans l'au-delà a besoin de trouver du réconfort pour accepter d'entrer dans le mouvement et lâcher prise sur son incarnation. Il lui sera alors très rassurant de se savoir accompagnée. À cette fin, les diverses incursions dans l'astral l'aideront à renouer avec l'aide céleste disponible pour elle. Durant ces moments, elle retrouvera la présence rassurante de ses guides. À l'approche de la mort, l'affinement de ses sens lui permettra de ressentir la présence de proches décédés, de guides ou d'êtres de lumière, même en état de veille. Ces présences sont généralement là pour signifier à la personne en fin de vie qu'il est temps de partir et qu'elle n'a pas à craindre de vivre ce passage seule[15]. Parfois, les présences célestes sont suffisantes pour que la personnalité accepte de lâcher prise. À d'autres occasions, la peur de la mort, de l'inconnu ou le besoin de vivre ce moment accompagné sera tel qu'il faudra une aide terrestre en plus de l'aide céleste.

Elle repartira !

Une maman me raconte que peu de temps après avoir accouché d'une petite fille en excellente santé, son fils de quatre ans lui dit que sa petite sœur repartira au ciel. Étonnée de ses propos, elle ne s'y attarde pourtant pas, bien qu'elle aussi éprouve une sensation indescriptible par rapport à cette enfant qui vient de naître. En effet, un mélange de doute, de peur et de sérénité l'habite depuis le début de l'incarnation de cette enfant et elle ne sait pas à quoi les attribuer. Quelques semaines plus tard, alors que la journée s'amorce, le bambin retrouve sa mère et lui dit : « Maman, ma petite sœur repartira au ciel, tu sais. » Une fois de plus, la mère est bouleversée par cette phrase qui fait monter en elle une profonde inquiétude. Elle ne sait comment réagir, mais elle sent que derrière toute l'intensité ressentie se cache une vérité qui lui est difficile à saisir. Elle en comprendra toute l'ampleur plus tard à la fin de la journée, lorsqu'elle apprendra la mort subite de sa fille. L'âme de sa fille a tenté de la prévenir, mais comme le message était extrêmement difficile à entendre pour le cœur d'une maman, l'âme de la fillette a eu recours à l'aide de son grand frère. Par amour pour sa maman, pour son papa et pour son grand frère, cette âme a souhaité les prévenir de ce départ pour qu'ainsi ils sachent qu'au-delà du corps de chair, ce lien d'amour profond existe et existera toujours.

Parfois, la préparation à ce passage s'effectue bien longtemps à l'avance. Des signes annonciateurs surviennent alors. Puis, la préparation s'arrête ou se poursuit sur des plans vibratoires plus subtils sans que nous en ayons connaissance.

Viens me rejoindre…

Dans le livre *Ils nous parlent… entendons-nous ?*[16], je raconte une communication que j'ai eue avec l'âme de Mélanie, alors qu'elle était encore incarnée. Mélanie avait alors besoin d'être rassurée à propos du passage dans l'au-delà.

Bien que cette rencontre se passe en énergie, Mélanie vit également des phénomènes importants dans la matière. Son état de santé se détériore. Tous les jours, elle raconte qu'elle voit son frère par la fenêtre de son salon et qu'il lui fait signe de venir la rejoindre. Or, son frère est décédé depuis déjà quelques mois. De mon côté, ces propos ne m'étonnent pas vraiment puisque j'ai rencontré Mélanie en méditation. Cependant, cette information me permet de comprendre que Mélanie se prépare réellement à passer de l'autre côté et qu'elle tente d'en parler aux personnes disposées à l'écouter. Tout au long de la dégradation de la santé de Mélanie, l'apparition quotidienne de son frère s'est poursuivie. Dès qu'elle a pu reprendre des forces, elle a cessé de le voir.

Même si tout cela s'est déroulé il y a déjà quelques années et que Mélanie est toujours vivante, cela ne vient en rien changer les faits. Derrière ces déclarations qui pourraient ressembler à des hallucinations, d'autant plus que la mort n'est pas survenue, je sais qu'il n'en était rien grâce à la discussion d'âme à âme que nous avons eue toutes les deux. L'âme de Mélanie est bel et bien entrée dans un processus préparatoire à la mort. Pour des raisons qui lui sont propres, elle a interrompu ce processus ou peut-être le poursuit-elle encore à son rythme…

Cet exemple nous montre que le passage de la mort peut se préparer de longue haleine et que, même si nous en sommes inconscients, nous sommes toujours guidés vers les personnes qui pourront nous aider à cheminer durant tout le processus, peu importe sa durée.

Ainsi, souvent à tâtons, l'âme guidera la personnalité auprès de la ressource qui pourra lui permettre de s'abandonner au processus de la mort. Parfois, il s'agit d'un proche, d'un professionnel de la santé, d'une personne religieuse ou spirituelle ou simplement d'une personne ayant le cœur ouvert. Le cas de Mélanie est relativement typique et de nombreuses personnes qui travaillent auprès de mourants ont été témoins d'histoires similaires où un être cher décédé ou encore un être de lumière leur apparaît pour leur signifier qu'il est temps de quitter la terre. Contrairement à la croyance populaire, ces aides célestes n'ont absolument pas le mandat de venir chercher un mourant. Ils ne le peuvent pas et ne le pourront jamais. Le choix de quitter la terre appartient à l'âme elle-même. Tout soutien énergétique est là pour aider l'âme et la personnalité à accepter la réalité de sa mort imminente et pour l'accompagner à travers les différentes étapes de la traversée. Personne, pas même l'être de lumière le plus vibrant ou le plus lumineux, n'a la capacité ni le pouvoir d'interrompre l'incarnation de quelqu'un pour l'amener de l'autre côté. Ainsi, toute demande qui vise à mandater une aide céleste pour venir chercher quelqu'un ne peut trouver preneur. Ces êtres de l'au-delà sont là pour tendre la main à l'âme dans le processus de la mort et non pour accélérer ou ralentir ce rythme. Si nous souhaitons obtenir leur aide, il est dès lors préférable d'axer notre requête sur le soutien qu'ils peuvent apporter pour que notre âme ou celle d'un être cher puisse quitter sereinement la terre.

Le besoin d'être accompagné est vaste et varié. Une âme peut avoir besoin de partager avec ses proches tout ce qu'elle vit pour bénéficier d'une présence de cœur tout au long du processus. Une autre aura besoin d'un signe d'un être cher décédé pour se rassurer sur l'existence de la vie après la mort. Une autre sera comblée par la présence d'un être de lumière qui lui apportera toute la sérénité nécessaire à son lâcher-prise. Peu importe ce dont elle a besoin, ce qui est fascinant, c'est que l'âme a un si puissant désir de vivre ce passage intensément qu'elle usera de beaucoup d'imagination pour trouver l'aide qu'il lui faut. Nous en avons vu quelques illustrations avec l'âme de mon grand-père, avec celle de Mélanie et même l'âme de Marie-Josée et de Janick qui à leur façon se sont, elles aussi, trouvé des confidents pour mieux vivre ce passage.

Parfois, le besoin de l'âme est d'avoir auprès d'elle la présence d'un être cher. Elle pourra donc attendre de longs jours pour que cet être cher se rende à son chevet ou elle pourra même précipiter son départ sentant qu'une prochaine visite serait trop éloignée. Ainsi, toute âme, qui a besoin de quelqu'un auprès d'elle au moment de la mort, s'organisera pour que celle-ci y soit avant de se laisser aller dans ce passage ou à tout le moins retardera le plus possible son départ dans l'espoir de le revoir. Plusieurs personnes qui travaillent en fin de vie témoignent de ce fait. S'il est important pour elle de faire ses adieux à tout son monde avant de quitter le plan terrestre, elle organisera un événement où il ne manquera personne. Là encore, de nombreuses familles ont vécu une belle grande fête, ne se doutant point que c'était le dernier rassemblement pour l'instigateur de cette rencontre.

L'âme qui a besoin d'être accompagnée dans le passage de la mort tente de mettre tout en place pour s'assurer qu'elle bénéficiera d'une ressource terrestre ou céleste qui sera présente au moment où son corps de chair rendra son dernier souffle.

Vivre ce moment en toute intimité

Certaines âmes auront quant à elles besoin de vivre ce moment dans la solitude. Cela peut nous sembler étrange, mais parfois la meilleure manière pour ces âmes de quitter le plan terrestre est d'être seules. En effet, nous mourons comme nous avons vécu. Alors, les personnes qui meurent seules sont souvent des êtres qui ont eu besoin de solitude pour traverser les moments difficiles de leur incarnation, et inversement les personnes qui meurent entourées réclamaient généralement l'aide de leurs proches dans de tels moments.

La solitude paraît souvent une manière atroce de quitter le plan terrestre. Au-delà des apparences se trouve un besoin d'intimité qui facilite ce passage. La mort implique un détachement tant pour les personnes endeuillées que pour l'âme qui s'envole. Il peut être moins ardu de partir en ne voyant pas la souffrance que ce départ suscite chez les êtres chers. Il peut également être plus aisé de filer en douce, sachant que nos proches sont soutenus et accompagnés. La mort n'est ni plus ni moins que le choix de clore un pan de notre vie pour la poursuivre ailleurs. Cela exige courage, renoncement, amour-propre et force pour transcender toutes les peurs et la culpabilité qui peuvent alors nous habiter. Voilà pourquoi une âme peut choisir de s'élever au moment où tous ses proches se trouvent réunis dans la pièce voisine. Elle quitte le cœur en paix, sachant les siens tout près, ensemble, prêts à se réconforter et du coup n'ayant pas à imposer la difficile tâche à quiconque de vivre ce départ avec elle.

Pourtant, lorsque nous accompagnons une âme vers sa demeure céleste et que celle-ci quitte seule ou en notre absence, nous sommes plusieurs à nous sentir terriblement coupables de ne pas avoir été là, même si nous avons veillé cet être cher des heures durant. Consolez votre cœur en sachant que ce départ n'a pas été raté. Vous avez fait exactement tout ce qu'il fallait. Vous avez suivi ce que votre cœur vous dictait en résonance avec ce que l'âme de cet être cher souhaitait. Derrière l'apparence d'abandon que votre absence semble indiquer, il y a en fait un beau cadeau d'amour. Inconsciemment, en suivant votre ressenti, vous avez permis à cette âme de partir librement et plus aisément. Vous avez écouté ce qu'elle vous demandait : un espace de solitude qui lui était nécessaire pour s'abandonner à l'appel des sphères célestes, une présence totale à elle-même, à ce qu'elle ressentait, où l'influence des peurs, des doutes et des sentiments de ses proches est moindre. Pour ce dernier moment sur terre, l'âme a parfois besoin de renouer avec elle-même, avec son intimité et avec ce qu'elle ressent. Si votre cœur a offert amour et soutien et que cette âme n'a délibérément pas attendu votre présence pour partir, ne voyez pas cela comme un acte d'abandon, mais bien comme un choix d'amour profond tant pour l'âme que pour vous-même.

Changer de perspective

Une amie m'a raconté qu'elle avait tout fait pour être présente auprès de sa mère dans les derniers moments de sa vie. Elle savait qu'elle avait tout fait ce qu'elle pouvait pour elle. Pourtant, elle se sentait terriblement coupable de ne pas avoir été auprès d'elle au moment de sa mort...

Mon amie venait de quitter sa mère pour aller chercher ses effets personnels pour les jours suivants. À peine rendue à la maison de sa mère, elle a reçu un appel qui lui annonçait le décès de celle-ci. Mon amie s'en voulait d'être partie et d'avoir laissé sa mère seule. Je lui ai demandé alors de quelle manière sa mère vivait ses difficultés. Elle me répondit spontanément qu'elle se retirait dans une bulle avant d'être capable d'en parler. Puis, elle me regarda avec une telle lumière dans les yeux, et elle me dit : « Oh ! Merci. Tout s'éclaire maintenant. Elle avait besoin d'être seule pour quitter la terre. Je m'en voulais d'être partie, mais tout en moi m'indiquait qu'il fallait que je parte. Je ne comprenais pas l'urgence d'aller chez elle à ce moment, mais j'étais poussée à y aller. Quand j'ai reçu l'appel, j'ai cru que je n'avais pas bien saisi ce que je ressentais. Voilà pourquoi je me sentais si coupable. Mais ta question vient de me faire comprendre que ma mère a toujours eu besoin d'un espace pour accueillir les événements importants de vie. Je sais maintenant pourquoi il fallait que je parte. » Pour

> comprendre son ressenti si fort, mon amie avait seulement besoin d'envisager une autre perspective... Au-delà des apparences, sa mère a reçu tout ce dont elle avait besoin pour partir en paix.

Rien n'est laissé au hasard dans la grande valse de la vie. Le passage de la mort n'y échappe pas. Lorsque nous ne comprenons pas une phrase, un événement ou un départ, il importe de regarder ces événements avec les yeux de la personne en fin de vie pour que la plupart du temps tout s'éclaire aisément.

Connaître la destination

À l'approche de la mort, les grandes questions de la vie tournent dans notre tête et dans notre cœur. Inévitablement, nous voulons nous assurer que ce à quoi nous croyons correspond à la réalité ou à la vérité. Les voyages dans l'astral nous aident à trouver des réponses à ces grandes questions et à nous remémorer nos véritables origines. L'âme sait d'où elle vient et où elle va, du moins en grande partie. Mais là où le bât blesse, c'est que le mental l'ignore. Par un vaste questionnement intérieur, l'âme l'incitera à trouver des réponses qui satisferont sa curiosité. Les rêves et les songes éveillés lui offriront souvent des images fabuleuses d'une clarté sans précédent lui montrant des scènes de l'au-delà en guise d'incitatif à s'ouvrir à cette réalité qui l'attend sous peu. Plusieurs personnes qui ont accompagné un être cher vers sa demeure céleste ont été témoins de ces visions ou de la transformation opérée à la suite de ces visions. D'ailleurs, il arrive fréquemment qu'au dernier moment, un mourant émerge de son état comateux, les yeux brillants et un sourire de béatitude aux lèvres pour rendre ainsi son dernier souffle. Nul ne sait ce qu'il a vu, mais tous peuvent affirmer qu'il s'agissait sans l'ombre d'un doute d'une des plus belles visions pour parvenir à transmuter ainsi les traits fatigués de l'être cher en un visage radieux.

Il arrive que les images vues par la personne en fin de vie soient légèrement teintées par ses croyances, mais une chose est certaine, leur fondement propre n'est rattaché à aucune culture ni à aucune religion[17]. Elles font partie du processus préparatoire à la mort et elles surviennent pour transmettre une vision à laquelle la personne en fin de vie peut se rattacher pour s'abandonner au mouvement de passage. Loin d'être des cas isolés, de tels récits où le mourant est littéralement transformé par une vision d'un lieu d'une grande beauté viennent de partout à travers le monde. La clarté et les vibrations émanant de ces visions sont si puissantes qu'elles font tomber les résistances du mourant et l'élèvent dans une paix intérieure profonde.

Évidemment, devant l'ampleur de la transformation que cette vision opère chez la personne en fin de vie, cette dernière aura donc tendance à vouloir comprendre et valider la *réalité* de ces images. Elle posera des questions à son entourage ou tentera par des sous-entendus de découvrir s'il y a bel et bien un endroit qui l'attend après son incarnation. Plus la résistance de la personnalité est grande, plus l'âme cherchera à créer des ouvertures de discussion. Toute question ou tout sous-entendu devient donc une perche tendue pour parler ouvertement de l'après-vie. La personne qui s'apprête à quitter la terre a besoin de se rassurer sur ses croyances et sur ses ressentis. Elle souhaite engager la discussion avec ses proches dans l'accueil et le respect. Elle désire plus que tout être accueillie et comprise. Nous pourrons répondre à ce besoin en lui posant des questions sur ce qu'elle pense, sur ce qu'elle ressent, sur ses doutes et ses appréhensions. Lui offrir l'inestimable cadeau d'être à l'écoute et de lui permettre d'exprimer ce qu'elle vit l'aidera davantage que de tenter de lui inculquer nos propres croyances.

Devant l'inéluctable finitude de notre incarnation, pour faire taire nos peurs et nos doutes inhérents à ce passage, notre âme tente de nous rassurer en nous ouvrant une fenêtre sur l'autre monde. Les visions de l'au-delà, qu'elles viennent de rêves ou de visions éveillées, font elles aussi partie de la préparation au passage de la mort.

Obtenir un assentiment

Si nous devions quitter notre famille et nos amis pour aller vivre dans une ville éloignée, il est certain que nous souhaiterions que tous soient en accord avec notre décision. Nous espérerions aussi qu'ils puissent nous accompagner dans cette importante transition. L'assentiment des êtres chers compte énormément pour la plupart des gens. Il permet d'aller de l'avant sans culpabilité envers nous-mêmes ou envers ceux que nous aimons. Ce besoin se manifestera également à l'approche de la mort, particulièrement chez les personnes qui se sont toujours souciées de leurs proches et chez celles qui se sont toujours senties responsables du bien-être des autres. Les quitter pour l'autre monde sera très difficile si elles n'ont pas leur accord. Elles auront l'impression de les abandonner à leur sort ou d'être responsables de leur souffrance. Elles retarderont souvent le moment fatidique jusqu'à ce qu'elles sentent que tout ira bien pour ces êtres aimés.

J'accepte

Mon ami André me téléphone. Je le sens inquiet et préoccupé. Son père est gravement malade. Il ne sait plus trop comment l'accompagner puisqu'il ne sait pas si ce dernier veut guérir ou s'il veut mourir. Ses paroles sont contradictoires et cela fait plusieurs jours qu'il ne mange plus. André et moi discutons un moment, puis il me vient spontanément de lui dire que son père s'est toujours fait beaucoup de souci pour ses enfants et sa femme et qu'il est donc possible qu'il ait de la difficulté à accepter sa mort, de peur de les abandonner, particulièrement de laisser sa femme avec qui il avait partagé de nombreuses années. Je lui suggère de parler à son père pour lui expliquer que peu importe son choix, il sera là pour lui. Je lui mentionne aussi qu'il peut exprimer à son père dans ses mots qu'il a toujours été là pour eux, qu'il peut maintenant penser à lui, qu'il le mérite amplement et que s'il choisit de partir, tout ira bien pour eux. Je lui demande si sa mère accepte ce départ et André me dit qu'elle a de la difficulté à le laisser partir. Je suggère à André d'aider aussi sa mère en priant pour elle et de dire à son père que ses enfants seront là pour elle.

Le père d'André est décédé quelques jours après notre entretien. André, sa sœur et son neveu étaient à ses côtés, mais ils s'étaient tous assoupis à ce moment-là. C'est le neveu d'André qui l'a réveillé pour lui dire que son père avait cessé de respirer. André a regardé l'heure et il a constaté qu'il était quelques minutes après six heures. Puis, il est allé prévenir sa mère qui dormait à la maison familiale. Lorsqu'il est arrivé chez elle, elle n'a pas semblé surprise d'apprendre la nouvelle et elle lui a dit:

« Je me suis réveillée un peu avant six heures. J'ai pensé très fort à ton père et j'ai dit à Dieu de le guérir ou de venir le chercher. » Avec une telle synchronicité, André a compris à quel point il était exigeant tant pour sa mère que pour son père d'accepter la mort et tout ce qu'elle implique. Son père avait besoin de l'assentiment de sa femme pour partir en paix. Sa mère l'a ressenti et la force de son amour l'a aidée à trouver la force d'accepter qu'il était temps pour lui de rentrer à la maison. Dès que cet accord lui a été donné, le père d'André a tout doucement lâché prise sur ce corps de chair et il a traversé le voile pour retourner dans sa famille céleste. Par le lien du cœur, les âmes se rejoignent toujours, peu importe la distance physique qui les sépare. Elles vivent les moments importants ensemble, dans l'union du cœur. Même si leurs corps de chair n'étaient pas réunis dans un même lieu, la mère d'André était bel et bien en présence de cœur avec son mari au moment de son envolée céleste et ainsi elle a pu lui offrir tout ce dont il avait besoin.

Même si l'âme s'est engagée en toute connaissance de cause dans le processus de la mort, il est possible qu'elle éprouve de l'ambivalence quant à cette décision en cours de réalisation. Souvenons-nous que l'âme n'est pas différente de nous, et la façon dont elle vit les passages est sensiblement pareille à ce que nous vivons durant l'incarnation. Il nous arrive tous un jour ou l'autre de douter de nos choix, surtout quand nous réalisons qu'ils concerneront des êtres chers. L'assentiment de nos proches devient un cadeau précieux pour finaliser notre projet en toute quiétude. En effet, la personne en fin de vie ne veut pas causer de tort à ses proches. Elle sait et sent que son départ attriste ceux qu'elle aime. Elle aura donc besoin d'être rassurée sur son choix de partir. Parfois, c'est une véritable lutte intérieure qui s'installe, et la personne en fin de vie ne sait plus quelle option choisir tant la tension est grande. Si elle reste, elle a l'impression de trahir ce qu'elle ressent au plus profond d'elle-même et si elle part, elle a l'impression de trahir ceux qu'elle aime le plus au monde. Le combat intérieur peut durer un moment. Lorsque le corps sombre dans un coma qui perdure[18], il arrive très souvent que la cause en soit une indécision profonde de partir ou de rester. L'âme qui hésite à partir a besoin d'être rassurée quant à sa décision et au sujet de la réaction de ses proches. Le coma cessera lorsque la décision sera prise. L'entourage peut alors être très aidant en offrant à l'âme de l'accompagner dans la décision qu'elle prendra.

L'âme n'a pas besoin de mot pour obtenir cet assentiment. Un regard, un toucher ou un sourire contient toute la vibration de libération qu'elle attend.

Le soleil dans les yeux

Après une conférence, Danielle s'approche avec beaucoup de douceur pour me confier un trésor qu'elle chérit visiblement. Juste avant de délaisser son corps de chair, son mari l'a regardée et lui il a dit : « Je vois le soleil dans tes yeux. Est-ce correct si j'y vais ? » Il était prêt à partir, mais il s'inquiétait pour sa bien-aimée, comme il l'avait sans doute fait tout au long de sa vie. Émue, elle a acquiescé et lui a ainsi permis de quitter, le cœur léger. Encore bouleversée par la scène au moment de me la raconter, cette dame ajoute alors ceci : « C'est spécial qu'il ait vu le soleil dans mes yeux ! » Quel beau clin d'œil pour illustrer que devant la grandeur et la beauté de la vie, les mots sont vains. Notre rayonnement suffit amplement.

Ainsi, au-delà des mots, c'est bien davantage la vibration que l'âme capte. Grâce à ses sens affinés, la personne en fin de vie perçoit les non-dits et les émotions sous-jacentes. Il ne sert donc à rien de camoufler nos ressentis. Elle les percevra et elle ne saura pas comment les interpréter, surtout si nous exprimons le contraire haut et fort. Nous perdons alors de précieuses occasions d'en discuter ouvertement. Toute relation basée sur la transparence et l'amour est au service de l'élévation. Les mensonges, même pour d'excellentes raisons, ne peuvent que brouiller le lien affectif qui nous unit et inciter l'être cher à taire aussi ce qu'il ressent. Pour l'aider dans cette transition, il vaut mieux être limpides avec cette personne plutôt que de tenter de lui cacher nos émotions. Parce qu'elle sent que le temps lui est compté, l'âme a le désir de vivre pleinement ses derniers moments sur terre. Des relations authentiques font partie de ce qui la nourrira et l'élèvera.

Clore tout ce qui est en cours

Comme nous l'avons mentionné plus haut, en fin d'incarnation, les sens s'affinent et cela permet au mental de voir la vie, sa vie, sous un tout autre angle. Pour partir le cœur en paix, libre de tous liens négatifs, il devient essentiel pour l'âme de clore tous les dossiers encore en cours ou, comme le dit James Van Praagh, de clore « les histoires inachevées[19] ». Alors, tout ce qui pèse lourd sur notre cœur sera revu avec d'autres yeux, ceux de l'âme. Plusieurs nœuds seront défaits et plusieurs pardons seront offerts, car grâce à cette nouvelle vision des choses, bien souvent notre mental ne voit plus la nécessité de maintenir les vieilles rancœurs, même celles qui semblaient irréversibles. Selon les circonstances, il est possible que nous appelions l'être en cause pour offrir un tel pardon ou encore que nous tentions de l'inviter par des mots voilés ou en passant le message à une tierce personne. En cas de refus, nous sommes souvent déstabilisés et perturbés. Sachons qu'un pardon offert avec la sincérité du cœur et avec la pureté de l'amour est un lien dénoué, même si le récipiendaire de ce pardon ne l'accueille pas. Imaginons une corde qui lie l'objet A à l'objet B. Si nous coupons la corde du côté A, les deux objets ne sont plus liés et si la corde est coupée suffisamment proche de l'objet A, elle n'a plus d'emprise sur lui. Certes, l'objet B est encore en lien avec la corde, mais cela n'influence plus l'objet A qui est libre de ses mouvements. Il en est de même avec les liens affectifs néfastes. Ce pardon fera son œuvre dans l'énergie et nous permettra de nous élever, même s'il n'est pas reçu de l'autre côté. C'est là la force de l'amour inconditionnel. Il vient toujours à bout de toutes les zones d'ombre en nous. Offrir un pardon, à nous ou à l'autre, c'est éclairer un recoin de notre être. Ainsi, nous allégeons le poids de notre conscience et nous accélérons notre processus de retour à la maison, comme nous le verrons dans les prochains chapitres.

Trouver un sens à notre vie

Derrière toute cette préparation, l'ultime besoin de l'âme est de trouver un sens à son incarnation, aux événements de sa vie et souvent à la vie même. La quête de sens est innée. Nous avons besoin de comprendre le fondement des choses. La compréhension nous donne une direction, alors que l'incompréhension nous plonge dans un brouillard de questionnement qui ravive nos doutes, nos peurs et notre insécurité. C'est dans la certitude que nous trouvons la sérénité. Il faut cependant définir cette certitude pour accéder à cette paix intérieure. Elle n'est pas celle qui nous incite au contrôle, au pouvoir et à la mainmise sur tout ce qui nous entoure. Loin de là. Elle est plutôt celle qui nous guide vers l'accueil de ce qui est, vers le détachement et le sentiment que tout est parfait. À l'approche de la mort, notre âme nous incite encore plus fortement à observer notre vie pour y trouver cette certitude profonde. C'est grâce à elle que nous pourrons commencer à découvrir la raison d'être de notre passage sur terre. C'est grâce à elle que nous pourrons transformer la vision de nos expérimentations et y voir toute la beauté de la vie. C'est également grâce à elle que nous avons accès aux réponses sur le sens de la vie. Dans toute expérience, même la plus sombre, se cache une leçon d'amour extraordinaire si nous parvenons à enlever nos lunettes de souffrance pour la regarder avec les yeux du cœur.

Tout le processus préparatoire à la mort nous amène à focaliser notre attention sur cette vision du cœur. C'est ainsi que nous pouvons élever nos vibrations pour vivre ce passage en toute conscience ou à tout le moins avec une conscience plus vaste que celle qui nous a habités jusque-là. Nos priorités s'approfondissent. Tout le superficiel qui avait auparavant de l'importance tend à disparaître pour laisser place à ce qui est réellement précieux. Nous sommes poussés à vivre pleinement chaque petit moment. Même les personnes qui refusent l'inévitable vivent des transformations importantes à l'approche de la mort. Les plans célestes exigent ces mutations vibratoires. C'est par le regard de l'amour que nous parvenons à transmuter toutes les énergies lourdes qui nous retiennent à la matière. De l'autre côté, nous n'apportons rien d'autre que l'essence de notre être, mais il est probable que cette dernière soit grevée par des vibrations denses liées à des expériences non résolues. Alors, le voile de l'oubli commence à se lever peu à peu avant notre retour pour que notre désir profond de comprendre la vie nous aide à retrouver qui nous sommes réellement et d'où nous venons.

Seras-tu là pour moi ?

Je me rappelle avoir eu, avec ma tante Lisette, plusieurs discussions à propos de ce qui se passe de l'autre côté, et particulièrement durant les derniers moments de sa vie. Lors d'une de mes visites à l'unité des soins palliatifs, elle était endormie quand je suis arrivée. Je me suis assise auprès d'elle pendant un moment et j'ai prié pour lui offrir de la paix et de la lumière. Au moment où je m'apprêtais à partir, elle s'est réveillée et elle m'a dit : « Je suis contente que tu sois là ! Il fallait que je te parle. Tu sais, quand tu es venue me voir, l'autre jour, nous avons parlé de l'au-delà. J'ai une question à te poser à ce sujet. Crois-tu vraiment qu'il y a quelque chose de l'autre côté ? Je sais que nous en avons discuté, mais à ce stade-ci, j'ai besoin de savoir, tu comprends ? » m'a-t-elle dit, en me regardant droit dans les yeux. Mon regard plongé dans le sien, j'ai senti à quel point cette question était importante pour elle. Alors, je me suis centrée quelques secondes et j'ai laissé les mots jaillir de mon cœur. En ce moment précis, lui seul pouvait apporter le réconfort dont elle avait besoin. À ma grande surprise, ce n'est pas une longue dissertation sur l'existence de l'au-delà ou sur sa nature divine qui est montée, mais une seule question : « Toi, sens-tu qu'il existe quelque chose après la mort ? » Elle a pris un temps pour y réfléchir et elle m'a répondu : « Je crois bien que oui, mais il m'arrive d'en douter. Parfois, je me dis : "Et s'il n'y avait rien après ?" et ça m'effraie. » Puis, Lisette a pausé sa main sur la mienne et elle a de nouveau plongé son regard dans le mien et elle a dit : « S'il y a vraiment quelque chose, seras-tu là pour moi ? » J'ai posé mon autre main sur la sienne et je lui ai dit : « N'aie pas peur. Tu peux toujours compter sur moi et si tu souhaitais que je sois avec toi pour t'accompagner de l'autre côté, je serais évidemment très touchée d'y être. Tu n'auras qu'à m'appeler dans ton cœur et je viendrai. » Je lui ai aussi mentionné qu'elle pouvait appeler tous les êtres importants pour elle. Au plus profond de moi, je savais qu'elle le savait déjà. Elle avait besoin d'en parler pour se rassurer sur sa destination et sur sa propre compréhension de la vie. Je l'ai regardée et, en silence, mon cœur lui a exprimé de faire confiance à l'amour qu'elle portait en elle. Il saurait la guider vers la certitude dont elle avait besoin. Une étincelle a embrasé son regard. Elle m'a souri et elle s'est tout doucement endormie. Il n'y avait rien d'autre à ajouter. L'amour avait encore une fois fait son œuvre.

Le mental s'apaise lorsque le sens profond parvient à notre conscience. Aucun argument ne résiste à cette sagesse innée lorsqu'elle émerge. Tous nos sens ressentent cette vérité, aussi étrange que cela puisse paraître aux yeux de notre mental. Une fois engagée dans le passage de la mort, l'âme souhaite que le sens de la vie se révèle à la personnalité pour que cette dernière baisse la garde. Sans cette résistance, la quête de sens peut alors se déployer pleinement.

Tant durant l'incarnation que durant le passage de la mort, les besoins de l'être et de l'âme sont identiques. Tous deux ont besoin d'être aimés, de sentir que les êtres chers l'appuient dans ses choix, d'être accompagnés ou d'avoir au contraire un espace d'intimité, d'être en paix avec son entourage et de savoir que tout ce qui lui arrive est sensé et concourt à son élévation. Cependant, ces besoins seront encore plus criants au moment de quitter la terre puisque ce passage exige force, courage, abandon et détachement. L'âme tentera d'exprimer ses besoins tout au long des étapes préparatoires. Il importe alors d'ouvrir notre cœur pour saisir la subtilité de ses messages ou à tout le moins pour être attentifs aux messages symboliques qui peuvent sembler incompréhensibles. Si nous parvenons à toucher à l'essence de notre être, alors nous pourrons vivre notre mort de manière plus consciente. Nous pourrons voir notre vie sous un autre angle et y découvrir toute la beauté et la richesse. De cette manière, nous aurons la certitude que « la mort est la plus belle expérience spirituelle » de notre vie, pour reprendre les propos de Christine Longaker[20].

Résumé

- Du point de vue de l'âme, le passage d'un monde à l'autre marque une séparation qui apporte son lot d'angoisses, de doutes et de peines. Elle a besoin de préparer ces passages pour en atténuer les effets.

- La mort survient dans un but précis : servir le dessein de l'âme dans son cheminement d'ouverture de conscience. Lorsqu'une âme quitte le plan terrestre, c'est parce que ce mouvement est en accord avec les objectifs d'apprentissage qu'elle s'est fixés. Le retour dans les sphères célestes vise toujours une élévation et une ouverture de conscience.

- La mort n'arrive pas subitement, même si le corps physique, lui, peut mourir en un éclair. Le processus de la mort requiert d'abord l'acceptation de l'âme et la réalisation de toutes les étapes préparatoires.

- La manière dont nous vivons ce passage témoigne des intégrations que nous avons effectuées tout au long de notre incarnation. Voilà pourquoi il y a une telle urgence pour l'âme de préparer la personnalité à ouvrir sa conscience. Elle désire tirer les grandes leçons de son incarnation.

- La mort permet de trouver un sens à de nombreux événements passés inaperçus ou qui ont su attirer notre attention sans que nous en comprenions réellement le sens.

- Les ECA font partie des préparations de l'âme à la traversée dans l'au-delà. Elles ont pour fonction d'éveiller la conscience au passage qui s'amorce et d'aider l'âme à clore son voyage terrestre en beauté.

- C'est durant la nuit que s'amorce le grand voyage de retour vers notre famille céleste, et cette préparation se produit majoritairement dans l'inconscient.

- Le détachement des corps énergétiques à l'approche de la mort favorise l'augmentation de nos capacités extrasensorielles conscientes et cela sert à la préparation à la mort.

- À l'imminence de la mort, les communications avec l'au-delà surviennent aussi en dehors du sommeil. Elles se manifestent alors sous forme d'intuitions, de clairvoyance, de clairaudience, de clairsenti, de rêves éveillés ou de forts ressentis.

- La préparation varie selon la cause de la mort. L'âme qui quitte le plan terrestre à la suite d'une maladie dégénérative aura la tâche facilitée puisque la personnalité sait, sent et voit la mort approcher au fur et à mesure que la maladie gagne du terrain. Alors que la mort subite ou violente représente un choc pour la personnalité.

Pour s'élever aisément, l'âme peut ressentir le besoin de :

- prévenir son entourage ;
- être accompagnée ;
- vivre ce moment en toute intimité ;
- connaître sa destination ;
- obtenir un assentiment ;
- clore tout ce qui est en cours ;
- trouver un sens à sa vie.

Chapitre 3

L'analogie de la montgolfière

Et je me suis aperçue qu'en fait, j'allais dans la dimension qui correspondait effectivement à mon élévation, ou à mon état de conscience du moment. Et quand j'ai commencé à [examiner] les plans de l'après-vie, à faire des expériences sur ces plans, à rencontrer des êtres sur ces plans, ce qui m'a surtout marquée, c'est que ces êtres étaient sur des plans qui correspondaient à leur âme, et qu'il y avait « de nombreuses demeures dans la maison de mon père. »

Anne Givaudan, extrait de l'entrevue *D'une dimension à l'autre*
accordée à Mario Lemay

près une longue préparation, le voyage de l'âme se poursuit par la traversée du voile et par une transition dans les mondes subtils. Quitter le monde matériel semble effrayant pour notre conscience de veille. Cette peur collective est illustrée par les symboles que nous employons pour parler de la mort : la dame en noir, la grande faucheuse, le squelette ou encore la faux revêtent tous une signification effrayante qui dépeint la mort de manière sombre et sinistre. Pourtant, lorsque nous envisageons la mort dans la symbolique de la langue des oiseaux[1], elle n'a plus rien d'effrayant. Au contraire, elle devient même profondément rassurante, car elle signifie l'*âme or* ou l'*âme hors* du corps. L'*âme or* parle de notre essence divine, celle qui au point de vue alchimique représente le summum de la transformation. L'*âme hors* parle de cette partie de notre être qui ne meurt jamais et qui nous confirme que la mort n'est pas une fin en elle-même, mais la fin d'un passage dans la matière dense. Comme cela a été dit dans le chapitre précédent, nous sommes passés maîtres dans l'art de nous extirper de notre enveloppe de chair puisque nous voyageons dans les mondes subtils plusieurs fois par nuit. Nous connaissons donc ce mouvement qui nous mène de l'autre côté du monde matériel. Durant nos escapades nocturnes, nous gardons le contact avec les mondes subtils. À la différence des envolées oniriques, la mort représente un point de non-retour. Et c'est ce sentiment de fin qui nous effraie.

La frayeur de la mort n'existe que lorsque nous nous identifions à notre corps physique. Dès que nous avons pris contact avec notre âme, avec notre nature divine, cette peur disparaît. Durant notre voyage sur terre, nous pouvons toucher à cette nature divine dans des moments de silence, de contemplation et de méditation. Ce contact avec notre être profond, allié aux connaissances acquises sur le passage de la mort, nous amènera à nous définir autrement que par ce corps physique et que par la matière dense qui nous entoure. Pour parvenir à cette étape ultime que nous souhaitons tous atteindre, soit la lumière, nous avons quelques tâches à accomplir. Celles-ci sont enseignées depuis des millénaires dans différentes religions et mouvements spirituels, dont *Le livre tibétain de la vie et de la mort*[2]. Parmi ces étapes, il y a quelques tâches qui rendent le passage de la mort plus doux et plus serein. Christine Longaker les a magnifiquement résumées dans son livre *Trouver l'espoir face à la mort*[3] :

- comprendre et transformer la souffrance ;
- créer un lien, guérir les relations et lâcher prise ;
- se préparer spirituellement à la mort ;
- trouver un sens à la vie.

Ces tâches nous permettent de nous détacher de la terre et d'élever nos vibrations au-delà de la densité de la matière. Elles représentent les étapes préparatoires conscientes au retour dans notre famille céleste. Pour bien comprendre ces tâches et leur rôle dans l'élévation, je vous propose de regarder le processus de la mort à l'aide d'une analogie dans laquelle les principales étapes seront étayées. Puis, au chapitre 4, nous nous attarderons à ce qui se passe plus concrètement après la mort, dans l'astral. Il importe donc de garder en tête, ici, que cette analogie donne un portrait général de la traversée dans l'au-delà. Elle n'a d'autre but que d'illustrer ce qui permet à l'âme de s'élever et comment l'état influence chacune de ses étapes. Comme nous l'avons vu dans le premier chapitre, l'élévation ne mène pas à un lieu particulier, mais à un état spécifique. C'est un changement vibratoire qui s'installe en nous en fonction du regard que nous posons sur la vie, sur nous et sur nos actions. C'est notre taux vibratoire qui détermine là où nous allons. La seule règle qui vaille dans chacune de ces étapes, c'est l'état et non pas le déroulement même de ces étapes.

1 - Les composantes de l'analogie

La mort est un processus qui se déroule selon certaines étapes. Chaque âme vit ces étapes à son rythme. On ne peut donc pas affirmer que la traversée des mondes requiert un temps défini. Au contraire, elle se déroule au gré de l'âme, selon ce qu'elle ressent au fur et à mesure où elle vit ces étapes. Pour comprendre la traversée du monde terrestre au monde céleste, j'ai reçu l'image d'une montgolfière. Lorsqu'une montgolfière parvient à se hisser dans le firmament, c'est parce qu'elle a suivi un certain mode d'emploi qui lui a permis de prendre son envol. À l'instar de celle-ci, l'âme doit aussi remplir certaines conditions préalables à toute élévation. Ainsi, la montgolfière ne quitte la terre que si elle a de l'air chaud dans son ballon. C'est, en effet, la chaleur de l'air qui lui permet de monter au-dessus de la densité de l'air plus froid. Si l'air chaud est absolument nécessaire pour permettre l'envol, la suite du trajet dépend des sacs de sable ou d'autres poids qui maintiennent la nacelle au sol le temps d'amorcer son décollage et de trouver sa direction. Pour pouvoir prendre de l'altitude et s'éloigner de la terre, il devient impératif de se départir de ces poids. Dans le même ordre d'idées, il est aussi nécessaire de dénouer les liens qui lui servent d'ancrage pour que la montgolfière parvienne à s'éloigner de la terre sans heurt. Enfin, l'expérience du pilote sera des plus aidantes pour assurer une envolée paisible et pour parvenir à bon port. Voilà donc les quatre éléments essentiels dont il faut tenir compte pour savourer la belle balade dans les cieux : l'air chaud, les sacs de sable, les liens et l'expertise du pilote. Certes, ces quatre points sont une manière imagée de décrire le cheminement de l'âme quand elle quitte la terre. Ils ne dressent pas une description exhaustive de tout le trajet de l'âme dans l'au-delà, mais en représentent les premières étapes. Voyons maintenant chacun de ces éléments en fonction du point de vue de l'âme en transition.

2 - L'air chaud

La conscience de la mort

Puisque l'air chaud est l'élément qui permet au ballon de prendre son envol, il représente donc un facteur crucial dans le processus d'élévation. Dans cette analogie, il fait référence à l'état intérieur qui nous habite au moment de la mort et à celui que nous avons développé tout au long de notre incarnation. L'air chaud constitue donc la lumière que nous émanons. C'est l'amour qui vibre en nous ; c'est la connaissance de notre nature profonde ; c'est la conscience de cet amour et de cette lumière que nous portons. Sans air chaud, le ballon reste cloué au sol, même si on le départit des poids et de son ancrage. Sans une conscience de qui nous sommes réellement, de notre direction et de la transformation que la mort opère en nous, nous demeurons figés sur place. Cette étape essentielle fait référence à la préparation spirituelle évoquée dans les enseignements tibétains. Comme nous l'avons mentionné au chapitre 1, la lumière n'est pas un lieu, mais un état de conscience qui se déploie sur de nombreux niveaux vibratoires – de l'inconscience pure à la conscience pure. Après la mort, nous accédons aux vibrations plus élevées des mondes célestes, si nous sommes conscients d'être passés sur un autre plan. Sortir du corps est un geste banal pour l'âme. Elle le fait plusieurs fois par nuit durant l'incarnation. Si notre mental n'est pas attentif au moment de la mort, il se peut très bien que nous ne percevions pas le changement vibratoire qui vient de s'opérer, surtout s'il n'a jamais porté attention aux manifestations subtiles qui se produisaient dans le corps durant l'incarnation.

Ne pas avoir conscience d'être mort semble des plus étranges. Ici-bas, nous avons peine à nous figurer comment nous pouvons passer à côté d'un changement aussi important. L'identification à notre corps est telle qu'il semble tout à fait impossible de ne pas nous apercevoir que nous sommes morts. Nous nous imaginons couchés là, sans vie, incapables de bouger et nous nous demandons de quelle manière il serait possible de passer à côté de cet état de fait. Toutefois, dès que nous envisageons les choses du point de vue de l'âme, la situation est totalement différente. Notre âme ne ressent pas la mort puisqu'elle est toujours bien vivante. Le corps physique étant pour elle un vêtement, elle ne se sent pas différente, qu'elle le revête ou non. Que nous portions un smoking ou un pyjama, nous sommes essentiellement les mêmes. Certes, le vêtement peut influencer notre état si nous y portons attention, mais il ne changera pas notre nature profonde. En effet, le smoking peut nous procurer plus d'assurance, le pyjama, de la détente, mais ce ne sont ni le pyjama ni le smoking qui font tout le travail. Leur nature influence parfois notre état sans toucher notre être tout entier. Il en est de même pour l'âme. Pour elle, la mort est un changement de plan vibratoire et non une transformation de sa nature profonde. En délaissant le corps physique, elle n'altère pas cette nature, elle modifie simplement un aspect d'elle-même qui influence son état. La transition d'un plan à l'autre est semblable à un changement de pièce ou d'endroit. Pour réaliser que nous sommes ailleurs, nous devons être attentifs à ce qui se passe. Être conscients, c'est capter les fréquences du moment présent ; c'est écouter les informations que notre ressenti reçoit à chaque instant.

Durant notre incarnation, lorsque nous sommes préoccupés ou distraits, nous manquons fréquemment des bouts de vie. Parfois ces derniers sont sans incidence, et parfois nous aurions pu nous éviter un détour ou un inconvénient si nous avions été à l'écoute de notre ressenti. Il nous est tous déjà arrivé de quitter le bureau la tête pleine de problèmes à résoudre et d'aboutir dans l'allée de la maison en nous demandant quel chemin nous avons emprunté. Nos problèmes ont détourné notre attention et nous avons perdu le fil du présent.

Cette situation se produit également pour l'âme en transition entre les mondes. Si elle est très tourmentée ou anxieuse au moment de la mort, elle pourrait quitter son corps de chair et se retrouver dans l'astral sans s'en apercevoir. Loin d'être un cas d'exception, de nombreuses âmes désincarnées continuent tout bonnement les actions qu'elles faisaient au moment de la mort, parce qu'elles ne réalisent pas qu'elles ont changé de plan vibratoire. Une fois que l'élément qui a détourné leur attention est passé, ces âmes peuvent parvenir à capter le changement et poursuivre alors leur route. Toutefois, certains êtres qui n'ont pas appris à développer l'écoute de leur ressenti pourront passer un long moment près des plans terrestres sans réaliser qu'ils n'y appartiennent plus. Voilà pourquoi il est important d'apprendre à vivre le moment présent sur terre. Cet entraînement au quotidien nous permet d'être plus à l'affût. Puisqu'au ciel rien n'est différent de sur la terre, nous pouvons facilement comprendre que le fait d'être présents à ce qui se passe ici et maintenant nous permettra de rester alertes et de ressentir ce qui se passera dans l'au-delà lorsque nous aurons quitté notre corps. Ainsi, lorsque nous changerons de plan vibratoire, nous pourrons le vivre pleinement si nous sommes attentifs au moment où la mort sur-viendra, ou à tout le moins nous pourrons réaliser plus rapidement les changements que cette transition provoquera en nous. Cela nous permet-tra ainsi de rejoindre le plan de conscience qui correspond à notre état vibratoire général au lieu de stagner dans des vibrations d'inconscience.

Choisir de poursuivre notre route

Tout ce qui se passe dans l'au-delà dépend de cette première prise de conscience. Nous ne pouvons entreprendre notre envol si nous ne savons même pas que nous n'appartenons plus au monde physique, tout comme nous ne pouvons partir en montgolfière si nous ne sa-vons même pas que nous en avons une dans notre garage. Le début du voyage dépend donc de cette première prise de conscience. Elle ne détermine pas tout ce qui suit, mais elle est l'amorce de l'envol. Il est ensuite nécessaire de choisir notre direction. Ainsi, l'élévation n'a rien de mécanique ou d'automatique. Elle repose toujours sur un état et le choix que nous faisons. En choisissant de quitter la terre et de retourner à notre famille céleste, nous donnons la première impulsion d'air chaud dans notre ballon. Cette décision est souvent spontanée et se prend sans grande tergiversation. La sensation éprouvée en dehors du corps est si enivrante que la terre paraît soudainement très fade. Rapidement, nous retrouvons une certaine connaissance de notre direction et de notre origine. Ce choix d'aller de l'avant semble alors être une évidence claire et, instantanément, il provoque une montée dans les plans vibratoires qui correspondent à notre état du moment présent. Si cette décision de retourner au bercail est naturelle pour de nombreuses âmes, pour d'autres, elle l'est moins. Plusieurs âmes ne parviennent pas tout de suite à renouer avec cette connaissance profonde parce qu'elles demeurent sous l'emprise de la personnalité, de ses croyances ou de ses dépendances ou parce qu'elles refusent tout simplement de quitter la terre. Elles ne vivront alors pas d'autre augmentation vibratoire que celle occasionnée par l'abandon du corps physique tant qu'elles ne choisiront pas de vibrer à des énergies plus élevées que celles du plan terrestre. Nous sommes le commandant de bord de la montgolfière. Nous dirigeons sa destinée. Nous choisissons d'aller de l'avant ou de rester un temps près de la terre.

Un aperçu stimulant

Comme mentionné plus haut, ce choix de gonfler notre ballon amorce la montée. Cette première impulsion nous montre un aperçu de notre vie au ciel. Elle représente une vision de ce qui nous attend une fois que nous aurons réellement atteint notre vitesse de croisière et que nous aurons achevé les autres tâches nécessaires à la transition. La première poussée d'air chaud dans le ballon se compare aux vacances annuelles pour le travailleur. Ce temps de repos ou de divertissement où il fait bon se retrouver sans obligation, sans pression, sans tâche à accomplir permet de lâcher prise et de refaire le plein pour pouvoir continuer tout ce que nous avons entrepris. Il est facile de mesurer l'effet de cette première impulsion en s'imaginant tout le bien-être et la liberté que procure le fait d'être dans un endroit de villégiature pour quelques jours, loin des obligations et des tâches du quotidien. Cela nous procure un sentiment de liberté et de bien-être qui, parfois, nous enivre complètement. Tout de suite après la mort, le fait de sortir du corps physique et de renouer avec les énergies de l'astral de manière consciente propulse de nombreuses âmes dans cet état de légèreté. Puisque le temps n'a plus d'importance en dehors du plan terrestre, l'âme restera en pause le temps nécessaire pour refaire ses énergies. Puis, à un moment donné, elle saura qu'il est temps pour elle de passer à la prochaine étape pour continuer de s'élever, c'est-à-dire l'étape de se départir des sacs de sable pour pouvoir gravir les différents niveaux de l'astral.

3 - Les sacs de sable

Les bagages

Sur terre, ce qui se passera à notre retour de vacances dépend en grande partie de ce que nous avons laissé en plan avant notre départ. Plus nous sommes à jour dans notre travail à l'heure du départ, plus notre retour sera agréable. Inversement, si nous sommes partis alors qu'il y avait de gros dossiers à régler, du retard accumulé et des piles de plaintes non résolues, le retour risque d'être plus éprouvant. Il en est de même pour le processus d'élévation. Une fois que l'âme reprend du service dans les plans subtils, elle doit liquider les états émotifs qu'elle n'a pas réglés durant son incarnation, ceux qui pèsent lourd dans ses bagages et qui l'empêchent de prendre de l'altitude. Dans le chapitre 1, nous avons abordé le fait que la mort n'efface rien et que nous demeurons exactement les mêmes une fois passés de l'autre côté du voile terrestre. La mort n'a rien liquidé et pour pouvoir avancer dans les divers niveaux vibratoires de l'au-delà, nous devons parvenir à la compréhension et à la transformation de la souffrance qui nous habite. C'est là l'une des tâches qu'il nous est nécessaire d'accomplir.

Après la phase euphorique qui marque notre retour dans les mondes subtils, notre histoire suit son cours et nous ne pouvons pas lui échapper. L'état général qui nous a habités durant toute notre incarnation revient et nous devons de nouveau faire face à nos mêmes forces et à nos mêmes zones d'ombre. Nos pensées, nos croyances, nos joies, nos peurs, nos forces, nos doutes, nos apprentissages, nos limitations, notre conscience demeurent intacts. Ni le moment de vacances ni la mort ne les a transformés. Ce sont toutes ces énergies qui composent notre état après la mort. Certaines d'entre elles sont plus fluides, alors que d'autres nous engluent et nous empêchent de poursuivre notre route. Rappelons-nous que la règle en matière d'élévation est l'état d'être, ce dernier faisant foi de tout. Ce sont nos vibrations intérieures qui nous propulsent sur le plan vibratoire correspondant à celles-ci. Ainsi, pour accéder à des plans plus élevés, il est nécessaire d'élever nos vibrations en délaissant les énergies de basse vibration enfouies dans les recoins de notre être.

À quoi ressemblent ces énergies? Sans en faire une liste détaillée, disons qu'elles sont identiques à tout ce qui alourdit notre cœur ici-bas. Que ce soit la colère, la culpabilité, la jalousie, la haine, la frustration, l'envie, les remords, les regrets, les appréhensions, la méfiance, la suspicion, le stress, les angoisses, la peur, ces ressentis nous enlisent sur terre comme au ciel. Il suffit de nous imaginer en colère ou remplis de méfiance pour en réaliser toute la lourdeur. Durant l'incarnation, chaque fois que nous les ressentons, nous avons l'impression qu'un fardeau vient de s'abattre sur nous. Aucun d'eux ne nous procure un élan de joie ou de bonheur. Puisque tout ce qui est en bas se retrouve en haut, cette lourdeur dans notre bagage intérieur représente une surcharge. Rassurons-nous! Seules les situations non réglées causent une lourdeur dans nos valises. Celles qui ont été transcendées sur terre ont été transformées en air chaud et contribuent à nous élever.

Même si choisissons de rentrer au bercail et que nous aspirons ardemment à ce retour, nous ne pourrons y parvenir tant que nous n'aurons pas allégé notre cœur des boulets qui minent notre état. Cela découle des principes de la justice universelle. Il serait totalement iné-quitable de savoir que la mort propulse tout le monde sur le même niveau vibratoire sans égard pour les énergies que chacun a nourries durant son incarnation. Ce qui départage l'endroit où nous irons une fois dans l'au-delà, ce n'est pas un dieu punitif ou un juge sévère qui observe d'un œil inquisiteur nos actions sur terre, mais c'est tout simplement notre ouverture de cœur. C'est la jauge de notre *amour intérieur* qui est le gage de notre élévation. Voilà pourquoi toutes les religions et tous les grands maîtres nous enseignent l'importance de mourir le cœur léger et de vivre notre incarnation dans l'amour, la compassion et la joie. Ces états sont des éléments cruciaux pour nous assurer un retour rapide vers les hautes sphères énergétiques.

Une vision élargie

Lorsque nous délaissons pour de bon notre corps physique, nous délaissons aussi le point de vue associé à la matière. Notre manière de percevoir change et notre vision s'élargit. Comme mentionné au chapitre 1, nous accédons à un promontoire qui nous offre une nouvelle manière de voir les choses. Les embûches et les embâcles vécus dans la matière s'observent alors avec les yeux du cœur. Cela nous permet de voir plus rapidement le sens des événements et les leçons que ces derniers nous offrent. Grâce à cette vision élargie, la transmutation des émotions lourdes se fait plus aisément. Bien que cela soit aidant, elle n'a rien de magique et il faudra que l'apprentissage soit intégré pour que la transformation vibratoire se produise. Ici-bas comme dans les sphères célestes, un apprentissage peut s'effectuer en un éclair! La compréhension d'un événement nous arrive parfois spontanément et, telle une grande révélation, nous savons pourquoi nous avons vécu cet événement. D'autres fois, cette compréhension s'installe par étapes et nous apprenons à découvrir des zones intérieures petit à petit. Il n'y a pas de bonne ou de mauvaise manière d'intégrer des apprentissages. Ce qui importe, c'est que, grâce à ces apprentissages, nous aurons illuminé une zone d'ombre en nous et ainsi, nous serons parvenus à élargir notre conscience de « Soi ».

Tout cheminement spirituel relève d'un acte conscient et non d'un quelconque mécanisme automatique. Si nous n'avons jamais développé l'habitude de nous observer, de faire des liens et de tirer des leçons des expériences que nous traversons, la démarche de compréhension sera plus longue. Certes, la vision élargie qui survient après la mort contribue à la prise de conscience, mais pour que celle-ci se fasse aisément, il faut un effort de centration, d'observation et une attitude d'accueil. L'entraînement exercé durant l'incarnation facilite cette étape. La vision élargie est un outil qui requiert une connaissance dans son maniement pour pouvoir en tirer profit. Une fois dans l'au-delà, notre point de vue sur l'incarnation se modifie si nous prenons le temps d'observer les choses autrement et si nous accueillons ces nouvelles perspectives qui s'offrent à nous. Où que nous soyons dans les plans vibratoires, c'est toujours notre manière de vivre les expériences qui en détermine leur richesse. Ni l'incarnation ni la mort ne créent notre cheminement spirituel. Celles-ci n'en sont que son propre reflet. Afin que l'incarnation soit une expérience aussi riche de sens que le passage de la mort, il importe donc d'apprendre à voir la vie avec les yeux du cœur. C'est alors que le chemin intérieur s'éclaire et que tout ce que nous vivons trouve sa résonance profonde. Notre vibration s'élève et nous avons accès à une vision encore plus large, à une conscience encore plus grande et à un état plus épanoui. C'est là l'ultime récompense que nous offre tout travail intérieur, tout effort d'observation de nous-mêmes et d'accueil des apprentissages, tout effort pour éviter l'accumulation de surcharge dans notre nacelle. Que nous nous trouvions dans un corps de chair ou dans nos corps subtils, le pas que nous franchissons vers l'essence de notre être est toujours une grande avancée sur la route du retour à la maison. C'est une véritable réserve d'air chaud permanente au service de notre élévation.

L'envolée de notre montgolfière vers les cieux est donc un voyage qui se prépare. Avec toute la joie du grand voyageur qui aspire à vivre une autre splendide aventure, nous pouvons aborder les expériences de la vie sous un autre angle. Elles deviennent dès lors de précieux éléments qui nous servent ici-bas à déployer notre ballon et à nous propulser dans les cieux lors de notre grand passage entre les mondes.

4 - Les liens

Une protection efficace

Nous en sommes maintenant à observer les liens de notre montgolfière. Il s'agit des ancrages qui la maintiennent au sol. Par nature, ces liens sont conçus pour une fonction spécifique : ancrer la montgolfière dans sol le temps nécessaire entre les envolées. À l'instar de tout arrimage, ils servent à maintenir l'engin en place pour ne pas qu'il dérive. Cependant, leur rôle est limité et ils doivent être levés à partir du moment où cet engin quitte son port d'attache. Sinon, ils deviennent nuisibles. Il en est de même avec les liens qui retiennent l'âme à la terre. Lorsqu'une âme s'incarne, les liens affectifs qu'elle noue avec ses proches et avec son environnement lui servent de point d'ancrage. Sans eux, l'âme aurait peine à vivre son incarnation sans être emportée par les tourbillons émotionnels de la vie. Ils offrent à l'âme une sécurité affective durant son passage sur terre et, à ce titre, ils sont fort précieux. Lorsque l'âme s'apprête à quitter le plan terrestre, elle doit lever toutes les amarres qui la relient à la terre pour parvenir à s'élever. En conséquence, elle a la tâche de transformer les liens qu'elle a créés durant son incarnation, de les guérir et de lâcher prise pour pouvoir poursuivre son envolée.

Les liens affectifs sains, nourris par l'amour inconditionnel, ne meurent jamais. Dans le passage de la mort, ces derniers seront transformés pour que de part et d'autre nous puissions poursuivre notre route librement. C'est grâce à cet amour inconditionnel qui sert d'élément propulseur à cette transformation que nous pourrons rester unis tout en n'appartenant plus au même plan vibratoire. L'amour pur transcende en effet les mondes et il nous aide à vivre le passage sereinement. Il est donc un atout des plus chers à l'âme en transition. Il lui sert de phare et de réconfort pour qu'elle puisse parvenir à tous les renoncements inhérents à ce cheminement. L'âme qui quitte le plan terrestre aura donc encore besoin de notre amour inconditionnel. À tort, nous croyons que l'âme qui délaisse son corps de chair n'a plus aucun besoin. Puisque nous restons les mêmes dans l'au-delà, nos besoins d'être aimés, d'être soutenus, d'être accompagnés, de pardonner, d'être pardonnés et de nous réaliser demeurent. L'amour des êtres chers nous porte le temps nécessaire pour trouver notre direction et pour prendre les commandes de notre traversée. Ces liens d'amour sont essentiels et doivent être nourris de part et d'autre. Le livre *Ils nous parlent… entendons-nous?*[4] s'attarde plus longuement à cette collaboration que les âmes souhaitent poursuivre au-delà du passage de la mort. À ce titre, les prières adressées à l'âme en transition l'aident véritablement dans son cheminement. Les moments de recueillement en faveur du défunt et les oraisons funèbres insufflent l'énergie nécessaire pour bien vivre ce passage, ce qui redonne leurs lettres de noblesse aux rituels funéraires qui ont quelque peu perdu leur sens dans notre société.

En comprenant qu'au moment où notre âme s'élève, elle ne change pas sa nature profonde, nous pouvons mieux planifier ce passage.

Lorsque j'exerçais ma profession de notaire, de nombreuses personnes m'ont demandé d'inscrire dans leur testament leurs dernières volontés relativement à leurs funérailles. À l'époque, je n'avais pas les connaissances actuelles et je me contentais d'écrire ce que l'on me demandait. Toutefois, je réalise maintenant qu'il existe une peur profonde que notre mort soit source de souffrance pour nos proches. Voulant bien faire, nous écourtons la durée des funérailles, croyant ainsi protéger les êtres chers. Or, il n'en est rien. Selon plusieurs études réalisées sur les rituels funéraires et le deuil, dont celles de Louis-Vincent Thomas[5], les funérailles ont une double fonction : aider le défunt à vivre ce passage dans la paix et accompagner les « endeuillés » pour nourrir leur sentiment d'appartenance alors qu'ils éprouvent un vide émotionnel important à la suite de cette perte. Alors, en diminuant nos propres rituels funéraires pour éviter la souffrance à nos proches, nous raccourcissons non seulement l'aide qui nous sera offerte dans ce passage, mais également celle qui aurait alors pu être prodiguée à nos proches. Les funérailles revêtent une symbolique sacrée. Elles ont la propriété de faciliter toutes les transformations inhérentes au départ d'un être cher. Elles pourvoient aux besoins du défunt et de ses proches. Dans notre société occidentale, où le sens de la mort et des rituels religieux s'est perdu, les rituels laïques tendent à se consacrer davantage au travail du deuil et aux besoins des endeuillés.

Certes, cette transformation des rituels répond à un réel besoin des endeuillés. Cependant, cela a pour conséquence de délaisser le soutien au processus d'élévation de l'âme. N'ayant plus de point de repère sur le plan spirituel durant sa vie et moins de soutien durant sa transition entre les mondes, l'élévation du défunt s'en trouve ainsi influencée. Loin de moi l'idée de vouloir conserver des rituels qui pourraient être autrement désuets. Dans les communications que j'ai pu vivre avec les âmes, j'ai remarqué à quel point l'âme a besoin de notre aide dans les premiers moments de son passage. Elle n'est pas seule dans les plans célestes et ses guides l'accompagnent en tout temps. Mais puisque son attachement à la terre est encore bien vivant, ce sont les marques d'amour et de reconnaissance de ses proches qui la réconfortent le plus. Il est impératif que l'âme qui s'élève reçoive encore cette source d'amour si précieuse dans son avancée vibratoire. De tout temps, de toute époque, de toute civilisation, les rituels funéraires font partie des outils d'accompagnement. Ils donnent un sens sacré à la mort. Ils nous permettent de réaliser la force de l'amour qui nous unit. Ils nourrissent ainsi l'espoir tant chez les endeuillés que chez le défunt. En gardant bien en mémoire le sens profond des rituels, nous pourrons orienter nos dernières volontés vers ceux qui répondent véritablement à nos besoins dans la traversée, et ce, sans oublier ceux de nos proches.

Rompre les liens néfastes

Les rituels funéraires représentent une façon incontestée d'amorcer le largage des amarres puisqu'ils soutiennent l'âme dans son détachement terrestre et qu'ils encouragent les endeuillés à accepter cette séparation physique en exprimant leurs émotions et à poursuivre leur vie sur terre en se sentant accompagnés. Les liens affectifs basés sur un amour véritable commenceront donc leur transformation grâce à cet outil fabuleux que sont les rituels. Là où le bât blesse, c'est que nombre de liens que nous avons tissés ici-bas ne relèvent pas de l'ordre de l'amour inconditionnel, mais ils entretiennent plutôt de la dépendance. Dès lors, ils ne sont plus un ancrage ; ils deviennent un véritable ciment qui nous maintient captifs tant que nous ne serons pas parvenus à nous affranchir de cette liaison malsaine. Ainsi, non seulement la dépendance affective représente une entrave importante à notre montée, mais toutes les autres formes de dépendances également : l'alcool, la drogue, le jeu, le travail, l'argent, le sexe, le pouvoir, l'attachement démesuré à la matière, à notre corps physique sont des boulets qui nous gardent prisonniers de la matière dense.

> ## Des lois communes
>
> *Selon Rupert Sheldrake, imminent biologiste, nos souvenirs, tout comme nos pensées, nos habitudes, nos comportements, nos instincts, bref, toutes nos figures intérieures obéissent exactement aux mêmes lois que les formes physiques.*
>
> Patrice Van Eersel, auteur et journaliste
> Extrait de *La source noire*, p. 213

De nombreuses personnes sont étonnées d'apprendre cela. Pourtant, en y regardant bien, toute dépendance n'a rien d'élevant, même lorsque nous sommes sur terre. Au contraire, elle nous attache à un élément extérieur qui satisfait temporairement un besoin et limite notre cheminement. Elle nous éloigne donc de notre objectif : développer nos ressources intérieures. En cherchant ailleurs ce dont nous avons besoin, nous ne réalisons pas toujours que nous faisons fausse route. Nous avons l'illusion d'y trouver réconfort, bonheur et paix, mais l'illusion se dissipe rapidement et il nous faut de nouveau nous abreuver à cette source extérieure pour étancher notre soif d'amour, de réalisation, d'estime personnelle et de bien-être. Tôt ou tard, il nous faudra nous défaire de cette dépendance pour parvenir à élever nos vibrations et accéder au véritable bien-être, celui que nous retrouvons sur le sentier du cœur. C'est en nous que nous puisons la source d'amour la plus puissante et la plus nourrissante.

Les conséquences de la dépendance

Toute dépendance ne cesse pas d'elle-même. Elle perdure au-delà de la mort puisqu'elle représente un état où nous abdiquons notre pouvoir au profit d'un élément externe. Pour nous en défaire, il faut d'abord avoir conscience que nous sommes dans un état de dépendance. Puis, l'étape suivante sera d'ouvrir notre cœur pour y trouver tout ce que nous cherchions depuis si longtemps. La difficulté principale réside souvent dans la première étape : prendre conscience de notre état de dépendance. Il est souvent très ardu d'avouer une dépendance parce que nous ne la voyons tout simplement pas ou parce que nous ne souhaitons pas la voir à cause de toutes les implications que cette vision aurait dans notre vie. Les personnes souffrant d'une dépendance s'emmurent dans une vision erronée de la vie et elles tentent d'y trouver un semblant de bien-être en s'accrochant à quelque chose qui leur procure une satisfaction momentanée. Souvent, elles ne réalisent pas l'illusion dans laquelle elles vivent. Elles n'ont pas conscience que leurs actions contribuent à les maintenir dans un cercle vicieux. Elles ne voient pas l'aide qui leur est offerte pour les en extirper parce qu'elles sont trop occupées à maintenir leur illusion bien vivante. Leur manière de voir la vie, leurs pensées et leurs croyances les enfoncent dans cet état de dépendance. De l'autre côté des choses, l'alcool, la drogue ou l'argent aura disparu de leur environnement énergétique, mais l'état qui a engendré cette dépendance, lui, sera encore bien présent. Leur manière de voir, leurs pensées et leurs croyances continueront de les inciter à chercher à l'extérieur leur satisfaction. Alors, au lieu de s'attarder au processus d'élévation qui les mènera à la maison céleste, elles se tourneront vers les bars, les piqueries, les casinos et les autres sources où elles pourront assouvir cette dépendance. Elles s'y réfugieront pour se nourrir des vibrations des êtres incarnés qui boivent, qui se droguent, qui jouent ou qui vibrent à toute autre forme de dépendance.

L'amour en guise de sevrage

Sur terre comme au ciel, pour parvenir à se libérer d'une dépendance, il est nécessaire de faire le choix de s'en libérer. Plus la dépendance sera grande, plus cela exigera une décision solide, du courage, de la volonté et de la force de caractère. Mais, décider de s'en sortir et agir en conséquence est la seule recette infaillible pour y parvenir. Aucune thérapie, aucune séance de désintoxication, aucun remède ne peut réussir sans ce choix et ces efforts de volonté. Personne, pas même un grand maître, ne peut insuffler assez d'amour et d'énergie à une personne pour lui éviter de s'engager dans ces deux étapes. La victoire contre une dépendance relève de notre volonté. Évidemment, le soutien extérieur est un atout puissant dans la balance et il ne faut absolument pas voir dans ces propos une sous-estimation de ses effets bénéfiques. Toutefois, le seul gage de succès pour vaincre une dépendance est un engagement intérieur. Pour la transcender, il faut vouloir intensément s'en départir et il faut ensuite choisir d'apprendre à vivre autrement en laissant l'amour-propre combler le vide laissé par l'abandon de celle-ci.

La dépendance est nuisible à tous les niveaux et elle représente un frein important dans le processus d'élévation puisqu'elle nous attache à la terre. Si nous souhaitons parvenir à remplir le dessein de notre âme, il est nécessaire de nous en sevrer. Selon notre niveau de dépendance, cela se fait plus ou moins rapidement. Il en est de même lorsque nous sommes hors du corps. La première étape est inévitablement la prise de conscience. Dans l'au-delà, parfois, le simple fait d'être sur notre promontoire nous procure la vision nécessaire. Parfois, les prières de nos proches nous aideront à y parvenir, alors que d'autres fois, les racines de cette dépendance exigent une guérison intérieure plus profonde. Dans ce cas, il faut parfois continuer de vivre cette dépendance pendant un moment, jusqu'à ce que nous nous rendions compte que cette attitude ne nous sert pas. Nous sommes alors prêts pour la deuxième étape : choisir d'en sortir. En tout temps, l'amour que nous éprouvons envers nous-mêmes et le regard rempli de compassion à notre égard nous permettent de laisser aller cette dépendance. Une fois que celle-ci est transformée en amour, en air chaud, notre nouvel état nous propulsera vers de nouveaux horizons.

L'influence des proches

L'accès à de nouveaux horizons se produit au fur et à mesure que nous délaissons les poids et les attaches qui nous retiennent à la terre. Sachant que tout lien comporte deux bouts, nous pouvons nous interroger au sujet de l'effet de l'attachement de nos proches envers nous. Est-ce vrai de dire que leurs pleurs et leur refus d'accepter notre mort nuisent à notre traversée ? Est-ce plutôt la dépendance affective qui donne emprise aux pleurs et au refus d'accepter la mort ? Si nous envisageons la question d'un point de vue strictement technique, nous pourrions alors affirmer qu'ils n'ont aucune incidence. En effet, imaginons que notre montgolfière commence à s'élever. Si les liens qui nous retiennent à la terre sont rompus de notre côté, la montgolfière est libre de s'envoler. Donc, même si les cordes d'ancrage peuvent encore être arrimées au sol, elles n'ont plus d'utilité à partir du moment où les amarres sont larguées. De plus, toujours d'un point de vue technique, chaque âme possède le libre arbitre, c'est-à-dire la capacité de choisir les expériences de vie et la manière dont elle vivra ces expériences. Ce libre arbitre ne vaudrait rien si toutes les âmes qui nous entourent pouvaient nous empêcher de suivre notre voie. Ainsi, nous sommes maîtres de notre destin et nous avons l'entière liberté de voguer vers d'autres cieux lorsque nous en ressentons le besoin. Or, comme nous le savons, cela est beaucoup plus facile à dire qu'à faire. Même si nous bénéficions de cette capacité de choisir, il n'est pas toujours aussi simple de l'exercer. Nous entrons ici dans la beauté et la grandeur de notre humanité et la réponse technique prend une autre tangente.

Nous sommes des êtres en cheminement dont les interactions s'influencent mutuellement. En conséquence, elles peuvent influencer nos choix. Que nous soyons dans l'incarnation ou en transition dans l'au-delà, c'est notre manière d'être avec les autres qui déterminera si nous allons être influencés par les autres. Pour illustrer cela, imaginons quelques exemples. Marie est une personne qui a toujours attendu l'approbation des autres pour agir. Sans cette approbation, elle n'osait bouger. Pierre est un grand inquiet. Il a peur d'être abandonné par ses proches. Il choisit constamment et sciemment d'abdiquer sa volonté au profit des autres, croyant qu'ainsi il ne leur déplaira pas. Anne, quant à elle, a toujours eu le principe suivant : « Que ceux qui m'aiment me suivent. » Bien qu'elle respecte profondément ses proches, elle ne s'empêche jamais d'aller où son cœur lui dicte à cause des autres. Par ces trois exemples, nous voyons trois manières d'utiliser le libre arbitre. Marie l'a inconsciemment remis aux autres, les laissant lui dicter sa route ; Pierre a choisi de ne pas s'en servir, par peur ; Marie l'utilise à son propre service. Il y aurait évidemment une multitude de nuances à envisager entre ces trois exemples et ce n'est pas l'objectif ici. Ces cas typiques servent à démontrer qu'en fait l'influence des autres sur nos propres choix s'avère importante dans la mesure où nous renonçons inconsciemment ou consciemment à notre libre arbitre. Cela vaut tant sur terre qu'au ciel.

Au début de notre processus d'élévation, nous réagissons envers nos proches exactement de la même manière que durant notre incarnation. La mort ne nous transforme pas. Alors, si nous sommes du type Marie ou du type Pierre, les pleurs et le refus de nos proches influenceront grandement notre choix de quitter la terre. Au lieu de choisir de nous élever, nous aurons plutôt tendance à rester auprès d'eux pour les consoler. Si nous sommes au contraire du type Anne, nous éprouverons beaucoup de compassion pour ce que vivent nos proches, mais cela n'aura pas d'incidence sur notre propre cheminement. Nous savons alors que l'amour que nous leur portons est source de réconfort. Ce ne sont donc pas les pleurs ou le refus des proches qui causent les incidences négatives à l'égard de l'âme, mais bien la manière dont elle y réagit. Et à ce titre, nous n'avons qu'à observer l'envolée d'un maître pour nous en convaincre. Malgré tous les pleurs versés à son égard, rien ne le retient à la terre. Tout au long de son incarnation, il a préparé ce passage en s'assurant d'avoir le cœur léger et d'être lumière, amour et paix. Une fois hors du corps, il connaît sa direction et il sait que la vie terrestre ne peut désormais plus servir son cheminement. Il emportera avec lui tout l'amour qu'il a tissé avec les siens, sachant que toutes ces relations resteront bien vivantes en lui. Les pleurs et les refus ne font écho en lui que pour la compassion et le réconfort qu'il souhaite offrir en retour. Le maître est libre des liens affectifs matériels et il s'élève rapidement dans sa lumière.

Avec tout ce qui se dit au sujet de l'effet des pleurs sur le défunt, de nombreuses personnes me confient avoir peur d'exprimer leurs émotions après la perte d'un être cher. Elles craignent ainsi de l'empêcher de vivre sa transition. Cela est très troublant, car cette retenue n'aura jamais l'effet escompté. Une fois dans l'au-delà, l'âme n'ayant plus de corps reçoit les vibrations qui émanent de nous. Alors, que nous pleurions ouvertement ou en silence ne change rien. Elle ressent la vibration de notre peine, même non exprimée. Ainsi, notre état parle de lui-même et, en fonction des réactions habituelles de l'âme de l'être cher, il pourra interférer dans sa transition, qu'il soit exprimé ou non. Il vaut donc mieux exprimer ce que nous ressentons ouvertement. Cependant, la manière dont nous exprimons ces émotions pourra faire toute la différence, particulièrement si nous portons attention aux besoins de l'âme dans ce mouvement transitoire. L'âme qui vit un passage aussi crucial a besoin de beaucoup de soutien, d'amour et de réconfort. Pour les êtres chers éprouvés par ce départ, il peut parfois paraître difficile de concilier leurs propres besoins avec ceux de l'âme qu'ils accompagnent.

Pourtant, nous avons à notre portée l'outil infaillible: l'amour. Il est toujours le moteur le plus puissant pour permettre une traversée harmonieuse. Il sera donc autant aidant pour l'âme en transition que pour les proches du défunt qui doivent vivre leur deuil. C'est donc en nous basant sur les principes d'amour que nous pouvons exprimer nos états émotifs de manière saine tout en répondant aux besoins d'accompagnement et de compassion de l'âme en transition. Tout s'exprime au nom de l'amour inconditionnel. Envers nous, cet amour inconditionnel nous dicte de nous libérer, ce qui abaisse nos vibrations, ce qui assèche notre cœur, ce qui mine nos pensées, ce qui détruit notre harmonie intérieure. Ce même amour nous implore cependant d'avoir recours à la compassion pour élever l'autre au passage. La manière d'exprimer nos émotions a un impact direct sur le mode réactionnel de l'autre. En effet, certaines paroles portées par l'amour nourriront l'autre malgré le propos qu'elles évoquent tandis que

> ❧ *Saviez-vous que...*
>
> *Des études ont démontré que les personnes qui éprouvent de la tristesse sont [...] plus justes dans la perception de leurs habiletés et de leurs réalisations et elles sont plus réfléchies et plus objectives dans la manière de voir les autres. En conséquence, la tristesse nous aide à focaliser notre attention et à maintenir une réflexion plus profonde et plus efficace.*
>
> Goerge A. Bonanno,
> professeur en psychologie
> Extrait de *L'autre côté de la tristesse*, p. 47

d'autres s'enfonceront dans le cœur tel un couteau. Psychologues et thérapeutes nous enseignent depuis longtemps à exprimer nos émotions en employant le « je » pour livrer notre message sans blesser l'autre. Du coup, nous réussirons à maintenir une relation saine, basée sur la franchise et l'intégrité. Ces précieux conseils s'appliquent, même si l'âme est sur un autre plan. Toute relation saine exige une transparence envers soi et envers l'autre. Cela est la clé de l'épanouissement relationnel.

C'est également la clé de l'épanouissement personnel. Le deuil est une étape importante, à vivre pleinement. Sinon, il perdure et il nous enlise dans un état d'émotivité néfaste. La tristesse, le chagrin, la colère, le déni et le refus liés à une perte sont des états qui peuvent se vivre durant le travail du deuil et qui, une fois totalement libérés, nous conduisent au détachement et à l'acceptation. Il est donc essentiel de trouver une manière saine de les exprimer. En parler avec l'être cher décédé, de cœur à cœur, fait partie des moyens à notre disposition. De plus, la répression crée un fossé entre nous et l'autre. En effet, si nous nous empêchons d'exprimer ce que nous ressentons, cela aura pour effet de créer un nuage de confusion entre nous et l'âme concernée. Cette situation se produit aussi avec les êtres incarnés lorsque nous refusons de leur faire part de ce que nous vivons. Ce nuage laisse place à l'interprétation et à la mésentente. En effet, lorsqu'un être cher souffre, nous sentons que quelque chose ne va pas, même si celui-ci affirme haut et fort que tout va bien. C'est ce double message qui cause confusion. En le recevant, nous ne savons pas trop comment l'interpréter ni quoi en faire puisqu'il y a opposition. Nous cherchons à savoir si nous sommes en cause, si nous pouvons faire quelque chose, mais nous restons souvent devant un sentiment d'impuissance qui vient de ce manque de clarté. L'âme vivra cette répression de notre part de la même manière. Nous nous entraiderons davantage en étant sur la même longueur d'onde.

Des mots pour le dire

Ainsi, lorsque nous avons de la peine, lorsque nous sommes tristes ou que nous nous sentons seuls, que nous sommes fâchés ou que nous avons de la difficulté à accepter le départ d'un être cher, il vaut mieux le dire avec les mots du cœur que d'exprimer ces énergies de basses vibrations qui sont tout aussi nuisibles pour nous que pour l'âme concernée. Nous pouvons lui dire :

Écoute-moi

Tu sais, présentement, je souffre beaucoup. Rassure-toi, ce n'est pas ta faute. Ce n'est pas facile pour moi de reprendre mon quotidien sans toi. Je sais que pour ton propre avancement, il te fallait partir. Je sais aussi que nous serons toujours unis dans l'amour et que nous allons transformer la relation que nous avions. Donne-moi juste le temps de me faire à cette nouvelle vie. Si je t'exprime ce que je vis, ce n'est pas pour te retenir, mais pour que nous puissions tous les deux avancer sur nos nouvelles routes respectives dans l'amour et la transparence. Je t'aime et j'ai toujours souhaité le meilleur pour toi. Actuellement, ma peine m'empêche d'accepter pleinement que ce meilleur soit ailleurs qu'ici. Sache que je désire plus que tout que tu sois bien et que tu trouves ta lumière. Moi aussi, j'aspire à trouver la mienne ici-bas à travers cette expérience de deuil. Ton amour et ta compréhension de ce que je vis me seront précieux pour y arriver. En ce moment, j'ai besoin d'un signe ou d'une présence pour m'aider à me sentir moins seul. J'en fais la demande à mes guides et je sais qu'en attendant, l'amour qui nous unit m'accompagnera. Merci de ton écoute, de ton amour. Je me sens déjà mieux d'avoir ainsi pu t'exprimer ces émotions. De mon côté, je prie pour que toute l'aide céleste dont tu as besoin se manifeste, que tu l'accueilles avec joie et que ta route en soit facilitée. Que tout mon amour te porte vers ta famille céleste. »

En prenant le temps de nous centrer un moment, de ressentir l'amour que nous avons pour cette âme, nous trouverons les mots qui sauront toucher son être sans nuire à son parcours. En allégeant notre cœur d'un tel fardeau, nous élevons nos vibrations et, du coup, nous pourrons davantage être aidants envers l'âme chère.

5 - L'expérience du pilote

Le dernier élément de l'analogie de la montgolfière, et non le moindre, fait référence à l'expérience du pilote. Même si nous bénéficions de la plus belle montgolfière au monde, de la plus grande réserve d'air chaud, le voyage ne se fera pas tout seul. La mort n'a rien de magique ni d'automatique. Elle requiert un minimum de savoir-faire pour parvenir à se départir des sacs de sable et des liens, sans nuire à la propulsion ou à la direction. Comme dans toute embarcation, l'expertise du pilote joue un grand rôle dans le voyage. En fait, du point de vue de l'âme, la référence au bagage du pilote vise sa sagesse intérieure, la conscience qu'il possède par rapport à la vie, par rapport à lui-même et à tout ce qui l'entoure. Certes, cette expertise comprend les connaissances proprement dites et le discernement au sujet de l'amour, de la vie, de notre être, mais aussi la capacité à rayonner ces connaissances et à les offrir à tout ce qui nous entoure. Cette sagesse sera donc notre gage d'un retour à la maison sans détour et avec la plus grande satisfaction possible. Elle nous aidera à prendre en compte tous les détails importants du trajet pour les vivre pleinement. C'est grâce à elle que nous pouvons trouver un sens à la vie, un sens à notre vie et ainsi retrouver le chemin du retour.

Le carnet de vol

Telles les heures de pilotage qui sont consignées dans le carnet de vol, la sagesse et les connaissances s'inscrivent dans le bagage de l'âme au fur et à mesure des apprentissages qu'elle tire de ses expérimentations. Évidemment, cela suppose qu'elle soit consciente des leçons de vie que contient chacune de ces expériences. Parfois, durant l'incarnation, nous avons tendance à vouloir escamoter certaines étapes pour en privilégier d'autres. Par exemple, quand nous préparons un voyage, nous aimerions souvent nous téléporter à l'endroit choisi sans devoir nous taper les kilomètres qui nous en séparent. Nous envisageons cet endroit en pensant à tout ce qu'il nous apportera de beau, de bien et de bon. Nous investissons temps et énergie à planifier ce qui s'y passera. Dans cette planification, la route demeure souvent un accessoire, un à-côté plus ou moins important selon les circonstances, voire parfois un passage obligé que nous vivons à reculons. Pour tirer pleinement profit de tout ce que la vie nous présente, nous devons apprendre à voir toutes les étapes du voyage comme essentielles. Elles représentent toutes de précieuses occasions d'inclure des heures de vol dans notre carnet de pratique.

Il en est de même avec les événements de notre vie. Nous mettons souvent l'accent sur la partie qui nous intéresse le plus et négligeons celle avec laquelle nous avons moins d'affinités. Nous voulons vivre de beaux moments et passer outre les plus pénibles, croyant nous éviter ainsi des désagréments. Cependant, si nous envisageons ces situations du point de vue du pilote, nous verrions les choses d'un tout autre angle. En tant que pilote, notre but est de parvenir à maîtriser les airs afin de parvenir en tout temps à destination. Dès lors, cela implique qu'il faille affronter toutes les intempéries pour développer la maîtrise de notre aire interne, c'est-à-dire nos forces, nos connaissances et notre capacité à composer avec toute situation difficile. En conséquence, c'est notre manière de vivre ces moments plus ardus qui déterminera en grande partie l'issue du voyage. Le meilleur pilote du monde ne peut être pleinement efficace s'il panique durant une tempête. Il en est de même pour l'âme. Elle sait que les défis de la vie nous arrivent pour nous aider à parfaire notre expertise, au grand dam de notre personnalité qui préfère rester dans les sentiers bien balisés.

Que nous soyons dans l'incarnation ou dans le processus de la mort, c'est la manière de maîtriser ce que nous vivons qui nous propulsera vers un mieux-être et une augmentation vibratoire, ou au contraire qui nous attirera vers des énergies plus lourdes. Voilà toute l'importance d'aborder tout ce que la vie nous présente comme une chance d'acquérir de l'expérience. Au fur et à mesure que notre carnet de vol se remplit, nous bénéficions d'une plus grande aisance qui allégera le défi suivant. Notre élévation commence sur terre et cela accélère notre retour dans l'au-delà.

Un mode de vie

Dans notre société occidentale, il peut sembler étrange d'affirmer que nous pouvons commencer à nous élever sur terre. Durant l'incarnation, nos préoccupations tournent davantage autour de ce que nous vivons au quotidien plutôt qu'autour de la planification de ce qui viendra après notre mort. Les grandes questions au sujet du sens de la vie émergent lorsque la fin de notre séjour sur terre approche. Nous éprouvons alors une urgence de comprendre ce que nous avons vécu jusque-là et de trouver notre direction. Nous avons beaucoup à « conscientiser » pour élever notre vision matérielle à une vision spirituelle. Nous nous sentons pressés d'acquérir notre brevet de pilote et de toucher à notre sagesse intérieure pour parvenir à partir l'esprit en paix et le cœur léger. Dans les civilisations où la mort fait partie de la vie, cette sagesse s'acquiert dès l'enfance et il est tout à fait normal d'utiliser les événements du quotidien pour se préparer à la grande traversée. De plus, ce travail de préparation n'est pas seulement individuel. Il est aussi collectif, et la sagesse de la vie se transmet de génération en génération pour contribuer à l'évolution de l'âme tout au long de son incarnation et de son retour au bercail. Ainsi, la préparation à la mort devient bien plus qu'une série d'actions à accomplir en fin de vie. C'est un véritable mode de vie.

De notre côté, la vision occidentale de la vie nous incite plutôt à repousser la mort le plus loin possible de nous. Elle est souvent perçue comme un échec sur la matière puisque nous n'avons pas encore trouvé l'élixir miraculeux qui nous permettrait d'être éternels et de mettre un terme à la souffrance. Tant que nous la cherchons à l'extérieur de nous, cette quête sera vaine. Pourtant, en observant les sociétés pour qui la mort se vit au quotidien, nous avons l'impression que ces gens ont découvert cette potion de vie. Ils semblent plus sereins et ils accueillent la vie avec tant d'ouverture de cœur, même dans les pires épreuves. Nos frères et sœurs du Japon nous en ont démontré un exemple lors du tsunami de 2011. Leur foi inébranlable en la vie et leur sagesse devant l'adversité ont été tout à fait remarquables. Certes, la mort est aussi source de souffrance pour eux. Elle implique un détachement et une acceptation, mais leur manière de vivre ce détachement et cette acceptation est plus paisible. George A. Bonanno[6] a observé que dans ces cultures, c'est toute la vision de la mort qui est fort différente. Elle n'est pas seulement la faucheuse qui ravit l'être cher, mais elle représente une transformation sacrée pour tous ceux qu'elle touche. C'est grâce à une vision de la mort intégrée dans la société que ce passage semble plus doux et que les gens sont moins accablés à l'idée de la mort.

L'intégration d'un sens sacré à la mort dans notre quotidien nous permet de développer notre expertise de pilote. Grâce à elle, toutes les tempêtes et tous les jours de beau temps représentent des heures de vol à notre actif de pilote. Tout est prétexte à mettre en pratique notre savoir-faire et, du coup, à considérer chacune de ces expériences comme une occasion de déployer notre savoir-être en toute conscience. Voilà ce que les grands maîtres nous enseignent : la route est au service de notre ouverture de conscience, au service de notre évolution. En conséquence, elle fait partie intégrante de la traversée. Plus nous serons à l'affût ici-bas des moindres occasions d'apprendre sur nous, sur nos forces et nos zones d'ombre, plus nous pourrons nous départir au fur et à mesure de notre incarnation, des poids qui pourraient autrement s'accumuler dans nos valises. Ces apprentissages nous éviteront de nouer des liens néfastes avec la matière. Ce faisant, nous augmenterons notre expertise en pilotage et nous parviendrons ainsi beaucoup plus rapidement à traverser les zones de turbulences de notre route. Une fois notre incarnation terminée, forts de l'expertise acquise au fil de l'incarnation, nous rejoignons le plan énergétique qui correspond à la vibration que nous émanons. Ainsi, plus nous sommes lumineux ici-bas, plus nous aurons accès rapidement aux hautes sphères de l'astral, là où règnent des énergies d'amour, de paix et de grâce. Nous y poursuivrons alors le mouvement de transition dans la même lancée par l'acquisition de nouvelles connaissances, comme nous le verrons plus amplement dans le prochain chapitre.

De l'élévation à l'illumination

Petits gestes, grands pas

Comme nous venons de le voir au cours de ce chapitre, l'élévation est un processus qui se déroule tout au long du cycle d'incarnations et même au-delà. Que ce soit sur terre ou au ciel, nous gravissons les marches des plans de conscience une à une. Chaque marche représente chacun des petits pas que nous faisons pour l'ouverture de notre cœur, pour la connaissance de nous-mêmes et pour l'amour inconditionnel. Chaque fois que nous élevons nos vibrations dans notre être, nous contribuons à l'ouverture de la conscience de « Soi ». Vibrer, rayonner et aimer, voilà ce que c'est de s'élever. Toutes ces actions se posent ici-bas et dans l'au-delà. En osant être « amour », nous œuvrons pour notre montée vibratoire. C'est là un cadeau extraordinaire que nous nous offrons, car chaque petit geste dans la matière représente un très grand pas dans l'énergie. N'attendons pas d'être en fin de vie pour commencer ce cheminement. Nous risquons de ralentir notre course dans l'au-delà. La plus belle récompense que nous puissions nous accorder, c'est de nourrir tout ce qui élève nos vibrations. Prendre soin de notre corps et de notre esprit, manger sainement, développer de bonnes habitudes de vie et focaliser notre attention sur la beauté, l'amour, la joie et la paix contribueront à cette élévation. Lorsque nous réalisons que certaines énergies sont néfastes et qu'elles abaissent notre taux vibratoire, il est plus facile de nous en éloigner pour ne pas miner les efforts que nous investissons dans notre cheminement spirituel. L'élévation, c'est un processus vibratoire qui se produit à chacune des prises de conscience que nous intégrons. En étant alertes à ce que nous vivons durant l'incarnation, nous sommes en route vers ce que nous cherchons ardemment : la maison. D'incarnation en incarnation, nous nous rapprochons un peu plus de ce qui nous mène à notre objectif ultime : le retour à la source, à l'unité totale ou à ce que l'on appelle autrement l'illumination.

La fin des voyages terrestres

Tous les passages de la vie sont au service de notre ouverture de conscience. Cette dernière, quant à elle, est au service de notre illumination. Le grand dessein de l'âme derrière tous ces voyages entre la terre et le ciel est de renouer avec son essence divine, de fusionner avec l'esprit dans la lumière pure pour n'être véritablement plus qu'un et atteindre le nirvana, comme les Tibétains l'appellent. Cet état exige d'avoir purifié tous nos corps énergétiques et de les avoir débarrassés de toute énergie lourde qui pourrait nuire, voire empêcher cette fusion. Les grands maîtres spirituels accèdent à cet état parce qu'ils possèdent des connaissances intégrées des lois de la vie. Ils ont préparé ce voyage de longue haleine, voilà pourquoi leur traversée des mondes se passe rapidement. Il importe de mentionner ici qu'il ne s'agit pas d'un privilège ou d'un cadeau qui leur est accordé, mais plus précisément d'un résultat inhérent au développement de leur plein potentiel intérieur. La maîtrise des mondes de matière dense exige une présence accrue pour maintenir des énergies d'une grande fluidité. Elle requiert donc entraînement, discipline et volonté puisqu'elle constitue l'objectif final des apprentissages terrestres. Les grands maîtres nous ouvrent la voie par leur exemple. Ils nous montrent le chemin à suivre pour atteindre cette unification. Ils consacrent leur vie à nous enseigner comment piloter notre montgolfière. Par leur exemple, ils nous montrent que cette voie nous est aussi accessible si nous acceptons d'emboîter le pas.

En conférence, on me demande régulièrement si le cycle d'incarnations a une fin. Comme tout cycle, il se termine lorsque la raison d'être n'est plus. Les incarnations ont un dessein précis : la maîtrise de la matière en pleine conscience de Soi. Elles cessent donc lorsque cet objectif est atteint, c'est-à-dire lorsque les éléments extérieurs n'ont plus d'emprise sur nous et que nous parvenons à vivre en unité intérieure dans ce monde de dualité. Ainsi, nous venons sur terre pour découvrir notre potentiel intérieur, pour apprendre qu'en toute chose, la seule réalité qui existe est celle qui vibre en nous. À partir du moment où nos sens intérieurs servent à la perception du monde qui nous entoure, nous amorçons la voie de la maîtrise des émotions, des désirs et des pensées. La durée du cycle d'incarnations dépendra alors des efforts, de la discipline et de la volonté que nous y investissons. Chaque petit pas fait sur cette voie nous rapproche de l'unification tant espérée.

Lorsque nous parvenons à vivre toutes les expériences dans l'amour et la compassion, les pensées et les émotions associées à ces événements ne nous déstabilisent plus. Elles vont et viennent comme les vagues de la mer sans que nous nous identifiions à elles ou sans qu'elles perturbent notre état. Besoins, croyances, désirs ne gèrent plus notre avancement. Seules notre présence d'être, notre foi et notre volonté supérieure nous guident et nous animent. Tout ce que nous percevons et expérimentons se situe au-delà du monde des émotions et des pensées rationnelles. Alors, à la fin de cette incarnation, un choix s'impose : garder nos corps denses pour œuvrer sur la terre en tant qu'enseignants ou poursuivre notre route sur des plans de conscience plus élevés. Si nous choisissons de conserver nos corps énergétiques denses, le cycle d'incarnations se poursuit. Il aura cependant un tout autre but : celui de servir. Chaque incarnation deviendra une occasion d'aider les autres âmes à atteindre cet état de maîtrise de leur montgolfière. Ce choix s'effectue d'incarnation en incarnation jusqu'à ce que nous ressentions qu'il est maintenant temps pour nous de poursuivre notre route sur d'autres plans vibratoires.

Alors, nous mettons ainsi fin au cycle d'incarnations. Par cette décision, les voyages sur terre sont terminés, mais notre quête d'unité, elle, se poursuit dans les mondes vibratoires supérieurs grâce à nos corps bouddhique, monadique et atmique. Ce choix représente une autre étape cruciale dans notre cheminement spirituel puisqu'il implique la perte définitive de nos corps émotionnel, mental et causal qui ne nous sont plus d'aucune utilité puisque nous en avons désormais la pleine maîtrise. En délaissant ces corps denses qui sont au service de notre individualité, nous nous rapprochons encore un peu de la fusion avec notre esprit et de la lumière dont nous sommes issus. Cependant, si subtils soient-ils, les autres corps énergétiques qui nous revêtent créent encore une barrière fine qui nous sépare de l'unité totale. Cette libération des corps denses est source d'augmentation de nos vibrations. Notre lumière s'accroît donc davantage. Cela nous donne accès à un savoir de plus en plus vaste et empreint d'un amour encore plus grand que ce que nous avons pu jusque-là toucher consciemment. Nos connaissances et nos expériences, alliées à la sagesse et à

> *Ma foi !*
> *Est-ce une simple croyance ?*
>
> *Les statistiques sur la population mondiale obtenues en 2000 lors d'un recensement reconnu comme le plus précis de toute l'histoire indiquent que nous partageons notre monde avec 6,2 milliards de nos semblables. De ce nombre, près de 95 %, ou 5,9 milliards de personnes, croient en l'existence d'une puissance supérieure ou d'un quelconque être suprême.*
>
> Gregg Braden,
> géologue, informaticien et chercheur
> Extrait du *Code Dieu*, p. 69

l'amour universels, seront mises à profit pour aider les âmes qui poursuivent le cycle d'incarnations. Puis, nous serons appelés à poursuivre nos apprentissages au-delà du monde associé à la terre dans les autres mondes qui explorent de nouvelles facettes de la grandeur et de la beauté de la conscience de Soi. Quand cette conscience aura visité tous les mondes, elle pourra enfin s'unifier totalement au tout, fusionner avec la source. Il faut constater que les grands diplômés de l'école de la terre ne s'ennuient pas après avoir complété le cycle d'incarnations. Ils ont encore beaucoup à parfaire pour atteindre l'illumination totale. Cependant, chaque étape vers elle est une pure joie pour notre esprit qui ne vise pas seulement l'illumination totale, mais toutes les petites et grandes ouvertures de conscience qui se produisent au fil de tout ce long parcours qu'est la fusion.

Un voyage fabuleux

Ici-bas, lorsque nous vivons des moments éprouvants, nous souhaitons souvent que nos voyages terrestres s'achèvent enfin. Ce souhait exprime notre désir d'en finir avec les épreuves parce que nous les voyons comme des embûches ou des entraves à notre bonheur et à notre bien-être. Cependant, c'est dans notre cœur que la solution aux embûches nous parvient. C'est là que se trouvent le bonheur et le bien-être. C'est aussi dans cet espace sacré que la douce réminiscence de notre origine divine s'agite pour nourrir notre volonté de traverser ces expériences. Chaque souffrance, chaque difficulté nous offre une occasion de nous connaître davantage, d'explorer notre univers intérieur. Elle représente des heures de vol à notre actif et une avancée vers notre demeure ultime.

Certes, la montée vers la lumière ou la quête d'unité est un très long voyage dont les incarnations n'en composent qu'une étape. L'analogie de la montgolfière montre quelques étapes pour permettre à l'âme de s'envoler. Au cours des prochains chapitres, nous verrons plus précisément comment toutes les expériences de ce grand périple sont intrinsèquement liées. Elles visent toutes à accroître notre conscience de « Soi ». Notre soif de savoir et d'avancement, qui vient de notre esprit, nous rappelle inlassablement à l'amour infini. Pour y parvenir, aucune étape ne peut être brûlée puisqu'elle est essentielle à la connaissance de Soi. Pour changer notre vision de la vie, il faut changer notre regard. Ce sont les yeux du cœur qui nous permettent de voir et de savourer toute la richesse de nos expérimentations. Transformons notre vision de la vie pour qu'elle soit toujours une aventure fabuleuse vers nous-mêmes. Avec la fougue de l'aventurier, amusons-nous à parer nos nacelles et notre attirail de vol. Remplissons notre carnet de vol à l'aide de toutes les expérimentations du quotidien. Que chaque moment soit une merveilleuse ascension vers notre lumière et qu'il se vive dans la paix et la sérénité. Ainsi, la mort sera le symbole d'une réalisation intérieure. Elle sera un fabuleux voyage vers l'amour qui nous habite et vers les nouveaux horizons qu'elle nous incite à découvrir.

Résumé

- Il y a quelques tâches qui rendent le passage de la mort plus doux et plus serein :

    - comprendre et transformer la souffrance ;
    - créer un lien, guérir les relations et lâcher prise ;
    - se préparer spirituellement à la mort ;
    - trouver un sens à la vie.

- L'analogie de la montgolfière nous aide à comprendre ce dont l'âme a besoin pour s'envoler vers les plans célestes.

- L'air chaud constitue la conscience de Soi.

- Le début de l'envolée dépend de la conscience de Soi.

- Le niveau vibratoire fixe la destination dans l'astral.

- Les liens affectifs sains aident l'élévation.

- La dépendance est un véritable ciment qui nous maintient captifs de la terre.

- C'est notre manière de réagir aux pleurs et aux refus de nos proches qui nous cause des incidences négatives et non pas les pleurs et les refus en eux-mêmes.

- La manière d'exprimer nos émotions a un impact direct sur le mode réactionnel de l'autre.

- En tant que pilote de notre montgolfière, notre but est de parvenir à maîtriser les airs afin d'arriver en tout temps à destination.

- Le cycle d'incarnations prend fin lorsque nous maîtrisons la matière et nos corps denses.

- Une fois cette maîtrise atteinte, nous poursuivons notre élévation sur les plans bouddhique, atmique et monadique.

- Au-delà du monde associé à la terre, nous explorons les autres facettes de la conscience de « Soi » jusqu'à ce que notre quête d'unité soit achevée. Alors, nous fusionnons avec la source.

⇒ *Chapitre 4* ⇐

Les premiers moments
dans l'au-delà

*Tout schéma qui semble impliquer un ordre temporel
« logique » à l'expérience du substrat [personne ayant
vécu une expérience de mort imminente] le trahit en
quelque manière, ainsi que nous avons constaté ;
elle [l'expérience de mort imminente] montre une tendance
à se produire dans un état de conscience dans lequel la
notion de temps n'est pas un concept significatif.
La décrire en stades se trouve donc en contradiction avec
la nature de l'expérience elle-même.*

Kenneth Ring, Ph. D., *Sur la frontière de la vie*, p. 204-205

Que se passe-t-il réellement lorsque nous quittons le corps physique ? L'analogie de la montgolfière nous donne une idée du fonctionnement initial de l'élévation et des tâches qu'elle implique. Concrètement, qu'allons-nous vivre au juste ? Dans ce chapitre, nous verrons un aperçu des différentes étapes qui composent le processus de la mort et des premiers moments dans l'au-delà. Puisque l'élévation est une expérience individuelle intérieure, chaque âme en vit les étapes à sa manière et à son rythme. Il y a de nombreuses possibilités à explorer dans le vaste éventail d'états vibratoires accessibles au-delà du portail terrestre. En conséquence, les étapes abordées ici demeurent une généralité qui peut être teintée par moult nuances. Comme cela a été mentionné dans le précédent chapitre, c'est notre état de conscience qui détermine le chemin que nous suivrons après l'incarnation. Dès lors, il devient difficile de prétendre avoir trouvé un trajet unique à suivre dans l'au-delà. On ne peut que décrire des points communs entre une grande variété d'itinéraires.

Sur terre comme au ciel, le cheminement intérieur de chacun varie en fonction de ce qu'il est et des choix qu'il effectue. Il n'y a ni bon ni mauvais chemin. Il n'y a que des expériences qui nous mènent à nous découvrir, à apprendre, à guérir des blessures et à nous aimer davantage. Certes, il y a des trajets plus vibrants que d'autres et quand on pense à l'après-vie, c'est évidemment ceux-là qu'il nous tarde de découvrir. La compréhension de ce dont nous avons besoin pour les atteindre est un premier pas dans leur direction. La quête d'information représente une des clés de réussite de ce grand voyage. Elle nous incite à aller au-delà des croyances qui nous ont été transmises depuis notre tendre enfance pour intégrer une vision personnelle de la vie correspondant davantage à ce que nous sommes. Le passage de la mort se compose de multiples « pas sages » vers nous-mêmes, vers l'amour qui nous anime, vers la connexion avec notre âme et avec notre esprit ainsi que vers l'unification avec tout ce qui nous entoure. C'est là un des points communs à toutes les expériences au fil des incarnations. Chaque foulée vers l'acquisition d'une sagesse intérieure contribue à notre élévation ici-bas comme dans l'au-delà. « Que ce soit maintenant ou au moment de mourir, le travail est toujours le même : aller au-delà pour atteindre la vérité ; de se fondre dans la lumière éternelle[1]. » Ce même travail se poursuit dans l'au-delà. Voyons donc maintenant les autres aspects communs de ce cheminement vers la lumière.

1 - La mort elle-même et son influence

C'est un fait reconnu que bien des gens craignent la mort. En fait, il s'agit plutôt d'une crainte de souffrir au moment de mourir et d'une peur de ce qui surviendra ensuite. Pour de nombreuses personnes, une belle mort est celle qui se déroule rapidement et sans souffrance. Plusieurs aspirent à vivre vieux et en santé pour ensuite décéder dans leur sommeil, croyant qu'ainsi ils auront la plus belle mort qui soit. À ce sujet, les grands maîtres nous enseignent que pour quitter la terre en l'absence de douleur, il est nécessaire d'avoir développé un état d'abandon et de lâcher-prise qui permettent d'entrer dans l'expérience sans résistance. Ainsi, ils nous enseignent que la souffrance n'est pas nécessaire à une mort réussie et que la conscience de « Soi » en est un gage. C'est grâce à notre degré de conscience que nous pourrons apprécier ce passage. En conséquence, pour pouvoir décrire ce qui se passe au cours du passage de la mort et dans les jours qui suivent, nous ne pouvons faire fi de cet état. Tout s'amorce à partir de cet état de conscience et tout en découle également.

Puisque nous mourrons essentiellement comme nous avons vécu, lors du grand passage, nous vivrons tout ce que cela exige avec les forces, les habiletés, les connaissances, les résistances, les peurs et les angoisses qui nous habitent encore à ce moment. Ce sont nos zones de lumière et d'ombre qui nous guideront dans cette traversée. Le passage de la mort est intimement lié à notre manière d'être. Il en est le reflet. Pour connaître ce que nous y vivrons, commençons dès maintenant à nous observer. Nos actions et nos réactions nous pointent déjà des réponses. Elles nous permettent de constater ce qui nuit à notre épanouissement et ce que nous souhaitons mettre en place pour y parvenir. Par exemple, comment réagissons-nous devant une difficulté ? Avons-nous tendance à nous isoler, à demander de l'aide, à paniquer ou à rester optimistes ? Nous sentons-nous dépourvus ou pleins de ressources ? Sommes-nous spontanément combatifs ou avons-nous tendance à nous sentir accablés rapidement ? En prenant le temps de procéder à cette introspection dès maintenant, avec les yeux du cœur, nous pouvons déjà constater nos forces et les points à améliorer pour nous assurer de vivre cette transition plus harmonieusement. Ainsi, en faisant une action dès maintenant, nous posons les pierres d'assise de notre élévation. Nous ne pouvons prévoir tout ce qui s'y déroulera puisqu'il nous manque des données, mais cet exercice nous permet à tout le moins d'être mieux préparés à cette éventualité. L'harmonie vient de l'accueil, de l'acceptation et du lâcher-prise quant à ce qui est. Toute mort comporte de l'inconnu. Tenter d'en contrôler tous les aspects va à l'encontre même de sa nature profonde. En étant à l'affût dès maintenant de nos réactions par rapport à l'inconnu, nous acquérons de précieux outils pour notre traversée dans l'au-delà.

La mort idéale

La mort est au service de notre cheminement intérieur. Nous pouvons donc nous demander ce que serait une mort idéale. Est-ce celle qui se produit en un éclair, où il y a absence de souffrance, ou est-ce celle qui est vécue consciemment ? Nous pouvons aussi remettre en question la motivation qui se cache derrière cet idéal : a-t-il pour but de nous élever et de nous aider à transformer notre état ou est-il plutôt une manière de fuir une réalité que nous avons repoussée jusque-là ? Souvent, nous souhaitons mourir dans notre sommeil pour ne pas avoir à faire face à ce qui nous effraie le plus : nous-mêmes. Le cadeau que la grande dame noire nous offre, c'est de saisir l'occasion de repousser nos limitations et nos perceptions pour libérer le magnifique papillon de sa chrysalide. La chenille vit ce passage sans chercher à s'en détourner. Évidemment, notre libre arbitre nous offre cette possibilité. Il nous

> ## Quelques chiffres
>
> *Selon des statistiques de 1969 à 1977 :*
>
> - *46 % des gens envisagent la mort avec peur et angoisse ;*
> - *10 %, avec colère ou révolte ;*
> - *43 % l'attendent avec calme ;*
> - *77 % souhaitent une mort subite ;*
> - *53 % ne souhaitent pas savoir qu'ils vont mourir.*
>
> Tiré de *L'homme surperlumineux*, p. 119

permet aussi de vivre cette transition obligatoire dans l'allégresse ou dans la désolation, selon notre manière de l'envisager. Plus nous serons à l'affût du rôle de l'état de conscience dans toutes les expériences de la vie, plus nous transformerons notre incarnation et, par le fait même, notre mort.

Sur terre comme au ciel, c'est notre niveau de conscience qui nous permet de vivre ce qui se passe pleinement ou au contraire de passer complètement à côté d'un événement sans même nous en apercevoir. Il en est de même lorsque nous sommes hors de notre corps. Ainsi, nous percevrons que nous avons délaissé notre manteau charnel si nous sommes attentifs à ce qui se passe à ce moment-là. Puisque c'est la conscience de la mort qui détermine comment se vit la mort et ce qui se passe dans les premiers moments dans l'au-delà, il est donc capital que le moment de la traversée soit vécu le plus consciemment possible. Toutefois, cela peut s'avérer plus difficile de demeurer vigilant dans certains types de mort. Si nous sommes préoccupés par la souffrance ou par des problèmes non résolus ou si nous sommes embrouillés par les médicaments ou par le sommeil au moment de la mort, nous pouvons arriver dans l'astral sans nous en rendre compte. Nous y poursuivrons alors notre histoire en ne réalisant pas immédiatement que les choses n'ont plus cours de la même manière.

Est-ce à dire que pour parvenir à la mort idéale, il faudrait que rien ni personne ne trouble notre paix intérieure et notre centration ? Certains diront que c'est de la pure utopie. En fait, non, les grands maîtres parviennent à cet état de solidité intérieure que rien ne déstabilise. Ils s'y sont entraînés durant toute leur incarnation. Cela ne veut évidemment pas dire qu'il n'y aura aucun événement perturbateur qui surviendra. Cela veut plutôt dire qu'ils y font face avec détachement et qu'ils lâchent prise. C'est grâce à cet état de conscience et d'ouverture qu'ils peuvent savourer pleinement toute la beauté de la traversée. Ils nous lèguent ainsi un précieux héritage : la démonstration que la mort n'a rien d'effrayant. La voie de la stabilité intérieure nous est accessible également si nous intégrons leurs enseignements dans notre quotidien. C'est cette voie qui nous mènera vers la mort idéale. Mais, une question surgit ici : quelle mort nous attend si nous n'avons pas atteint l'état de maîtrise ? Rassurons-nous. Notre passage vers les plans célestes n'est pas foutu. Nous avons tous la possibilité de magnifier ce passage en utilisant les outils dont nous disposons, et ce, même à la dernière minute. Toute augmentation de nos vibrations améliore la traversée. L'amour, la compassion, l'accueil et l'indulgence adoucissent toutes les aspérités de notre être et ils élèvent nos vibrations. Ce sont ces outils qui nous aideront à rendre notre passage clément malgré tout ce qui se déroule autour de nous.

La mort prévisible

La mort idéale est donc celle qui se vit en toute connaissance et en accord avec ce mouvement vibratoire qui s'installe. Pour les grands maîtres, elle s'annonce intuitivement et l'écoute de la guidance intérieure permet d'en alléger les désagréments. Même s'il n'est pas aisé d'avancer vers la mort sans résistance, la connaissance de ce passage fatidique nous procure des conditions propices pour installer tout autour de nous un environnement paisible et harmonieux. La mort prévisible – par vieillesse ou par maladie – permet à la personnalité de s'ouvrir à l'inéluctable réalité qui s'installe et favorise ainsi un passage conscient en créant un espace pour la voir venir, l'apprivoiser et l'accueillir le cœur léger. Malgré toutes les appréhensions que cette étape puisse susciter, lorsque nous savons que notre incarnation s'achève, le mouvement préparatoire amorcé déjà depuis un moment dans l'inconscient aide à l'accueil. À partir du moment où la mort devient prévisible pour la personnalité, le mouvement préparatoire s'accélère et s'intensifie. L'urgence de maximiser le temps qu'il nous reste nous incite à nous tourner vers l'essentiel, vers nous, vers l'amour de nous-mêmes et de tout ce qui nous entoure. Lorsque nous sommes en forme, nous considérons la dégénération de nos capacités physiques, intellectuelles et mentales comme une limitation à la vie. En fin de vie, tout cela devient des étapes du lâcher-prise qui nous obligent à transformer nos habitudes, nos croyances, notre manière de penser et d'être. Dans cet état d'abandon, le moment présent se vit beaucoup plus consciemment. Il est précieux et il est chéri. C'est ici que le contexte de la mort prévisible représente un atout à la transformation intérieure qui permet ensuite de vivre une mort plus harmonieuse, et ce, même si le laps de temps dont nous disposons avant de quitter définitivement notre véhicule de chair est court. Pouvoir préparer notre mort en conscience est un cadeau inestimable qui nous offre le privilège de libérer notre cœur des liens nuisibles avec la terre pour accéder plus rapidement aux sphères de l'astral où règnent la paix, l'amour et la compassion. Par contre, il ne faut pas ici en faire une généralité. La mort, c'est un passage qui se vit de manière individuelle. Si la mort prévisible aide à rendre ce passage plus serein, on ne peut affirmer qu'elle permet à toutes les âmes d'atteindre cet état. Cela dépend du niveau d'accueil, d'acceptation et de détachement que chacune y investira. Retenons donc ici que la mort prévisible favorise un passage harmonieux, mais elle n'en est pas garante.

La mort subite ou violente

À l'opposé, la mort subite ou violente ne permet pas à la personnalité de se préparer au passage dans l'au-delà. Alors, lorsqu'elle survient, il est souvent plus difficile de demeurer présent à ce qui est en train de se produire. Certaines âmes y parviennent. C'est le cas entre autres des millions de personnes qui ont vécu une EMI et qui parviennent à expliquer en détail tout ce qu'elles ont vécu à partir du moment où elles ont été déclarées mortes[2]. Par contre, d'autres n'y parviennent pas. Elles peuvent rester accrochées aux événements terrestres plutôt que de suivre le mouvement d'élévation. Dans le film *Mon fantôme d'amour*, réalisé par Jerry Zucker et produit par Paramount Pictures, il y a une belle illustration de ce phénomène. Quand l'acteur Patrick Swayze se fait poignarder, il ne réalise pas que ce geste lui est fatal et que son corps physique s'effondre sur le sol. Son être est tellement préoccupé par le vol de son portefeuille qu'il se n'aperçoit pas qu'il n'a plus de corps physique. Ce n'est que lorsqu'il se détourne pour voir si son amie de cœur va bien et qu'il la voit agenouillée auprès de son corps qu'il comprend qu'il vient d'être happé par la mort. Dans de telles circonstances, la mort arrive sans crier gare. Cela crée un choc qui déstabilise souvent la personnalité et détourne son attention du processus intérieur qui se vit alors. En fait, le choc vient de la propulsion hors du corps sans avis. Si la personnalité a toujours tiré les ficelles de notre incarnation, elle peut avoir peine à reconnaître ce qui se passe ou, si elle s'en aperçoit, elle peut y résister ardemment en cherchant à s'ancrer dans la terre, dans cette incarnation désormais obsolète qu'elle aimerait maintenir bien vivante. Lorsqu'elle se vit en conscience, la mort subite ou la mort violente suscite souvent des états de colère, d'incompréhension ou de déni. Une fois dans l'au-delà, si la personnalité réalise ce qui s'est passé, il lui est souvent difficile d'accepter la fin de son passage sur terre. Elle a le sentiment d'une histoire inachevée qui engendre souvent beaucoup de résistance. Si elle refuse cette réalité, elle s'enlise alors dans un état émotionnel qui l'empêche d'y voir clair. Ce nuage émotionnel s'estompera lorsqu'elle aura pu accepter que ce passage fut nécessaire à l'avancement de tout son être. Comme nous l'avons vu au chapitre précédent, la traversée de l'au-delà résulte d'une prise de conscience et d'une décision. Quand il y a résistance, cela implique que la conscience de la mort existe. Ce qui fait défaut, c'est le choix d'aller de l'avant. La personnalité frustrée de cette interruption de vie soudaine refuse de s'éloigner de la terre parce qu'elle a le sentiment d'une grave injustice, d'une incompréhension ou d'une erreur. Son état vibratoire l'empêche de rejoindre des plans plus élevés de l'astral. La mort subite ou violente peut donner du fil à retordre aux âmes qui quittent la terre de cette manière, si la vigile de la conscience n'est pas alerte au moment de la mort et davantage si leur personnalité ne s'est pas entraînée à l'acceptation, au détachement et au lâcher-prise. Notre amour et notre présence peuvent grandement contribuer à écourter leur séjour près des plans terrestres si elles acceptent évidemment de voguer au-delà de ce qui peut les retenir sur terre[3].

La mort durant le sommeil

La mort durant le sommeil peut être source de confusion pour la personnalité, car le réveil se produit dans l'au-delà et non sur terre. La personnalité, encore très influente, peut alors ne pas réaliser le changement significatif qui s'est produit durant le sommeil. Notons encore une fois qu'il ne faut pas généraliser. Ce ne sont pas toutes les âmes qui traversent dans l'au-delà de cette manière qui seront confuses. Lorsque la personnalité ne réalise pas ce qui vient de se produire, elle entreprend sa routine comme elle avait l'habitude de la faire au petit matin. Elle cherche à joindre ses proches, mais la plupart d'entre eux ne parviennent plus à la voir ni à l'entendre. Confuse ou perplexe, elle s'interroge sur ce qui se passe et s'aperçoit du changement survenu ou encore s'emmure dans la certitude d'être toujours bien vivante et incarnée. Dans ce cas, par le pouvoir de la pensée, elle crée inconsciemment une véritable illusion, tels les hologrammes, qui nourrira cette certitude. Dans ce plan de conscience illusoire, elle peut reproduire incessamment les faits qui se sont passés la veille de son décès en cherchant à comprendre pourquoi le fil des événements ne semble plus suivre son cours. Elle peut aussi créer un milieu de vie où elle attend et espère ardemment retrouver sa vie d'avant. Cette illusion perdure jusqu'à ce qu'un déclic résonne en elle pour la mener à comprendre qu'elle a traversé le voile de l'incarnation.

Ce genre de confusion survient également lors de mort violente ou subite lorsque la personnalité ne réalise pas la mort. La confusion qui découle de l'inconscience de la mort n'a rien d'idéal puisqu'elle empêche toute élévation. L'âme ne peut poursuivre sa route tant que la personnalité croit en son illusion. La connaissance du processus de la mort peut aider à ne pas tomber dans le piège de cette illusion. Plus notre personnalité sera au fait de ce qui se déroule durant ce passage, moins elle risque de chercher à dominer ce processus de l'autre côté, car cette connaissance lui permet de voir qu'il n'y a rien de fabuleux à se perdre dans de telles illusions. Là encore, le soutien et l'amour des proches peuvent être d'un grand secours pour éviter à cette âme de séjourner longuement aux abords de la matière dense.

> ## *D'un monde à l'autre !*
>
> *Mourir implique un déplacement graduel de conscience du monde ordinaire des apparences vers la réalité holographique des fréquences pures.*
>
> Kenneth Ring
> Extrait de *Sur la frontière de la mort*

Brouillage temporaire

Sachant que la conscience est importante pour bien amorcer notre traversée dans l'au-delà, une question survient. Qu'arrive-t-il lorsque nous sommes embrouillés par la médication ou que la maladie nuit à notre conscience de veille ? La médication, l'alcool et la drogue tout comme les situations d'émotivité intense influencent l'état. Dès lors, ils auront également un impact sur la conscience au moment de la mort. Tout ce qui altère notre lucidité nous éloigne de l'état de présence dont nous avons besoin pour vivre pleinement notre traversée. Cela dit, il importe ici de spécifier deux choses. Premièrement, il faut tenir compte de la quantité d'alcool, de drogue ou de médicament qui a été absorbée. Quand les quantités et la fréquence sont minimes, l'impact sur l'état de veille est évidemment moindre. Cela se compare à ce qui se passe dans la matière. Si nous prenons un verre d'alcool de temps à autre, l'impact sur notre conscience n'est pas très grand, voire pratiquement nul, et il ne dure qu'un bref moment. Par contre, après une méga virée, il nous faut plus de temps pour retrouver un état de centration. Et il en faudra davantage lorsque les virées sont très rapprochées. Il en est de même pour l'individu qui meurt en ayant absorbé l'une de ces substances. Cela est d'autant plus vrai lors de la mort puisque c'est le corps physique qui a absorbé cette substance. Une fois la substance hors du corps, ce qui se passe dans le corps physique n'a pas beaucoup d'impact sur les corps énergétiques, si la substance qui nuit à la lucidité n'a pas été prise en grande quantité ou sur une longue période. Dans le cas contraire, l'état de conscience peut être brouillé pendant un moment puisque les corps énergétiques ont eu le temps d'être imprégnés par l'ingestion fréquente de ces substances. De l'autre côté, l'âme aura besoin d'un temps pour nettoyer ses corps énergétiques et pour retrouver son alignement intérieur. Deuxièmement, un autre point important à prendre en compte dans cette réponse est la souffrance physique. Le degré de souffrance peut aussi altérer notre état. En fin de maladie, si notre corps est endolori au point de miner notre paix intérieure, il est préférable d'accepter de prendre un analgésique qui nous aidera à retrouver cet état de bien-être au lieu de lutter contre la souffrance. Le confort physique est nécessaire à la centration et à l'intériorisation. Parfois, il faut trouver un équilibre entre la présence consciente et le mieux-être intérieur pour faciliter la grande traversée.

Lorsque l'altération de notre conscience vient d'une maladie, là encore, ce qui se passera de l'autre côté dépend de notre ouverture de conscience globale. Ici, il faut distinguer ce qui se passe quand la conscience utilise les fonctions cérébrales pour se déployer de ce qui se passe lorsqu'elle se meut au-delà du corps. Lorsque nous sommes incarnés, c'est notre cerveau qui régit le rayonnement de la conscience. Tout ce qui se passe dans le corps transite par cet organe pour y être traité. Si notre cerveau est malade ou dysfonctionnel, cela nuit aux possibilités de manifestation de la conscience. À la suite des recherches sur le phénomène de la conscience, plusieurs chercheurs considèrent le cerveau comme un émetteur-récepteur de la conscience et non plus comme la conscience elle-même[4]. Cependant, cela cesse lorsque nous quittons définitivement notre enveloppe charnelle. N'étant plus restreints par le dysfonctionnement du corps, nous retrouvons la même ouverture de conscience que nous avions dans les derniers moments de lucidité – soit celle qui existait avant la maladie ou avant le dysfonctionnement du cerveau. Notons toutefois qu'ici aussi tout ce qui a été mentionné plus haut au sujet de la médication, des drogues ou de l'alcool s'applique. Si nos corps énergétiques en sont imprégnés, notre conscience en sera aussi influencée.

> ### *Le cerveau et la conscience*
>
> *Après l'hypothèse soulevée par William James, Henri Bergson et Aldous Huxley, certaines recherches scientifiques, dont celles sur les EMI, tendent à confirmer que* le cerveau ne génère pas, mais transmet et exprime les processus/événements mentaux. Selon cette perspective, le cerveau peut être comparé à un poste de télévision qui transforme les ondes électromagnétiques (qui existent indépendamment du poste de télévision) en images et en sons.
>
> Tiré des propos de Mario Beauregard, chercheur en neuroscience dans *Du cerveau à Dieu*, p. 387

Il arrive donc que notre conscience soit brouillée temporairement par certaines substances ou par la maladie. De l'autre côté, ce brouillage sera habituellement de courte durée. Les corps énergétiques se rétablissent beaucoup plus rapidement que le corps physique. Ces facteurs ne constituent pas des éléments sur lesquels nous n'avons aucune emprise. Au contraire! Chaque fois que nous augmentons notre conscience de la vie, de nous-mêmes et du rôle que nous jouons ici-bas, nous nous élevons davantage. Ainsi, si en fin de vie, nous ne sommes plus en mesure de cheminer intérieurement, tout ce que nous aurons accompli jusque-là sera notre assise et notre gage d'une traversée réussie.

Mort consciente ou conscience de la mort

La mort subite, violente ou qui arrive durant le sommeil requiert davantage de présence d'être si nous ne souhaitons pas qu'elle ralentisse notre course dans l'au-delà. Cependant, il faut aussi remettre en perspective un élément : tout type de mort peut engendrer confusion, déni ou résistance et, en conséquence, freiner notre élévation. Ces états ne sont aucunement associés à la manière de mourir, mais plutôt au bagage que nous portons en nous. Ils s'activeront plus aisément chez certains et n'auront aucune emprise sur d'autres. La mort subite, violente ou qui arrive durant le sommeil représente donc un facteur important d'activation de ces états et non une garantie de leur survenance. Le départ dans l'au-delà dépend de l'état de conscience dans lequel nous sommes et de celui que nous avons développé au cours de notre incarnation. C'est cela qui détermine la suite des choses. La conscience de la mort permet donc d'amorcer la conscientisation de ce grand voyage de retour. Elle mène au détachement nécessaire à la traversée de l'au-delà. S'il est vrai que certains types de mort ne nous simplifient pas la tâche, il est tout aussi vrai que nous pouvons dès à présent mettre tout en œuvre pour nous départir du bagage nuisible qui pourrait influer sur cette conscience. La mort ne peut porter l'odieux des zones d'ombre qui nous habitent tout comme elle ne peut s'enorgueillir de la lumière qui émane de notre être. Elle n'en est que le miroir. En éclairant le plus possible ces zones durant notre incarnation, le reflet qu'elle nous offrira alors n'en sera que magnifié.

Résistance, synonyme de souffrance

Notre grand voyage dans l'astral débute lorsque nous avons réalisé que nous n'appartenons plus au monde terrestre. Et pour que le voyage continue, il faut vouloir avancer dans les plans supérieurs. Il faut accepter de quitter la terre et tout ce que nous y avons vécu pour renouer avec les énergies plus subtiles. La résistance à ce mouvement nuit à notre transition en maintenant nos énergies dans de basses vibrations. Sur terre comme au ciel, *résistance* est synonyme de *souffrance*. Elle cause de la tension dans les corps denses et elle empêche l'élan spontané vers notre véritable demeure. Chaque fois que je pense à la résistance, cela me ramène à une expérience vécue durant mon adolescence.

Une démonstration de résistance

À quatorze ans, je fus hospitalisée pour une sévère pneumonie. Durant mon séjour au centre hospitalier, je partageais une chambre avec une jeune fille d'environ onze ans. Elle était littéralement traumatisée par les seringues. Dès que l'on tentait de lui injecter un médicament ou de prendre un échantillon de sang, tout son corps se cambrait et elle hurlait avant même que l'aiguille ait effleuré sa peau. Tous les jours, le personnel infirmier de la section se pointait dans la chambre et j'assistais à une scène épouvantable, où elle semblait souffrir le martyre lorsque l'on tentait de lui extirper quelques malheureuses gouttes de sang. À raison ! Elle se débattait tellement et elle était si crispée qu'elle ne pouvait qu'être épuisée, endolorie et encore plus traumatisée après avoir passé ce quart d'heure interminable. Puis, un matin, ce fut à mon tour de devoir donner un prélèvement de sang. Sur un pied d'alerte, la jeune fille scrutait les faits et gestes de l'infirmière, horrifiée à l'idée que j'aie moi aussi à vivre ce cauchemar. À son grand étonnement, il n'y eut ni négociation à n'en plus finir, ni contention, ni hurlement. En moins de deux, l'infirmière était repartie avec les quelques éprouvettes et son attirail nécessaire aux prélèvements. Ma compagne de chambre était totalement hébétée. Elle eut peine à me dire : « Ça ne te fait pas mal ? » En toute franchise, je lui ai dit : « Euh ! Ça pince un peu quand on m'insère l'aiguille, et c'est tout. Toi, tu te raidis tellement que c'est ça qui te fait tant de mal. La prochaine fois, essaie de regarder ailleurs et de penser à quelque chose de beau pour être moins crispée. » Le lendemain matin, comme d'habitude, tous les infirmiers et infirmières de service dans notre secteur arrivèrent en appréhendant une fois de plus la crise qui allait s'ensuivre. La jeune fille me jeta un regard rempli d'angoisse. Je lui ai souri et lui ai dit : « Ça va aller. » Loin d'être convaincue, elle commença à se cambrer à la seule vue de l'aiguille. Les soignants prirent alors leur position pour l'empêcher de bouger pendant qu'un autre avait l'ingrate tâche de lui enfoncer l'aiguille dans le bas. C'était habituellement à ce moment que la crise d'hystérie se déclenchait. Ce matin-là, il n'y eut aucun cri, aucune lutte. La jeune fille se laissa piquer par l'aiguille sans émettre un son, même si tout son corps était tendu. La scène ne dura que quelques minutes. Lorsque nous fûmes seules, la jeune fille se tourna immédiatement vers moi et me dit : « C'est vrai que ça fait moins mal comme ça. »

À ce moment-là, je n'ai évidemment pas réalisé toute la richesse de ce que je venais de vivre avec cette jeune fille. Je ne voyais que le premier niveau de l'apprentissage qu'il contenait : celui qui m'avait démontré que la souffrance physique était directement en lien avec la tension dans le corps. Ce n'est que des années plus tard, en lisant un texte qui expliquait le lien entre la souffrance et la résistance, que j'en ai compris le sens profond. La peur engendre la résistance. Elle freine le flot d'énergie. Ainsi coupés de la force qui nous alimente et qui nous aide à demeurer centrés, nous nous éloignons tant énergiquement que physiquement du bien-être. Je bénis cet épisode de vie, car grâce à cette jeune fille, j'ai pu observer à quel point l'état d'accueil modifie notre expérience.

Qu'est-ce que cet exemple peut bien avoir en commun avec la mort ? À vrai dire, tout. Sur terre comme au ciel, nous vivons ce qui nous arrive de la même manière. Si nous avons peur de la mort ou peur de quitter la terre ou les êtres chers, nous entrons dans un mouvement de résistance, et qui dit résistance dit souffrance. Certes, dans l'au-delà, nous ne ressentons plus la douleur exactement de la même manière puisque nous n'avons plus de corps physique. Toutefois, nos corps énergétiques nous transmettent encore des sensations. Tout comme sur terre, la résistance crée un blocage énergétique perceptible qui peut occasionner un inconfort, un malaise ou carrément un mal-être qui nuit à notre taux vibratoire. Voilà que ce qui nous arrive au moment et après la mort dépend largement de notre degré d'accueil de l'expérience. Si nous prenons un temps d'observation sur la manière de réagir à l'inconnu ou à la souffrance ou encore à une situation qui requiert de lâcher prise, nous aurons un aperçu de la manière dont nous réagirions devant la mort si elle se présentait à nous dans le moment présent. Fort de cette observation, il nous est ensuite possible de cibler les points qui nuisent à notre paix intérieure.

Toutes les expériences de notre vie nous aident à nous préparer à la mort, peu importe la forme qu'elle revêtira. Tous les efforts investis à recouvrer un mieux-être consciemment portent des fruits dans le moment présent, certes, mais dans toutes les autres expériences à venir. Nous l'avons vu dans le premier chapitre, la mort est l'ultime occasion de mettre en pratique les outils acquis durant notre incarnation. C'est au fur et à mesure que nous avançons sur le chemin de l'incarnation que nous bâtissons l'état de conscience qui nous servira au moment du grand passage. Si nous avons saisi ne serait-ce que quelques-unes de ces occasions pour nous élever, notre traversée en sera facilitée, quel que soit le type de mort que nous vivrons. La mort subite, violente ou qui se produit durant le sommeil peut se comparer aux examens-surprises qui nous sont donnés sur les bancs d'école. Tout se passe bien si nous avons étudié au fur et à mesure et que nous sommes sûrs de nos apprentissages. Au contraire, si nous avons flâné ou que nous sommes stressés par la peur d'échouer et que nous nous présentons à ce contrôle les neurones embués par l'alcool, la drogue ou la médication, ce moment sera éprouvant et risque de nous recaler. Tout ce que nous vivrons à partir du moment où nous quittons notre corps physique n'a rien de hasardeux. Ce passage se prépare de longue haleine tant dans nos actions que dans nos inactions. Ce n'est toutefois qu'en face de la finalité de notre incarnation que nous en vivrons les conséquences.

2 - La sortie du corps et les premiers instants hors du corps

Mort cérébrale ou mort définitive ?

La mort est un processus qui se déroule en plusieurs étapes. La phase préparatoire s'amorce plusieurs mois à l'avance. Arrive ensuite le moment où nos corps énergétiques quittent le corps physique. Là encore, le phénomène se compose de plusieurs mouvements. Ce que l'on appelle la mort d'un point de vue médical n'est pas toujours une véritable fin d'incarnation du point de vue de l'âme. En effet, selon l'Organisation mondiale de la santé (OMS), le critère médicolégal pour déterminer le décès d'une personne est la cessation complète et définitive de l'activité cérébrale. Cependant, du point de vue de l'âme, l'arrêt des fonctions cérébrales ne correspond pas toujours à cette définition. Comme nous l'aborderons un peu plus loin dans le présent chapitre, il arrive que l'âme ne soit pas prête à quitter la terre malgré tous les signaux laissés dans le corps physique. Du point de vue énergétique, il existe aussi des signaux annonciateurs du grand passage. Ils commencent à se produire bien avant l'arrivée de la mort cérébrale, à un niveau plus subtil, de sorte que seuls les observateurs ayant développé leurs PES ou les personnes à l'affût de tels signes sont en mesure d'en constater la présence.

Pour comprendre le sens de ces signaux, il importe de décrire la danse énergétique qui s'amorce dans la traversée vers l'au-delà. Corps physique et subtils sont en lien et la mort marque le détachement des liens entre les corps physique et éthérique et les corps plus subtils. Ces liens sont au nombre de trois, lesquels tissent ce que l'on appelle la corde d'argent. Le premier cordon, qui constitue l'ancrage dans la matière, s'attache dans la région du coccyx. Le second, qui laisse circuler l'énergie vitale, s'ancre dans la zone du cœur. Enfin, le troisième cordon, qui permet l'alimentation de la conscience individuelle, se loge dans la région coronale. Pour qu'il y ait mort énergétique, il doit y avoir une rupture des cordons de la conscience et de l'énergie vitale. En fait, lorsque le cordon d'énergie vitale et le cordon de la conscience se retirent du corps physique, cela provoque automatiquement la fragilisation du cordon d'ancrage qui se rompt dans les heures suivant le décès.

Dès la rupture de ces deux cordons, tout retour au corps physique est alors impossible. Durant le sommeil, la conscience – c'est-à-dire notre ego composé de la personnalité et de l'âme qui fait le pont entre le Soi et le Moi – se rétracte dans le corps astral pour renouer avec les énergies subtiles sans rompre le cordon d'ancrage dans le cerveau, lui permettant ainsi de revenir quand bon lui semble. Le cordon d'énergie vitale, toujours bien actif, maintient le processus de vie en fonction dans le corps physique. Le coma consiste aussi en un retrait de la conscience, mais ici le cordon d'ancrage est grandement fragilisé. L'énergie vitale amorce aussi son retrait pour se concentrer sur le plan des centres respiratoires et cardiaques, ce qui a pour effet de rendre le corps inerte tout en le maintenant en vie. Nous y reviendrons plus loin. Gardons simplement en mémoire ici que du point de vue énergétique, la mort définitive et totale survient quand la corde d'argent est rompue.

La sortie du corps

Même s'il y a une préparation au passage de la mort qui se fait sur les plans subtils, c'est durant la phase finale que l'âme confirmera la continuité de ce grand mouvement de transformation. Elle envoie alors le signal de retrait qui achèvera sa concrétisation. Selon le type de mort envisagé, les éléments se mettent en place pour permettre ce passage. Ce n'est cependant que dans la phase finale que les signes apparents de mort surviendront. Lors d'une mort subite, violente ou qui se produit durant le sommeil, les trois cordons se rompent d'un coup. Toute l'énergie vitale est instantanément expulsée hors du corps physique en même temps que la conscience. Cette expulsion causée par la rupture instantanée de la corde d'argent est si soudaine et intense qu'elle provoque un détachement brutal des corps énergétiques du corps physique et éthérique. Cela nous aide à comprendre pourquoi il arrive que des états de confusion, de colère ou de déni s'ensuivent. L'âme est littéralement projetée dans ses corps énergétiques subtils sans que la personnalité ait eu le temps ou la possibilité de s'y préparer.

Dans les cas de mort prévisible, de nombreux auteurs, tels qu'Alice Bailey, Michel Coquet, Max Heindel, Annie Besant et Rudolph Steiner[5], ont apporté un précieux éclairage sur ce qui se passe sur le plan énergétique lorsque les corps énergétiques quittent l'enveloppe charnelle. Bien qu'il y ait de nombreuses divergences dans la manière de percevoir ce mouvement de sortie, il existe cependant des points communs qui dressent un portrait général du déroulement du détachement des corps subtils avec la matière, lesquels seront décrits dans les prochains paragraphes. Ces explications viennent compléter la vision médicale des signes annonciateurs d'une mort imminente et permettent ainsi d'en avoir une meilleure compréhension pour pouvoir mieux accompagner l'âme en transition.

Manifestations visibles

Durant les derniers stades de la dégradation du corps physique, les « nadis » – système nerveux éthérique – s'activent pour commencer le détachement du corps physique avec le corps éthérique. Certains médiums parviennent à observer ce phénomène. Ce mouvement crée un nuage opaque tout autour du corps physique. Le docteur Raymond Moody a étudié ce phénomène pendant plusieurs années et il a consigné le résultat de ses observations dans le livre *Témoins de la vie après la vie*[6]. Ensuite, le flot d'énergie vitale qui circule par le cœur à travers le sang ralentit considérablement et le sang s'altère. Une augmentation des sécrétions s'ensuit. S'amorce alors le transfert des sens physiques vers les sens énergétiques ou autrement appelés système phénique par le chercheur Francis Lefebure[7] pour décrire l'ensemble des sens intérieurs. La vue et l'ouïe se dégradent en premier. La clairvoyance et la clairaudience s'installent peu à peu, comme nous l'avons vu au chapitre 2. Le véhicule de chair commence ensuite à se déshydrater. La digestion s'interrompt et l'odorat s'estompe. Les centres énergétiques – chakras – cessent graduellement leur rotation en commençant par les centres situés aux extrémités. Le prana – énergie vitale – s'en retire, causant le refroidissement des membres inférieurs, des bras et la perte du goût et du toucher. Dans les derniers moments de vie, il ne reste que le chakra du cœur en fonction et toute l'énergie « pranique » est concentrée dans la région du cœur et des poumons.

Entre terre et ciel

Tout au long du déroulement de ce grand ballet physique et énergétique, la conscience fait des allers-retours entre le corps de chair auquel elle est encore attachée et l'astral, favorisant le développement des ECA. Cela permet à l'être en transition de toucher à ce qui l'attend de l'autre côté et ainsi de faciliter son détachement de la matière, comme nous l'avons vu au chapitre 2. Ces voyages exploratoires amorcent le renouement avec les capacités extrasensorielles qui ultimement nous mèneront à prendre contact brièvement avec ce que les enseignements bouddhistes appellent la claire lumière, c'est-à-dire la réalité de notre véritable nature[8]. Habituellement, ce premier contact est déterminant puisqu'il nous amène à la décision d'accueillir la mort ou d'y résister. En y résistant, le mouvement énergétique est freiné et nous basculons dans des états d'angoisse, d'appréhension, de peur ou de refus. Le processus de la mort sera alors alimenté par ces basses vibrations. Si nous maintenons cette résistance, notre agonie se prolongera jusqu'à l'épuisement complet de notre enveloppe corporelle et notre traversée risque de s'effectuer dans un état de tension. Cependant, un déclic intérieur peut se produire même à la toute dernière minute faisant en sorte que nous lâchons prise.

Dès que nous accueillons l'expérience et que nous nous y abandonnons, notre corps entre dans une grande phase de détente, nos traits s'adoucissent et notre être tout entier s'illumine. De nombreuses personnes qui ont accompagné un être en fin d'incarnation ont assisté avec émerveillement à ce changement radical qui survient juste avant le dernier souffle. À ce moment, il arrive fréquemment que l'être en transition sorte du coma de fin de vie ou parvienne même à défier des limitations physiques qui l'empêchaient de se mouvoir pour vivre un dernier instant d'éveil. Que ce soit par un regard radieux, une phrase qui exprime la beauté de la lumière perçue, par un geste symbolique d'adieu ou encore par un au revoir plus étayé, ce dernier acte est doublement puissant. Il permet à l'être en transition un lâcher-prise final sur la matière et il offre un merveilleux réconfort aux proches qui en sont témoins. De part et d'autre, il représente une magnifique démonstration de la continuité de la vie. Devant cette force lumineuse, le visage de la mort se transforme. La souffrance s'estompe pour faire place à la sérénité.

Le signal de départ

Avant de rendre son dernier souffle, l'âme entend une tonalité intérieure. Cette note émet la vibration nécessaire à la rupture d'une fine membrane énergétique qui permettra à l'énergie vitale de s'extirper du corps physique. Cette tonalité est la même que celle qui survient lors du passage de la naissance et qui enclenche le processus final de la naissance. La conscience se logera dans le corps émotionnel ou mental selon notre niveau de conscience et le cordon qui l'ancrait dans le cerveau commence à se rompre. Si ce mouvement n'est pas immédiatement suivi par la rupture du cordon d'énergie vitale, l'être entre dans un coma. Il faut apporter une précision ici sur la nature et l'utilité du coma. Il est soit réparateur, soit préparateur selon ce qui sert le plus le plan de l'âme. Dans les cas de mort prévisible, un coma de fin de vie sert davantage à préparer la transition. Il est habituellement de durée plus courte et offre à l'âme un espace où elle puise les énergies nécessaires pour franchir la dernière étape qui mène à l'autre rive. Puisque le mouvement est en accord avec le plan de vie et avec les aspirations de l'âme et de la personnalité, la rupture du cordon d'énergie vitale survient quand l'âme s'y sent totalement prête.

Les états de coma plus sévères et profonds surviennent habituellement dans des cas de chocs importants où il n'y a pas de préparation consciente à la mort. La confusion qui s'ensuit provoque ce retrait de la conscience, mais empêche la rupture totale des cordons de conscience et d'énergie vitale tant que le choix de quitter définitivement le corps n'est pas fait. Tout ce qui se passe, tout ce qui se dit et toutes les énergies que portent les proches sont perçus par l'âme et deviennent dès lors un poids ou un allègement dans sa décision. Le soutien inconditionnel à l'âme s'avère souvent la clé pour faire cesser le coma puisqu'il lui offre une liberté totale. Cela facilite cette prise de décision en offrant à cette âme la possibilité d'effectuer un choix pour elle-même et non en fonction de ses proches. Évidemment, cela exige de renoncer à nos propres désirs pour que l'être dans le coma se sente pleinement libre d'opter pour ce qui lui convient. Il importe aussi d'accepter l'inéluctable réalité lorsque le corps ne parvient plus à vivre de lui-même. Le maintien de la vie de manière artificielle et l'acharnement thérapeutique retardent le processus d'élévation puisqu'ils gardent l'ancrage dans le corps physique en empêchant la rupture définitive du cordon d'énergie vitale, alors que le choix de l'âme est visiblement déjà fait. En effet, si le corps ne parvient plus à vivre de lui-même, c'est que la conscience n'a plus de volonté de l'animer et qu'elle souhaite ainsi poursuivre sa route sur d'autres plans. Par le maintien artificiel, on peut alors engendrer confusion et remise en question.

Ici, il est facile de se demander comment il se fait que l'âme qui se prépare à ce mouvement de retrait depuis déjà un moment puisse le remettre en question. En fait, puisque rien ne diffère de ce qui se passe ici-bas, il faut comprendre que toute phase préparatoire à un projet, aussi important soit-il, représente une étape plus éthérée ou théorique. À l'instar du parachutiste qui prépare son premier saut dans les airs, la phase préparatoire, bien qu'elle prévoie tout ce qui est nécessaire pour réussir en beauté, n'a rien de comparable avec le moment fatidique où il est temps de se jeter en bas de l'avion. Si prêt soit-il avant d'embarquer dans l'avion, il est possible qu'au dernier moment, les peurs et les doutes l'envahissent et qu'il choisisse de ne plus sauter ou qu'il se fige sur place et qu'il soit tout simplement incapable d'avancer ou de reculer. Le coma est donc un espace de réflexion pour parfaire une décision. Si l'incarnation représente encore une possibilité d'apprentissage, le coma servira alors de phase de réparation des corps énergétiques touchés par le processus de mort et de régénération du cordon de conscience nécessaire à la réintégration dans le corps physique. S'il est préférable que le processus de mort se poursuive, le coma servira de dernière étape avant le mouvement de rupture des cordons de conscience et d'énergie vitale.

Rupture du cordon d'ancrage

Après le retrait de la conscience et de l'énergie vitale du corps physique, les cordons de la conscience et de l'énergie vitale sont définitivement rompus et il n'est désormais plus possible de retourner dans le corps physique. Dans les cas d'EMI, il y a eu arrêt des fonctions cérébrales, mais il n'y a pas eu de mort énergétique. La conscience s'est retirée dans le corps émotionnel, mais il n'y a pas eu rupture des cordons d'énergie vitale et de la conscience. Le retour dans le corps physique peut alors se faire aisément. Alors, une fois que la mort énergétique est arrivée, le dernier cordon qui ancre les corps subtils dans les corps physiques dans la région du coccyx s'effiloche plus ou moins rapidement selon le niveau de conscience de l'être en transition. À l'instar du cordon ombilical chez le nouveau-né, ce lien d'attache, n'étant plus nourri d'énergie vitale, est voué à se dessécher graduellement. Il subsistera tout au plus durant trois jours. Cette rupture graduelle sert le processus de transition de la mort. En effet, avant la rupture définitive de ce dernier segment de la corde d'argent, tout un procédé de transfert se produit. Les mémoires sensorielles accumulées dans le corps éthérique, c'est-à-dire toutes les sensations qui ont été éprouvées durant les expérimentations de notre incarnation, sont alors imprimées dans les corps subtils supérieurs. Ce transfert s'effectue plus ou moins rapidement selon la profondeur de notre centration au moment de la mort. Voilà pourquoi les grands maîtres et les personnes qui possèdent un cheminement spirituel très avancé parviennent à s'élever rapidement. Leur grande centration permet un transfert en profondeur efficace. Une fois effectué, il n'y a plus de raison de rester ancré dans la matière dense. Ils parviendront à défaire ce dernier ancrage par la force de leur volonté et par l'accroissement de leur taux vibratoire qui le fera céder. C'est aussi grâce à cette étape énergétique des plus importantes que la plupart des rituels funéraires prévoient un temps de recueillement sacré auprès de la dépouille dans les heures qui suivent la mort. Cet espace de silence rempli d'amour favorise la centration nécessaire au transfert de ces informations.

Après la rupture de la corde d'argent, le corps éthérique, étant essentiellement destiné à nourrir la matière dense et à faire le pont entre celle-ci et les corps subtils supérieurs, se désagrège et se disperse dans les jours suivant le décès du corps physique. En attendant sa dissolution complète, il prendra la forme du corps physique et il flottera tout près de celui-ci. Ensuite, les corps subtils seront véritablement libérés de la matière dense. Si l'attrait de la personnalité pour la matière est grand, cela peut avoir pour effet de ramener l'âme près du corps physique ou de son double éthérique pendant un moment, jusqu'à ce qu'il réalise que ces vieux vêtements ne lui appartiennent plus. Il en est de même pour l'être qui n'est pas conscient d'avoir quitté la terre ou qui refuse ce passage. Il pourra y demeurer encore un moment, le temps que sa conscience se réveille ou le temps qu'il accepte sa nouvelle direction.

Par ici les sorties !

Lorsqu'il est temps que l'énergie vitale se retire du corps physique, ce retrait s'effectue par l'orifice créé par la vibration sonore dont nous avons parlé précédemment. Il existe trois endroits où cette fissure énergétique peut avoir lieu. Le point de sortie n'a rien d'aléatoire. Il s'installe dans la zone du chakra qui correspond le mieux à l'ouverture de conscience de l'âme en transition, à savoir le plexus solaire, le cœur ou la couronne. Le plexus solaire est le centre des énergies du corps émotionnel, donc de tout ce qui a trait aux désirs et aux attachements. Il est donc le lieu de prédilection de passage pour les âmes dont la conscience est largement axée sur les aspects matériels de la vie. Il s'agit de ceux qui vibrent aux instincts plus qu'aux intuitions et qui sont régis par leurs désirs primaux. Les êtres de cœur ayant développé l'altruisme, la bienveillance et la compassion envers eux-mêmes et ceux qui les entourent se verront attirés vers l'ouverture créée dans la zone du chakra du cœur. Enfin, les personnes qui ont atteint un haut niveau vibratoire grâce à leur cheminement spirituel profond quitteront leur enveloppe charnelle par le chakra coronal. Cela leur est possible grâce à un entraînement de longue haleine. Nous avons vu plus haut que dans les derniers moments de vie, l'énergie vitale se concentre tout naturellement sur le chakra du cœur. Les grands maîtres ont toutefois appris à la focaliser sur le plan coronal pour favoriser une plus grande connexion avec leur esprit. Ils savent pertinemment que cela leur servira aussi au moment de la mort pour déjouer le processus naturel qui se produit dans le corps. Ainsi, centrés et bien branchés à leur partie supérieure, ils accèdent aux mondes subtils par la voie divine, leur canal de lumière.

Loin d'être un passe-droit ou une punition, ces accès à l'astral correspondent en tous points à l'énergie qui nous définit au moment de la mort. L'ouverture empruntée pour accéder à l'astral, c'est le chemin que notre conscience a construit tout au long de notre incarnation. Les dernières pensées que nous nourrissons juste avant la sortie du corps servent de phare pour éclairer ce chemin. Voilà pourquoi les grands maîtres nous enseignent l'importance de la dernière pensée avant la mort. Lorsqu'elles sont très lumineuses, elles nous donnent accès au meilleur de ce chemin, à tous les raccourcis balisés et à toute l'aide disponible. Lorsqu'elles sont sombres, cela rend la traversée plus ardue et augmente les probabilités de nous y enliser. Ainsi, les dernières pensées peuvent certes transformer complètement notre traversée, mais pas le chemin lui-même. Par exemple, l'individu qui a nourri de viles énergies durant tout son passage sur terre et qui parvient à élever ses pensées en fin de vie ne changera pas de chemin d'accès à l'au-delà, mais au lieu de marcher dans la pénombre, il y avancera dans la lumière. Il en est de même avec l'initié qui a passé la majorité de son incarnation à servir l'amour, mais qui, par un instant d'égarement, quitterait la terre avec une pensée sombre. Sa voie vers l'au-delà n'en serait pas pour autant détournée. Il n'y aurait que l'éclairage qui en serait assombri un moment. Cela complémente ce qui a déjà été abordé à ce sujet au chapitre précédent : les dernières pensées ne fixent pas tout ce qui nous arrivera ensuite dans les plans subtils, mais seulement les premiers moments. Ensuite, c'est notre réelle conscience d'être qui nous mènera vers le plan vibratoire qui nous permettra de poursuivre notre montée dans les autres plans vibratoires.

Pour reprendre les paroles du chercheur américain Dean Radin, « nous sommes un esprit qui vibre à la fréquence de nos pensées ». Les âmes émanant de basses vibrations resteront près des plans terrestres et elles affronteront des énergies qui leur ressemblent jusqu'à ce qu'elles parviennent à ouvrir suffisamment leur conscience pour s'extirper de ces plans ou que leur attrait pour la terre soit tel qu'elles se réincarnent de nouveau. Les âmes tournées vers la bonté et les vertus du cœur iront dans les plans intermédiaires de l'astral, là où elles poursuivront leurs apprentissages et leur élévation jusqu'à ce que la terre les rappelle. Les âmes hautement évoluées iront directement dans les plans supérieurs de l'astral. De là, elles choisiront d'y séjourner si elles désirent encore s'incarner ou elles choisiront de poursuivre leur route sur d'autres plans énergétiques en abandonnant leurs corps émotionnel et mental. Nous pouvons donc mesurer ici l'importance du cheminement spirituel. Une discipline de vie axée sur le respect intégral de notre véhicule charnel, la méditation, la centration et l'amour inconditionnel de tout ce qui est vivant nous ouvre véritablement la voie vers la lumière, comme nous l'envisageons. Avec ces explications, cela n'a plus rien de métaphorique. La porte que nous utiliserons à notre mort nous mènera directement vers la vibration que nous émanons. Comme nous le verrons au chapitre 5, l'astral est vaste. C'est un lieu d'épuration nécessaire à la transformation de notre taux vibratoire, mais il n'est pas notre ultime demeure. Nous nous y instruisons et nous y apprenons sur notre nature divine, mais après sa traversée, d'autres plans de conscience nous attendent. Tout comme la terre nous amène au fil des expérimentations à voir l'immensité de notre être, le voyage dans l'au-delà nous permet de nous approcher peu à peu de notre nature divine.

Une vision de l'élévation

La sortie du corps est un moment sacré dans le processus du passage de la mort. Elle marque le détachement du corps physique en conscience et l'ouverture vers des horizons nouveaux ou à tout le moins qui semblent nouveaux à ce stade du processus de la mort pour de nombreuses âmes. C'est le moment de la levée du voile de la matière où la conscience peut vivre une expansion sans les limitations de sa gaine physique. Lorsqu'un être cher rend son dernier souffle, nous avons souvent l'impression que tout est fini. Or, il n'en est rien. Tout se poursuit. Avec un peu d'attention, il est même possible d'observer le phénomène subtil de la sortie du corps au moment où il survient pour s'en convaincre. Cela n'est pas réservé uniquement aux yeux aguerris. Il suffit de prendre le temps de se centrer sur le plan du cœur et d'observer ce qui se passe tout autour du corps. Plusieurs êtres chers présents au moment du départ d'un proche en ont été témoins. En voici deux exemples :

Une brume s'élève

Dans le film *Faux départ*[9], le médecin français Jean-Pierre Postel raconte ce qu'il a vécu au moment de la mort de son père alors qu'il était en compagnie de sa femme et de son fils

Pierre-Alexandre. Il tenait la main gauche de son père et Pierre-Alexandre lui tenait la main. Puis, tous les trois ont perçu une *brume apaisante* tout autour du corps du père de Jean-Pierre. Le docteur Postel a alors vu un tunnel bleu avec une intense lumière tout au fond. Sentant une grande résistance de son père à y enter, il lui a alors dit qu'il était temps d'y aller. Puis, toute la famille Postel a vu une forme énergétique y entrer à reculons. C'est alors que la brume s'est élevée tout autour de son corps et s'est dissipée lentement. Le docteur Postel a compris que son père venait de quitter son corps.

Un nuage violacé

Une dame m'a raconté les derniers moments d'incarnation de sa fille. Sentant la fin imminente, elle s'est assise auprès d'elle. Elle a alors vu une substance vaporeuse sortir de sa poitrine et former un nuage violacé. Le corps de la jeune fille a connu un dernier soubresaut. Puis, le nuage s'est mis à flotter tout doucement au-dessus du corps et est allé se placer au bout du lit, juste derrière la tête de sa fille. Le nuage est demeuré perceptible durant un moment, il s'est élevé vers le plafond et il est disparu. Après avoir vu ce nuage, cette dame était reconnaissante d'avoir pu observer ce mouvement subtil qui lui offrait la certitude que la vie se poursuit au-delà de l'enveloppe charnelle.

Ces deux exemples démontrent bien le mouvement de sortie du corps. En fin de parcours, lorsque le cordon de conscience se retire pour de bon, l'énergie autour du corps se transforme de manière significative. Puis, au moment du retrait du cordon d'énergie vitale, l'énergie se concentre en une seule masse qui peut être floue au début pour ensuite prendre une forme corporelle qui ressemble au corps physique : une tête, un tronc, des bras et parfois même des jambes. Elle restera près du corps physique jusqu'à sa dissolution. Les autres corps subtils, plus légers et lumineux, peuvent flotter un moment au-dessus du corps physique, habituellement près du plafond. Puis, ils donneront l'effet de s'être évaporés vers le haut. En fait, lorsque la conscience réalise qu'elle est libérée de ce corps, elle cherche soit à explorer son nouvel état, soit à se rendre auprès des siens, selon ce qui la préoccupe le plus à ce moment. Elle s'éloigne donc assez rapidement du corps physique. Il est possible qu'elle y revienne brièvement pour affiner sa conviction d'être passée sur un autre plan. Pour éviter toute confusion, il importe donc de distinguer la forme d'un gris violacé qui reste ancrée dans le corps de chair des corps subtils supérieurs qui définissent notre essence divine, car une présence lumineuse près du corps physique dans les premiers moments de la mort n'indique pas toujours la présence de l'âme. Seul notre cœur pourra nous aider à saisir la différence entre la vibration des corps subtils supérieurs et celle de l'énergie vitale qui se disperse.

3 - Apprivoiser nos nouvelles énergies

Lorsque la conscience se retire dans les corps subtils supérieurs et que l'énergie vitale quitte complètement le corps physique, le voyage dans l'au-delà s'amorce. Comme nous l'avons vu au chapitre 3, « c'est la dernière pensée ou émotion de cette vie que nous retrouvons lorsque nous nous réveillons dans l'état qui suit la mort[10] ». C'est cette pensée qui détermine notre état du moment présent. Dans la présente section, nous aborderons plus amplement ce qui se passe lorsque l'être entre dans le mouvement d'élévation de manière consciente et volontaire. À défaut, c'est-à-dire lorsque la conscience de l'âme est brouillée par un aspect émotionnel, par la résistance ou le refus de la personnalité d'entrer dans ce passage, l'âme reste dans l'un des plans près de la terre. Elle cherche à réintégrer son corps dans l'hypothèse où elle y est très attachée. Si elle est préoccupée par un problème, elle tente de le résoudre, mais elle constate qu'elle n'a plus d'interaction avec la matière et cela la préoccupe davantage. Ou encore, si elle n'a pas réalisé que la terre n'est plus sa demeure, elle poursuivra ses habitudes quotidiennes d'incarnation.

L'errance près des plans de matière dense peut être brève ou se prolonger durant un long moment. Cela dépend de la prise de conscience de la mort et de la décision d'accepter la situation. Ce n'est qu'après cet élan que s'enclenchent les étapes décrites ci-dessous. Évidemment, l'ouverture de conscience de l'être avant le passage de la mort contribue à cette prise de conscience. Plus celle-ci est grande, moins l'errance risque de perdurer, car il connaît sa direction et il sait que la terre ne sert plus son cheminement. Le soutien offert par les proches pour accompagner cette âme en transition aidera à cette conscientisation[11]. La populaire série américaine *Mélinda, entre deux mondes*[12] illustre à merveille comment ce déclic influence le cours du voyage dans l'au-delà et l'aide qui peut être apportée à ces âmes en transition. Bien que tous n'aient pas développé leur capacité de clair-voyance et de clairaudience comme l'actrice principale qui joue le rôle de Mélinda, nous sommes tous en mesure de trouver les mots, les gestes ou les actions dont l'âme a besoin pour quitter les plans terrestres.

Du rêve à la réalité

Une dame me raconte qu'après la mort de son père, elle avait la forte impression que ce dernier n'acceptait pas de quitter la terre. Elle le sentait tout près d'elle, mais dans des émotions troubles. Puisque cette sensation la gênait et qu'elle souhaitait ardemment aider son père, juste avant de s'endormir elle demanda à être guidée pour l'accompagner. Cette nuit-là, elle rêva de son père. Ce dernier vint lui dire qu'il ne savait pas où aller. Il était effrayé à l'idée de s'aventurer vers l'inconnu. Il se sentait désemparé d'être là, car il savait qu'il devait partir, mais la peur l'en empêchait. C'est alors que la dame, toujours en action dans son rêve, dit à son père qu'elle allait faire un bout de chemin avec lui. Ils ont marché un moment, puis, tout au loin, un groupe de personnes agitaient la main et l'enjoignaient à les retrouver. Tout souriant, le père a étreint sa fille et l'a remerciée de l'avoir guidé jusque-là. Au réveil, la dame était encore habitée par l'intensité de ce rêve. Elle s'interrogea sur sa véracité, mais la sensation d'avoir accompagné son père durant la nuit était telle qu'il lui était difficile de tout nier. Elle tergiversait donc entre les doutes et la sensation de réel. Puis, quelques jours plus tard, un événement inattendu est venu faire taire définitivement les doutes à ce sujet. Sa sœur lui confia qu'elle avait, elle aussi, rêvé à leur père. Dans son rêve, il venait lui dire qu'il devait maintenant partir et qu'il était maintenant sûr que tout allait bien aller. Dans la discussion entre cette dame et sa sœur, il fut établi que ces deux rêves s'étaient déroulés durant la même nuit. La dame termina cette confidence en me disant qu'elle n'aurait jamais cru pouvoir aider ainsi une âme. Elle était reconnaissante envers son père de lui avoir permis de vivre un événement d'une telle intensité.

Les premières étapes de la traversée

La voie de l'au-delà s'ouvre donc grâce à la conscience d'avoir traversé le voile de l'incarnation. Le chemin que nous emprunterons s'avère unique pour chacun d'entre nous. Certaines étapes sont similaires, mais tout ce que nous sommes personnalise l'expérience. La chronologie présentée dans ce chapitre ne représente donc pas systématiquement l'ordre des événements après cette prise de conscience. Certaines étapes peuvent être escamotées grâce à un important entraînement spirituel. D'autres pourront être retardées par un refus de les accomplir au moment où elles se présentent. De plus, certaines étapes peuvent se vivre simultanément et non dans un ordre linéaire comme il sera décrit ici. Enfin, il faut aussi tenir compte que la chronologie de ce que nous vivrons dans l'au-delà est influencée par nos croyances, par nos connaissances et par notre état. Il faut donc éviter à tout prix de voir l'ordre de présentation comme un mouvement figé et rigide, qui se déroule toujours de la même manière. Puisque l'élévation est le reflet de ce que nous sommes, elle ne peut en conséquence qu'être une expérience inédite.

Matière en transformation

Après être sorties du corps physique, la plupart des âmes se réfugient dans le corps émotionnel. Les êtres au cheminement spirituel très avancé s'ancreront dans leur corps mental puisqu'ils ont déjà effectué le détachement de la matière. Durant l'incarnation, l'identification au corps physique représente souvent notre principal repère pour nous définir et nous identifier. Alors, en le délaissant pour de bon, nous avons peine à figurer que nous pouvons être autrement. Dans notre corps émotionnel, une des premières choses que nous ferons incons-ciemment, c'est de le mouler par le pouvoir de la pensée pour en faire une fidèle reproduction de notre corps physique. Notre aspect extérieur n'est cependant pas déterminé pour le reste de notre parcours. Il chan-gera plus ou moins rapidement selon notre état. Habituellement, une fois sortis du corps, nous adoptons une image légèrement embellie, mais très près de celle qui nous représentait en fin d'incarnation. Puis, au fur et à mesure des prises de conscience que nous faisons, cette représentation se modifie pour tendre vers nos plus beaux atouts, c'est-à-dire ce qui correspond à une période de notre incarnation où nous étions bien dans notre peau. Ainsi, notre image s'avère une fidèle toile de notre état et de la conscience que nous avons de nous-mêmes. Au fur et à mesure que nous nous détacherons de ce corps et du rôle que nous avons joué sur terre, l'image de notre corps se transformera pour ressembler davantage à l'essence de notre âme. Ses contours devien-dront donc plus vaporeux et son aspect général, plus translucide.

Durant ce temps, nos corps denses se désagrègent. Si le corps physique est enterré, la désagrégation suit le processus de décom-position naturel et rend à la terre tous les éléments qui ont composé ce corps. Le corps éthérique, quant à lui, suit ce lent mouvement. L'énergie vitale qu'il contient se dissipera dans les jours suivant le décès, mais l'enveloppe de ce corps restera près du corps physique jusqu'à la complète décomposition de ce dernier. Ce sont ces coques vides que l'on perçoit parfois dans les cimetières. En principe, elles sont inoffensives puisqu'elles n'ont plus de force vitale en elles. Par contre, certaines âmes errantes qui désirent rester près des plans de la terre s'y insèrent pour se nourrir des énergies offertes par les proches. Le temps de refaire le plein d'énergie, elles usurpent ainsi l'identité des âmes qui viennent de se départir de leur corps dense. Les mes-sages ou les signes qui viennent de telles usurpatrices sont alors de très basses vibrations et leur contenu s'avère toujours très superficiel. Il importe de demeurer vigilants quant à notre ressenti pour reconnaître la vibration d'une âme ou, à tout le moins, aux signaux d'alerte que notre propre âme nous envoie à ce sujet[13].

Cette problématique ne se pose cependant plus lorsque le corps physique est incinéré. Ce procédé désintègre totalement le corps physique et tout le corps éthérique, favorisant ainsi un retour rapide des éléments vitaux à la terre. Les âmes errantes perdent ainsi toute possibilité d'usurpation d'identité puisque la coque du corps éthérique est par le fait même détruite. De plus, cela réduit l'errance de l'âme en transition, car tant que le corps physique existe, il peut être tentant d'y rester accroché. En ce sens, l'incinération favorise la transition de toutes les âmes en réduisant l'attrait à la matière. Bien que l'incinération représente des avantages non négligeables, il faut aussi qu'elle corresponde à nos valeurs ou à nos croyances. Autrement, ses bienfaits peuvent être anéantis par le brouillage émotionnel qui peut en découler. Il importe donc de choisir le mode d'inhumation qui nous convient. Laisser ce choix à notre entourage représente un risque qui pourrait nuire à notre envol dans l'au-delà. Nos préparatifs à la mort doivent en conséquence prévoir cet aspect et ils doivent par surcroît être divulgués à nos proches, de préférence avant notre mort et avant de ne plus avoir la possibilité d'échanger avec eux à ce sujet.

La revue de vie

En fin d'incarnation, lorsque le fil de la conscience se rompt et que le siège de la conscience se retire du cerveau pour aller se loger dans les corps subtils – généralement dans le corps émotionnel –, il se produit un phénomène particulier : la revue de vie. Tous les événements qui s'y sont produits défilent sous nos yeux à grande vitesse. Cependant, c'est notre capacité de centration qui en détermine le rythme. Si nous sommes alertes et attentifs à ce qui s'y déroule, cette étape est très courte. Par exemple, les grands maîtres parviennent à clore cette étape en très peu de temps grâce à leur capacité exceptionnelle de centration. Durant ce visionnement, nous revisitons l'essence de ce que nous avons vécu, de la dernière scène à la première. Il sert à nous offrir un aperçu global de nos actions et des occasions d'apprentissage que les expériences de notre vie constituaient. Bien qu'il se produise généralement à rebours, il est aussi possible qu'il se déroule dans l'ordre chronologique, selon les besoins de l'âme. De plus, il arrive qu'un proche puisse être témoin de cette revue de vie[14]. Cela m'est arrivé à quelques reprises dans mes expériences d'accompagnement d'âmes. Un des phénomènes qui m'a le plus impressionnée alors, c'est cette impression de voir les choses à la fois de l'extérieur et de l'intérieur. Au moment du déroulement, j'avais parfaitement conscience d'observer le déroulement de la vie de l'âme que j'accompagnais, mais en même temps, c'était comme si je voyais le fil de sa vie avec les yeux de cette dernière. C'était un peu comme si j'étais à la fois témoin et actrice des scènes qui s'y jouaient. Je me sens vraiment privilégiée d'avoir pu participer à un moment aussi intime et personnel.

Certes, le visionnement contribue à nos prises de conscience, dont notamment celle de la mort elle-même, et donc à notre élévation. Sa fonction première est d'imprimer les mémoires sensorielles inhérentes à chacun des événements vécus durant l'incarnation qui se logent dans le corps éthérique sur notre corps causal, siège de la mémoire permanente de l'ego. Pour reprendre une image technologique, c'est exactement comme le transfert des données d'un disque dur à un autre. La carte mémoire des sensations physiques étant sur le point de ne plus être accessible par la rupture définitive de la corde d'argent, cette revue de vie assure la conservation de ces sensations dans une autre banque de données fonctionnelle. Comme mentionné plus haut, c'est notre capacité de centration qui en détermine la durée. Toutefois, celle-ci ne peut aller au-delà de la résistance même de la corde d'argent. Dans les cas de mort prévisible, cela veut dire tout au plus trois jours, alors que dans les cas de mort subite ou brutale, ce processus est court-circuité par la rupture immédiate de la corde d'argent. Ce ne sont donc que les impressions sommaires qui ont le temps de s'imprimer sur le corps causal.

Cependant, comme nous l'a si bien dit le docteur Ervin Laszlo, « rien en ce monde n'est évanescent. Tout continue d'exister par les traces que nous laissons dans le champ cosmique d'information. Nous, les humains, créons un registre akashique des expériences de toute notre vie...[15] » Cela signifie que tous les événements qui se produisent dans le monde associé à la terre sont toujours stockés dans ce registre akashique aussi appelé « annales akashiques ». Dans le cas de mort violente ou subite, ce n'est que la portion de la mémoire associée aux sens qui est court-circuitée. L'expérience n'est pas perdue, mais les sensations inhérentes à celle-ci peuvent être plus ou moins brouillées.

Cela crée une impression de distanciation qui rend l'intégration des leçons qui en découlent plus difficile. Par contre, il ne faut pas oublier que le processus de la mort fait aussi partie des apprentissages de l'âme. Toutes les circonstances entourant ce processus sont au service de ce grand voyage dans l'au-delà. La mort subite ou violente impose un chemin différent, mais grâce à notre état de conscience, celui-ci peut être tout aussi fructueux pour notre mouvement d'élévation, peu importe que la revue de vie ait été faite en profondeur ou non.

Des sensations nouvelles

Grâce à la revue de vie, le questionnement sur ce qui nous arrive s'installe rapidement. Elle contribue à focaliser notre attention sur notre ressenti. C'est alors que nous prenons conscience des nouvelles sensations que nous éprouvons. Une des premières que nous ressentons est celle de légèreté. Libérés du corps physique et du corps éthérique, nous flottons au-dessus de notre enveloppe charnelle. Il ne s'agit donc pas d'une fausse impression, mais d'une réalité inhérente au délaissement du poids de la matière dense. Cela offre le même effet que le fait de sortir d'une gaine. C'est comme si, soudainement, nous étions plus légers et moins comprimés. Tout au long de cette prise de conscience, nous resterons en suspension en haut de ce qui fut notre véhicule d'incarnation. Parfois, cette sensation de flottement et d'aisance provoque une certaine angoisse ou un vertige. Cela n'est toutefois pas généralisé et ce sentiment de légèreté engendre la plupart du temps un tel bien-être qu'il est facile de l'accueillir sans résistance. Alors, c'est instantanément une joie euphorique qui s'installe en nous. Celle-ci vient de la libération de la densité de la matière et de toutes les contraintes qu'elles imposent. Douleurs corporelles, handicaps physiques ou psychologiques disparaissent alors. Nous retrouvons toutes nos capacités endormies par la maladie ou par le voile de l'incarnation. Nos corps énergétiques ne sont plus limités dans leurs fonctions ou leurs actions. Ce bien-être retrouvé nous fait réaliser que nous sommes bel et bien vivants, et même plus vivants encore que nous pouvions le ressentir dans notre corps physique.

Si un être éprouve un profond attachement envers ce véhicule qui fut le sien, il sera attiré vers lui. Il est même possible qu'il tente de le réintégrer. Cependant, même avec la plus grande volonté qui soit, il réalise rapidement qu'il s'avère impossible de le faire bouger. Cette enveloppe rigide ne répond plus à ses commandements puisque la corde d'argent est en voie de rupture complète. Il pourra alors s'entêter et refuser ce passage ; prendre un temps pour faire le deuil de ce corps ; ou encore accepter l'invitation à franchir le pont vers l'au-delà. Dans la majorité des cas, le bien-être éprouvé hors du corps incite à découvrir ce qui nous attend *ailleurs* dans les autres plans de conscience. Ce désir nous plonge dans l'exploration et l'apprentissage des capacités de nos corps subtils : le déplacement par la pensée, la possibilité de traverser la matière dense, la vision périphérique et multidimensionnelle et la télépathie. En fait, il n'y a rien à apprendre, mais nous sommes encore si fortement imprégnés par les limitations du plan terrestre que nous avons peine à maîtriser l'usage de ces capacités. Nous entreprenons donc une réintégration graduelle au fur et à mesure que nous nous ouvrons à cette réalité. Là encore, l'expérimentation consciente de ces capacités peut nous plonger dans des angoisses, si nous résistons au processus de la mort et que nous cherchons à rester près des plans terrestres. Lorsque nous entrons avec lâcher-prise dans ce mouvement, nous vivons des sensations enivrantes et cela contribue à élever nos vibrations pour passer à l'étape suivante.

Une fois que nous avons réalisé que nous pouvons nous déplacer aisément, la plupart du temps nous cherchons alors à communiquer avec nos proches afin de leur faire savoir que nous sommes toujours bien vivants et de voir comment ils vivent cette situation. Nous nous butons souvent à une dure réalité : ces derniers ne nous voient pas ; ils ne nous entendent pas non plus. Pire encore, s'il y a quelqu'un qui perçoit notre présence, il la remet immédiatement en question en croyant avoir imaginé tout cela. La communication avec la terre s'avère souvent difficile et cela nous touche. En effet, rapidement, dans l'au-delà, nous constatons que la télépathie est le mode de communication de toutes les âmes, y compris celles qui sont incarnées. Cependant, à cause du voile d'incarnation qui s'impose entre nous et les êtres chers et de l'ignorance de cette capacité de communication, ces derniers ne parviennent pas à nous entendre. Alors, s'il s'avère trop important de les rejoindre pour nous, nous redoublons d'efforts jusqu'à ce que nous parvenions à nos fins. Évidemment, pendant ce temps, nous ne nous préoccupons plus de notre traversée. Parfois, certaines âmes parviennent à faire fi de ce besoin de joindre leurs proches et poursuivent leur route en sachant que l'amour qui les unit à eux saura trouver un moyen de livrer notre message. La mort ne nous délivre pas de nos besoins fondamentaux d'être aimés, d'être écoutés et d'être

> ## *Quelques chiffres*
>
> *Les recherches démontrent que 89 % des expériences de vécu subjectif d'un contact avec un défunt (ressentir sa présence, l'entendre, le voir, sentir une odeur associée à celui-ci, être touché, voir un déplacement d'objet) ne résulte pas d'une attente du défunt, mais survient de manière totalement inattendue. Dix-neuf pour cent d'entre elles surviennent vingt-quatre heures ou moins après le décès.*
>
> Tiré de *Manuel clinique des expériences extraordinaires*, p. 143-145

accompagnés. C'est plutôt grâce à notre cheminement spirituel que nous les transcenderons. Voilà pourquoi l'écoute de l'âme en transition est si importante.

La traversée d'un sas énergétique

Lorsque nous consentons à entrer sur le chemin de l'élévation, il y a une force d'attraction qui nous attire. C'est l'appel de la lumière, de notre lumière, celle que nous avons effleurée de près juste avant de rendre l'âme. Elle rayonne tout autour de nous et nous invite à y plonger. En nous y abandonnant, une forte impression d'entrer dans un tunnel ou de traverser un passage ou encore d'être aspirés dans une spirale nous envahit. Cette sensation est créée par l'augmentation du taux vibratoire et par la traversée des mondes. Elle peut se produire immédiatement en sortant du corps physique, si nous sommes fin prêts à nous élever au-delà de la matière dense – c'est ce qui se produit pour ceux qui ont une grande ouverture spirituelle –, ou dès le moment où nous y consentirons. Ce tunnel est en fait un sas qui relie un plan vibratoire à un autre. Certains chercheurs qui s'intéressent à la physique quantique, dont Brigitte Dutheil, expliquent ce phénomène par un transfert de la conscience des plans sous-lumineux (monde de la matière dense) à un univers superlumineux[16]. En entrant dans ce tunnel, certaines âmes perçoivent des sons, comme un bruit sourd, ressemblant à un vrombissement, à des tintements de clochettes ou à des bourdonnements. Cela se produit principalement lorsque la vision du tunnel survient en même temps que la sortie du corps. Il arrive que les personnes qui pratiquent les sorties conscientes du corps en-

Une autre explication

Selon Kenneth Ring, *l'effet tunnel, c'est comme si la conscience changeait de vitesse pour passer d'un état d'éveil normal de la conscience à une perception directe du domaine de la fréquence. La marge de temps durant laquelle se produit ce déplacement est ressentie comme un mouvement à travers un espace obscur. Néanmoins ce qui se déplace effectivement, c'est la conscience elle-même – ou l'esprit désincarné – à travers le seuil de la perception holographique ou la quatrième dimension.*

Tiré de *Sur la frontière de la vie*

tendent ce bruit au moment de la désincarnation puisque celui-ci est associé au retrait de la conscience du corps physique. C'est le mouvement de déplacement de la conscience entre les plans vibratoires qui crée ce son intense, mais relativement bref.

Bien que la traversée d'un sas énergétique soit un phénomène réel et commun à toutes les âmes, sa description, quant à elle, varie d'une âme à l'autre en fonction de sa perception. En effet, le phénomène du tunnel trouve sa source dans le point de vue énergétique et non dans des systèmes de croyances. Voilà pourquoi toutes les âmes vivent cette traversée. Cependant, tout ce qu'elles éprouveront durant cette traversée peut être influencé par leur état et leurs croyances. En me fiant uniquement à mon expérience, chacune des traversées s'est avérée unique. Il devient dès lors difficile de décrire ce fameux tunnel de façon rigide. Parfois, il revêt des apparences sombres aux abords plus lumineux à sa sortie ; parfois, il semble émettre une lumière tamisée. À d'autres occasions, il ressemble davantage à une haute spirale lumineuse au sommet de laquelle une force d'attraction nous propulse. Certaines âmes le décrivent comme un pont de lumière, un magnifique champ de fleurs, un long corridor ou encore une forêt splendide. D'autres âmes le traversent sans s'en apercevoir, soit parce qu'elles sont préoccupées, soit parce que leur attention est totalement focalisée sur la lumière qui pointe à son horizon. D'autres encore auront l'impression d'entrer dans un vide absolu. Elles pourront alors éprouver une peur de courte durée et résister à cette invitation ou s'y abandonner complètement pour découvrir la plénitude qui s'y trouve en fait. Une des caractéristiques communes à ces diverses traversées, c'est la lumière vive qui se trouve au bout de ce passage et qui agit comme un aimant pour attirer les âmes à elle. Bref, cette courte traversée entre les plans énergétiques nous plonge au cœur de notre être. Voilà qui explique aisément la grande diversité d'expériences vécues.

Toutes ces divergences ne remettent pas en cause l'existence de ce passage. Bien au contraire, elles confirment le fondement du phénomène énergétique commun qui survient lors de la grande traversée. De plus, elles témoignent que ce passage n'a rien de mécanique, mais qu'il se vit en fonction de tout ce que l'âme porte et vit au moment de la traversée. Nos perceptions et nos croyances colorent ce que nous y vivons, et l'intensité de l'expérience relève davantage de notre présence d'être.

Les retrouvailles

Lorsque ce couloir énergétique menant à l'astral est franchi, la première chose que nous remarquons est cette lumière brillante et apaisante qui règne tout autour de nous et même en nous. Les particules de lumière occupent tout l'espace-temps au lieu d'être fractionnées et dissipées par la densité de la matière, comme c'est le cas ici-bas[17]. Cela crée donc un effet unificateur bénéfique qui nous imprègne et nous enveloppe complètement. Les retrouvailles débutent par cette reconnaissance vibratoire si réconfortante. Renouer avec ces énergies nous semble alors si familier. Nous comprenons ce que nous avons cherché durant toute notre incarnation : cette sensation d'être unis à tout ce qui nous entoure, de baigner dans l'amour et d'avoir accès à une vaste connaissance. Si longue puisse avoir été la séparation, dès que cette lumière nous entoure, nous avons l'impression de nous fondre en elle.

Les souvenirs voilés par la matière dense reviennent et nous retrouvons la conscience de qui nous sommes, de ce que nous portons et des motivations qui nous ont incités à vivre cette incarnation.

Puis, les retrouvailles se poursuivent, alors que notre vision s'affine, nous permettant de distinguer des êtres aux formes floues qui se détachent peu à peu de cette lumière. Avant même de pouvoir les percevoir complètement, nous avons reconnu leur vibration. Nous savons qui va là. C'est une joie indicible de revoir tous ces êtres ; ceux avec qui nous avons partagé la dernière incarnation et qui ont quitté la terre avant nous ; ceux que nous avons côtoyés dans d'autres vies ; nos guides et les êtres de lumière qui nous accompagnent. Tous se dévoilent à tour de rôle et prolongent ainsi ce moment d'éternité. Ces retrouvailles tant attendues ne sont pas une chimère et nous sommes bel et bien accueillis dans l'au-delà par les êtres qui sont chers à notre âme. À l'instar de la cérémonie offerte à la naissance d'un enfant, les retrouvailles célèbrent le retour de tout être qui accueille sa propre lumière. Au-delà de ses aspects festifs, elles jouent un rôle plus profond. En effet, les retrouvailles servent de comité d'accueil pour nous rappeler que nous sommes profondément aimés et soutenus. Elles visent également à nous informer de notre direction et des tâches que nous avons désormais à accomplir.

La plupart des gens s'imaginent que ces retrouvailles sont permanentes, qu'elles marquent le retour à la maison et que tous les êtres qui y sont présents nous accompagneront tout au long de notre traversée. En fait, le comité d'accueil joue un rôle très temporaire : le temps que dure la rencontre d'accueil. Une fois que la fête est terminée, ces êtres, mis à part nos guides personnels, retournent sur le plan de conscience qui leur est propre ou, s'ils partagent le nôtre, ils retournent vaquer à leurs occupations. Cela ne veut cependant pas dire que nous souffrons de cette séparation. Dans l'astral, l'effet de la dualité est moindre que durant l'incarnation. Nous nous sentons interreliés avec toutes les âmes et plus près des âmes qui nous sont chères. Grâce à notre capacité de communication à distance, nous demeurons donc toujours en lien avec ces âmes. En cas de besoin, ces dernières peuvent revenir nous visiter. De plus, sur terre comme au ciel, nous ne sommes jamais seuls. Nos guides sont toujours avec nous et nous bénéficions toujours de leur soutien. Lorsque nous avons traversé le fameux tunnel qui nous mène sur des plans plus lumineux que la terre, il nous est plus facile de les voir et de ressentir leur présence.

Voilà ! Nous avons repris contact avec notre être, avec l'amour qui nous habite et qui nous entoure. Nous sommes parés à la poursuite de notre voyage dans l'au-delà. Avant de continuer cet itinéraire, il m'apparaît important d'établir une comparaison avec ce qui se passe durant l'EMI, ou expérience de mort provisoire (EMP), comme on tend maintenant à la nommer. Cette comparaison nous permettra de mieux saisir la nature de la transition de la mort, de sa réalité subjective, et de trouver un fondement scientifique à cette description de la traversée.

Une expérience similaire à la mort étudiée scientifiquement

Les phénomènes de mort imminente n'ont rien de nouveau. Ils existent depuis toujours. Bien qu'il y eut quelques scientifiques qui s'y intéressèrent dans le passé, l'état de la science et de la médecine ne permettait pas de les reconnaître en tant qu'expériences véridiques. La plupart du temps, elles étaient rapidement reléguées au rang des hallucinations, à la médication, à un désordre mental ou à une imagination trop débordante. Ainsi, jusqu'à tout récemment, les personnes qui frôlaient la mort avaient souvent peine à trouver une oreille attentive pour accueillir sans dérision le récit de leur voyage au-delà du corps physique. Certaines d'entre elles regrettèrent même d'avoir osé en parler, puisqu'elles furent ensuite mises à l'écart, considérées comme troublées ou, pire encore, traitées pour désordres mentaux. L'avènement du livre *La vie après la vie* du docteur Raymond Moody[18] apporta un tournant planétaire. D'abord, il fut un baume indicible pour les millions d'« expérienceurs[19] » qui n'avaient jamais raconté ce

> ❧ *Saviez-vous que...*
>
> *La plus vieille référence à une EMI apparaît dans* La République *de Platon écrite quatre siècles avant Jésus-Christ.*
>
> Dr Sam Parnia, auteur et fondateur du Consciousness Research Group
>
> Tiré de *Que se passe-t-il lorsque nous mourons ?*, p. 23

qu'ils avaient vécu. Puis, il fut l'amorce d'un vaste mouvement de recherche visant à mesurer scientifiquement ce qui se passe au cours d'une telle expérience.

Sa nature et ses composantes

L'Association internationale pour les études d'EMI (*IANDS*) décrit cette manifestation comme une « expérience subjective spécifique que certains individus rapportent après avoir été exposés à une crise qui les a amenés au seuil de la mort. Lors de ce type de crise, une personne se trouve en état de mort clinique, dans un état proche de la mort ou dans une situation dans laquelle la mort est probable ou prévisible[20] ». Ainsi, une EMI implique d'avoir touché à la mort de près ou même de l'avoir visitée durant un moment. Peu importe les circonstances dans lesquelles elle survient, elle comporte des phases qui la caractérisent. Dans son livre *La vie après la vie*[21], Moody dresse une liste des différentes phases qu'il a pu répertorier auprès de ses patients. Cette liste a été reprise dans d'autres recherches et elle s'avère une base solide pour décrire le déroulement d'une EMI, bien que toutes ces phases ne surviennent pas toutes systématiquement ou que leur ordre puisse varier d'un expérienceur à l'autre. Voici ces phases[22] :

• La désincarnation où l'expérienceur réalise qu'il n'est plus dans son corps et qu'il flotte au-dessus de lui.

• L'état de paix et de légèreté qui s'installe si l'expérienceur accueille l'expérience ou, plus rarement, l'état de peur ou de panique lorsqu'il y résiste. Les recherches ici démontrent que moins de 15 % des EMI se vivent dans cet état. Lorsqu'une EMI est vécue négativement, l'expérienceur se sent soit impuissant à contrôler ce qui lui arrive, soit totalement seul, soit troublé par des visions effrayantes ou désagréables. Lorsque l'expérienceur accueille ce qui se passe, l'EMI devient un événement positif.

• La traversée d'un tunnel ou d'un endroit sombre donnant l'impression d'entrer dans un passage séparant deux lieux distincts.

• La revue de vie où l'expérienceur reverra tout ce qui s'est déroulé dans sa vie.

- L'entrée dans une lumière intensément brillante sans pour autant être aveuglante où l'expérienceur y rencontrera un être de lumière qui lui demandera ce qu'il a fait de sa vie ou s'il a suffisamment offert d'amour à autrui.

- L'ordre de retourner dans le corps qui est parfois accompagné d'instructions sur ce que l'expérienceur doit y accomplir.

- Le retour dans le corps qui s'avère un choc brutal ou très souvent douloureux.

Les observations actuelles

Les études sur les EMI ont permis de mettre en lumière les différentes phases d'une manifestation vécue par des milliers de personnes à travers le monde. S'il est difficile de donner une explication scientifique actuellement sur les origines de cette expérience et sur ce qui se passe au-delà du corps, les similitudes des expériences rapportées témoignent sans l'ombre d'un doute de la preuve de leur existence. La difficulté à laquelle se butent les scientifiques, c'est que la science est basée sur la matière dense. Alors, pour pouvoir parvenir à expliquer une EMI, il faut revoir non seulement les fondements de la science, mais il faut trouver d'autres moyens de mesurer les phénomènes d'ordre énergétique afin que ceux-ci soient reconnus par le milieu scientifique. Cependant, cela n'empêche pas la reconnaissance de leur existence. En effet, puisque l'un des fondements de la fiabilité d'un résultat scientifique est la possibilité de répétition d'un phénomène dans des conditions similaires, le recensement des EMI permet de démontrer qu'il ne s'agit pas de cas isolés. La comparaison de ces milliers d'expériences permet d'en établir les phases caractéristiques. En plus, l'investigation auprès des expérienceurs démontre que l'ensemble de ces phases se reproduit de manière universelle et que ni les croyances ni les valeurs culturelles et religieuses n'interfèrent dans ces phases caractéristiques. Enfin, les chercheurs sont en mesure d'établir que ce type d'expérience n'est pas causé par une dissociation, un manque d'oxygène, des hallucinations ni tout autre désordre psychologique ou mental. Grâce à tous ces constats, les EMI viennent ébranler la vision matérialiste des scientifiques qui prétend que le cerveau est le générateur de la conscience. Elles apportent une preuve incontestable de la survie de la conscience. Toutefois, il reste encore de nombreuses questions à résoudre pour expliquer le phénomène dans son entièreté, dont notamment celles sur la nature de la conscience qui demeure la clé de l'énigme des EMI et bien sûr de la vie. Les découvertes de la science quantique qui relie le champ d'énergie universelle à la conscience pourraient bien nous offrir des réponses sous peu[23].

Les recherches sur les EMI nous offrent d'autres résultats significatifs quant à leur sens profond. Des études sur leurs répercussions démontrent en effet que les expérienceurs sont profondément transformés par la crise existentielle qui en découle, même dans les cas d'EMI négatives. Cependant, les EMI positives remportent la palme des transformations. Les sensations de paix et d'amour vécues durant cette expérience amènent les expérienceurs à revoir leur échelle de valeurs et leur mode de fonctionnement afin de développer davantage leur altruisme. Leur vision de la vie est totalement changée. Ils savent que la vie a un sens profond et qu'elle se poursuit au-delà du corps. Pour eux, la mort n'est plus à craindre et ils chérissent tous les moments de la vie. De plus, selon Kenneth Ring, la plupart des expérienceurs vivent des expériences extrasensorielles[24], après leur EMI, telles que la télépathie, la clairvoyance, la clairaudience, le clairsenti, la précognition, l'intuition, la communication avec les défunts ou encore des capacités de guérisons énergétiques. Ces recherches nous démontrent donc que bien que la proximité de la mort sans EMI soit une puissante invitation à la transformation, elle n'est pas toujours un moteur de changement, contrairement aux EMI où les transformations s'inscrivent en profondeur chez les expérienceurs. En traversant la frontière de l'incarnation, ils touchent à une parcelle d'éternité. À l'instar de l'expérience mystique, ils vivent une réunion avec les énergies célestes qui change à jamais leur manière d'être et de percevoir la vie.

Similitudes et distinctions

Il y aurait encore beaucoup à dire évidemment sur les nombreuses recherches au sujet des EMI, mais l'objectif ici est davantage d'en comprendre l'essence pour pouvoir ensuite établir des liens avec le processus de la mort. Ce qui est fascinant à propos de toutes ces études, c'est qu'elles viennent corroborer les informations qui jusque-là étaient de l'ordre de l'« occulte ». En effet, depuis fort longtemps, de nombreux grands maîtres, philosophes, médiums et thérapeutes énergétiques offrent des explications sur la survie de la conscience, sur le fonctionnement des corps énergétiques et sur le processus de la mort. Cependant, tous ces propos, sans distinction, ont été ignorés par l'ensemble de la communauté scientifique parce qu'ils ne trouvaient aucune explication matérielle. L'avènement des études sur les EMI ouvre la voie à la comparaison avec tous ces précieux enseignements. En effet, il existe des similitudes tout à fait remarquables entre les phases d'une EMI et celles du processus de la mort décrites dans ces enseignements occultes. Voilà qui met en lumière le sérieux et la profondeur de certains de ces enseignements.

Quelques chiffres

Voici des données tirées des recherches de Greyson, Ring, Sutherland, Migliore Changes, Van Lommel, Fenwick et Musgrave :

- *de 4 à 10 % de la population vit une EMI ;*

- *au cours d'une EMI, 50 % des expérienceurs ont conscience d'être morts ; 24 % ont l'impression d'être en dehors de leur corps ; 31 %, de traverser le tunnel ; 23 %, d'être en communion avec la lumière ; 29 %, de voir des paysages célestes ; 32 %, de vivre des retrouvailles avec les êtres chers décédés ; 13 %, de revoir leur vie ;*

- *98 % des expérienceurs croient en l'existence de la vie après la mort après leur EMI ;*

- *de 55 à 89 % des expérienceurs – selon les études – développent des capacités extrasensorielles après leur EMI.*

Tiré du *Manuel clinique des expériences extraordinaires*, de la page 41 à 85

En fait, les EMI nous amènent à voir que les phases qui surviennent immédiatement après la sortie du corps physique sont similaires à celles décrites par la communauté ésotérique, et elles semblent se vivre de manière comparable. Selon ces recherches, l'expérience s'avère des plus agréables pour la vaste majorité des expérienceurs. Cela nous permet de supposer qu'il puisse en être ainsi pour les âmes en transition puisque la terre et le ciel suivent les mêmes règles. Par surcroît, pour soutenir davantage les propos des grands maîtres, ces recherches nous offrent la confirmation que la résistance joue un rôle crucial dans le déroulement de l'expérience. En effet, les chercheurs qui se sont intéressés au cas d'EMI négatives n'ont trouvé à ce jour aucun lien de causalité entre les croyances, les connaissances ou la vie menée par les expérienceurs avant l'EMI et l'expérience vécue. Le seul lien qu'ils ont pu établir entre toutes les EMI négatives est le refus de l'expérienceur d'accepter la réalité de ce qu'il vit. Selon eux, la résistance à vivre l'EMI engendre tous les désagréments qui y sont vécus. Cela corrobore donc les propos que tous les sages qui nous ont précédés ont laissés en héritage. Il serait intéressant de pousser plus loin les recherches pour voir quelle est la source de cette résistance.

En nous attardant le moindrement à ces deux phénomènes, nous pouvons noter plusieurs divergences. Les EMI impliquent un retour dans le corps physique. Tout d'abord, cela empêche le processus de rupture des cordons de la conscience et de l'énergie vitale de s'effectuer comme c'est le cas lorsque la mort survient. La conscience se retire du corps pour pouvoir vivre cette expérience, mais le cordon reste intact, permettant le retour de la conscience dans le corps. Ce phénomène est identique à ce qui se produit toutes les nuits durant notre sommeil ou dans les désincarnations conscientes – autrement appelées sorties du corps. Du coup, cela change la nature même de l'expérience puisque celle-ci se déroule avec un attachement au corps physique dans un objectif de continuité de l'incarnation. Ainsi, ce qui sera vécu dans une EMI ne vise pas le détachement de la matière dense, mais un apprentissage fabuleux sur le sens de notre vie et de la vie. Les retrouvailles des expérienceurs avec les énergies plus élevées, avec une conscience élargie, avec des êtres chers, avec leurs guides ou avec un être de lumière n'ont pas lieu pour célébrer leur retour dans l'au-delà, mais pour qu'ils posent un regard neuf et lumineux sur leur incarnation. Contrairement à l'expérience de mort, les expérienceurs se butent à une limite vibratoire qu'ils ne peuvent franchir. De là, une force les incite à réintégrer leur corps de chair, même s'ils ne le souhaitent pas. Il faut savoir que ce retour à la terre, qui semble forcé, fait partie intégrante du plan de l'âme. Malgré son désir de rester dans cet état de paix, elle sent que ce qui l'attend sur terre sert son cheminement. Tout comme c'est le cas lorsqu'il est temps de s'incarner, aucune âme ne revient sur terre contre son gré. Cependant, il est évident qu'il n'y a pas toujours un enthousiasme débordant à quitter consciemment ce monde d'unité pour rejoindre celui de la dualité.

De plus, il faut aussi souligner une autre divergence importante. Une EMI ne donne qu'une vision partielle de ce qui nous attend après la mort, c'est-à-dire qu'elle ne montre que les premières phases de l'élévation. En fonction des données recueillies, les chercheurs émettent l'hypothèse que le processus de la mort pourrait se dérouler ainsi, du moins que les phases des EMI pourraient donner une idée rassurante de ce qui se passe après la mort. Il est justifié de dire que les phases d'une EMI dressent un portrait du déroulement du processus de la mort relativement conforme à celui proposé dans les enseignements ésotériques sérieux. Cependant, il faut absolument éviter de réduire le processus de la mort à ces quelques étapes. Sinon, le sens de ce passage s'en trouve atrophié. Au-delà du regard matériel que nous pouvons en avoir ici-bas se cache une réalité beaucoup plus grande qu'il importe de garder à l'esprit dans toutes nos conclusions. Les mots ou les explications pour parler de toute expérience en dehors du corps ne représentent qu'un faible aperçu de cette vaste réalité. Deuxièmement, comme nous l'avons mentionné au chapitre 3, les premiers moments dans l'au-delà sont comparables à des vacances. Les EMI nous en rapportent d'excellents souvenirs, mais en soutenant qu'elles décrivent tout ce qui se passe après la mort, cela entretient le mythe de la pensée magique trop souvent associé à la mort. La grande traversée ne s'arrête pas à ces étapes euphorisantes. Il reste encore d'autres phases à traverser où nous nous retrouverons de nouveau face à nous-mêmes. Certes, les EMI sont des outils fabuleux quand elles nourrissent de justes espoirs. Elles servent de sage émissaire pour offrir une vision rassurante de la mort. Elles démontrent que la vie se poursuit, afin de faire taire nos angoisses profondes pour que nous puissions enfin vivre pleinement tout ce qui nous arrive. Elles nous enseignent à être amour et elles concourent à des transformations individuelles et sociales. Utilisées dans un tel contexte, elles jouent un rôle inestimable dans l'ouverture de conscience grâce à la participation active des expérienceurs qui deviennent des ambassadeurs du sens profond de la vie, par le seul exemple de la transformation qu'ils ont vécue dans ce voyage hors du corps. Ils participent ainsi au cheminement spirituel de toute la planète puisque, comme le dit Gopi Krishna, « le but du processus évolutif est de faire accéder l'humanité entière à une dimension de conscience élevée ».

4 - Les premiers jours dans l'au-delà

D'emblée, il est erroné d'associer une notion de temps à ce qui se passe de l'autre côté du tunnel. En effet, dans cet univers, tout ce qui s'y déroule ne s'évalue pas en espace-temps, d'où la difficulté d'en parler ici sans lui donner une connotation chronologique. Dans cette présente section, nous évoquerons ce qui se passe pour de nombreuses âmes dans les premiers jours de leur décès, en sachant cependant que de leur point de vue, il n'y a plus rien de linéaire. Elles vivent donc ce qui s'y déroule dans une conception différente où passé, présent et futur s'entremêlent. Ce qu'il faut retenir ici est l'essence de ce qui se vit et non un ordre ou une durée spécifique. La similarité des expériences rapportées par les âmes et dans les enseignements ésotériques propose un modèle propice au détachement. Par contre, il

> ☙ *Saviez-vous que...*
>
> Albert Einstein a dit que *les gens qui, comme nous, croient en la physique savent que la distinction entre le passé, le présent et l'avenir n'est qu'une illusion obstinément entretenue.*
>
> Tiré du *Temps fractal*, p. 135

ne faut pas y voir une route unique empruntée par toutes les âmes. Les êtres ayant un long cheminement spirituel n'empruntent pratiquement jamais cette route. Grâce à leur taux vibratoire élevé et à leur détachement de la matière, ils s'éloignent rapidement des plans terrestres et de la réalité matérielle. Les êtres qui n'ont pas réalisé qu'ils ont changé de plan vibratoire n'auront pas connaissance de ce qui se passe pour eux. Il en est de même pour ceux qui refusent leur nouvelle réalité ou qui sont préoccupés par un problème de nature matérielle. Ils vivront les étapes de détachement ci-dessous évoquées lorsqu'ils seront enfin prêts à accueillir cette nouvelle réalité. Par contre, ils ne bénéficieront plus du même soutien en provenance de la terre si les rassemblements funèbres sont terminés. Comme nous le verrons un peu plus loin, ces derniers créent une forte synergie d'élévation qui sera maintenue par les prières et les pensées des proches dans les premiers temps du décès, mais qui s'estompera au fur et à mesure que ces derniers parviendront à se détacher de l'être cher.

Ainsi, les informations qui suivent représentent encore un plaidoyer en faveur de la préparation à la mort afin que celle-ci nous aide à vivre une mort consciente et qu'en conséquence, nous puissions mettre à profit toute cette énergie d'élévation dont nous disposons immédiatement après avoir quitté notre corps physique.

Mourir, c'est partir...

Pour comprendre ce qui se passe à ce stade de la traversée, mes guides m'ont transmis une belle illustration. Imaginons que nous prenions un temps de vacances seuls, laissant conjoint et famille à la maison et que nous tombions follement amoureux. Ce coup de foudre est si grand et si intense qu'il transforme à jamais notre vie. Nous reconnaissons l'âme sœur dans ce nouveau partenaire et dès lors notre avenir ne s'envisage plus sans lui. Les vacances sont sublimes et notre décision de tout quitter au retour est définitive. Ce qui nous habite alors, c'est la légèreté de l'amour retrouvé et, lovés dans ce douillet endroit de villégiature, nous ne voyons que le beau et le bon de l'aventure qui s'annonce. Or, vient inévitablement un temps où nous devrons affronter le choc de notre départ, le déménagement, le deuil de notre vie d'avant et les réactions de nos proches.

Lorsque nous mourons dans notre corps de chair, nous renouons avec notre propre force d'amour. Et cela est très grisant, car nous avons recherché cette sensation durant toute notre incarnation. Comme le coup de foudre, les premiers moments se savourent pleinement. Puis, vient un temps où nous devons faire face à tout ce que ce passage implique. Même si un détachement s'est amorcé avant la mort, c'est lorsque nous sommes sur le pas de la porte que ses effets surviennent réellement. À l'instar d'une rupture de vie – couple, travail, ami ou autres –, il faut beaucoup de courage, de renoncement et de confiance pour plier bagage en laissant derrière nous des êtres chers, des lieux significatifs, des biens précieux, des activités que nous ne pourrons plus pratiquer et marcher vers l'inconnu. Certains êtres y parviendront plus aisément que d'autres. C'est le cas de ceux qui sont animés par une très grande force d'amour. Ils sentiront qu'ils n'abandonnent rien et que tout ce qui leur est cher vivra toujours dans leur cœur. L'amour qu'ils portent en eux est si puissant qu'il atténue les contraintes associées au renoncement à la matière. C'est aussi le cas pour les êtres qui avaient l'habitude de tourner la page rapidement durant leur incarnation. Forts de cette manière d'agir par rapport au changement de cap, ils sauront laisser aller l'incarnation passée sans trop de résistance. Cela ne veut cependant pas dire que nous n'éprouvons pas de compassion pour les êtres aimés. Au contraire, l'amour inconditionnel qui nous habite enlace ces derniers aussi au passage pour les soutenir dans ce qu'ils vivent.

Il en va autrement pour les êtres qui ne reconnaissent pas ou peu l'amour qu'ils portent en eux. Les sensations euphoriques éprouvées au cours des retrouvailles dans l'au-delà ne sont pas assez puissantes pour leur permettre d'affronter les conséquences de la séparation. Reprenons un instant l'illustration des guides pour mieux comprendre ce que vit l'âme ici. Si nous tombons amoureux, c'est la solidité du sentiment éprouvé qui nous donnera la force de vivre toutes les conséquences d'une rupture avec notre ancienne vie. Si cet amour est moindrement chambranlant, les doutes, les peurs, la culpabilité ou les remords nous attendent au retour de vacances et ils nous inciteront à revoir notre décision avant de tout quitter. Si ce nouvel amour n'était qu'un feu de paille, nous ferions tout pour reprendre notre vie d'avant, mais hélas, tant sur terre qu'au ciel, revenir en arrière n'est jamais possible.

Mourir implique nécessairement de délaisser toutes nos attaches à la terre, mais la seule traversée du voile ne suffit pas à nous en libérer. L'*Ailleurs*, comme l'appelle Einstein, n'est que la continuité de l'*Ici*. Il ferme le rideau sur une scène de vie et il marque le commencement d'un autre acte de notre histoire. Mais, selon notre état, ce dernier sera encore imprégné de nos croyances, de nos conditionnements et bien évidemment de tout ce qui le maintient captif de la matière. Plus nous élevons nos vibrations pour nous brancher à notre nature profonde ici-bas, plus nous accédons à un niveau d'amour élevé après notre incarnation. Cela facilite donc notre détachement parce que nous ne ressentons pas vraiment le vide occasionné par cette transition, mais plutôt la plénitude des retrouvailles célestes. En plus, cette force d'amour a un impact sur notre niveau de centration et elle accélère le transfert de nos mémoires sensorielles, en conséquence, la rupture de la corde d'argent. Tant que ce lien existe, les influences de la terre sont d'autant plus grandes puisque tout ce qui se passe dans le corps est ressenti dans les corps subtils.

Le détachement préliminaire de la terre

Tout au long de l'incarnation, notre quête du mieux-être est alimentée par nos désirs et par nos besoins fondamentaux. Grâce à l'accueil de la vibration d'amour qui règne dans l'astral, nous pouvons combler ces besoins et ainsi éloigner de nous les désirs insidieux qui nous maintiennent à la terre. Toutefois, à moins d'être dans un état de maîtrise, le passage dans l'au-delà si euphorisant soit-il peut apporter son lot de défis, dont ceux de répondre à nos besoins immédiats sans tomber dans les filets des désirs ardents de la matière. Ces derniers sont en effet une des forces d'attraction des plus puissantes qui nuisent à notre taux vibratoire. Même lorsqu'ils sont bien canalisés, ils nous éloignent d'une des grandes leçons de notre incarnation : le détachement. Les désirs sont des ancrages dans la matière et ils nous gardent dans des énergies de contrôle. Ils vont donc à l'encontre des énergies d'élévation, qui exigent abandon et lâcher-prise. Un désir, ce n'est qu'un subterfuge de notre personnalité qui déguise un moyen extérieur en une occasion de mieux-être pour tenter de combler un vide intérieur. Or, la plénitude recherchée ne s'acquiert pas dans la matière tangible, mais dans tout ce qui nous élève vers notre essence divine. Voilà pourquoi les grands maîtres nous enseignent à suivre nos intuitions plutôt que nos désirs. Elles seules nous mènent vers le véritable mieux-être et nous permettent de départager les désirs des besoins fondamentaux. Il faut par contre prendre le temps d'effectuer ce passage de manière harmonieuse en répondant à nos besoins.

Un temps pour nous déposer

En arrivant dans l'astral, nous avons parfois besoin d'un temps pour décanter tout ce que nous venons de vivre. Entrer consciemment dans le passage de la mort est exigeant et il est possible que nous n'ayons pas les énergies ou l'alignement nécessaire pour poursuivre notre route. Nous trouverons un endroit familier où nous réfugier et nous y resterons un court moment. L'endroit choisi peut être un endroit dans l'astral, mais comme nous sommes encore beaucoup attachés aux énergies terrestres, il peut aussi se trouver là où règnent les énergies dont nous avons besoin à ce moment : notre chambre, le salon de nos parents, la cuisine de notre meilleure amie. Loin d'être un cas d'errance, il s'agit tout simplement d'un répit dont l'âme a besoin et qu'elle s'accorde consciemment, sachant que ce n'est pas sa destination finale. En voici une belle illustration.

Je veux seulement me reposer

Mon amie Ginette m'appelle pour me parler de ce qu'elle vit avec sa mère qui vient tout juste de mourir. Ginette est inquiète parce qu'elle voit sa mère dans sa salle de soins. Elle craint que celle-ci n'y élise domicile, malgré le fait qu'elle lui répète d'aller vers la lumière. Tout en écoutant Ginette, je ressens la présence de sa mère et je comprends qu'elle cherche seulement à se reposer. La salle de soins de Ginette est tellement imprégnée de belles vibrations que sa mère s'y sent en sécurité pour refaire ses forces. Je transmets cette information à Ginette pour la rassurer. Puis, je l'invite à accueillir sa mère dans sa salle et à lui permettre de s'y reposer jusqu'à ce qu'elle ait la force de s'élever davantage. Quelques jours plus tard, Ginette me rappelle et me raconte avec une telle paix intérieure que sa mère venait de partir et que cette pause avait été très bénéfique aussi bien pour l'âme de sa mère et que pour elle-même. Toutes deux avaient pris ainsi le temps d'apprivoiser la transition que la mort leur faisait vivre et de se laisser bercer par l'amour qui les unissait pour les aider à la vivre sereinement.

L'amour que nous portons à un être cher nous incite à vouloir le meilleur pour lui lorsqu'il quitte notre monde. Dans notre conception des choses, le meilleur représente la lumière. Nous incitons alors fortement celui-ci à y aller sans tarder. Or, la lumière n'est pas un lieu. C'est un état qui ne s'acquiert que dans la paix du cœur. Si le passage de la mort a été déstabilisant ou ardu physiquement ou émotionnellement, cet être cher n'est peut-être pas dans un état vibratoire lui permettant d'accéder à sa lumière intérieure. Il est donc possible que nos bonnes intentions le bousculent au lieu de l'aider. En effet, il est souvent très perturbateur d'être incités à faire quelque chose quand nous n'en sommes pas prêts. Seule l'écoute des besoins de cette âme en transition peut nous indiquer ce qui lui est nécessaire à cette étape-ci. Si nous ne parvenons pas à l'entendre, nous pouvons alors lui rappeler que sa destination est la lumière intérieure, mais qu'il faut suivre son rythme pour y accéder. Ce qui importe ici, c'est que l'être en transition sente que nous l'accompagnons dans le respect intégral de son être et non que nous lui imposons une cadence qui ne lui convient pas. Autrement, l'invitation à la lumière que nous lui lançons n'aura pas d'écho en lui, risquant même d'être la cause de confusion ou de perturbation. L'âme se sentira poussée à aller dans une direction alors que son cœur lui en montre une autre. J'ai rencontré plusieurs âmes qui étaient quelque peu désemparées devant l'instance de leurs proches et qui ne savaient plus quoi faire pour que ces derniers comprennent que ce n'était pas ce dont elles avaient besoin dans le moment.

Il n'y a rien d'alarmant à ressentir un être cher dans les premiers jours de son départ, et ce, même si son énergie ne nous semble pas très lumineuse. Puisque nous ne sommes pas différents après ce passage, il nous faut un temps pour transformer les énergies plus lourdes qui nous habitent au moment de la mort. Dans un lieu rempli d'amour, l'être cher pourra se déposer et faire le point. Cette pause ici ne signifie pas arrêt du cheminement. Elle prend plutôt le sens de temps de silence.

Elle se compare à un moment de méditation ou de réflexion. Tout ce qui s'y passe permet d'élever nos vibrations. Elle est même un tremplin lorsque l'être qui s'y sent totalement accueilli et accompagné en profite pour se libérer des états émotionnels qu'il n'a pas transmutés avant la mort. Ensuite, il pourra répondre à l'appel de la lumière en toute légèreté.

Faire nos adieux

Transcender le voile de la matière, c'est un peu comme traverser dans la pièce voisine. Tout ce que nous éprouvons par rapport aux êtres chers reste tel quel, sauf la distance qui s'installe entre nous. Selon les liens d'attachement qui nous unissent et en fonction de nos traits de caractère, nous pouvons rapidement ressentir le besoin d'être avec eux, d'échanger, de leur raconter ce qui se passe de notre côté. Dans les premiers moments du décès, la majorité des âmes conscientes de leur passage cherchent à revoir leurs proches. Elles ont besoin de leur dire qu'elles sont toujours là, qu'elles sont rendues dans l'au-delà, qu'elles ressentent leur peine et qu'elles aimeraient tant que ceux-ci réalisent qu'elles sont toujours bien vivantes. De nombreuses personnes endeuillées parviennent à capter la présence d'un être cher dans les premiers jours de son départ. Certaines expériences me sont très souvent racontées.

– En pleine nuit, plusieurs se réveillent en sursaut en pensant à un être cher. Ce réveil spontané fait parfois suite à un rêve qui concerne cet être cher. Ils regardent l'heure. Puis, ils apprennent un peu plus tard que cet être cher est décédé à cette heure précise. Voici un exemple de ce type de communication que Paul a vécu durant son enfance :

Un réveil brutal

Alors qu'il avait dix ans, Paul s'est réveillé en plein milieu de la nuit en même temps que ses trois autres frères avec qui il partageait sa chambre. Gilles, l'aîné, dit aussitôt que Michel venait de périr dans un accident de la route. Les quatre garçons restèrent sidérés jusqu'à ce que quelqu'un vienne cogner à la porte de la maison pour apprendre la nouvelle brutale à leurs parents. Ils comprirent alors que Michel était venu les prévenir qu'il quittait la terre.

L'âme en transition va vers les personnes qui lui sont chères pour les aviser de sa mort ou pour obtenir leur soutien à ce moment précis. Cette aide est tout simplement transmise par la présence du cœur. Ceux qui reçoivent une telle visite ne réalisent pas toujours l'ampleur des effets de cette présence attentionnée.

– La nuit suivant le décès, plusieurs sont extirpés du sommeil entre trois et six heures du matin. En ouvrant les yeux, ils voient une forme lumineuse tout près de leur lit. Ils savent qu'ils ne rêvent pas, qu'ils sont bel et bien conscients de ce qui se passe. Ils ont beau cligner des yeux, les ouvrir et les refermer, la forme lumineuse reste là. Intuitivement, ils savent que c'est l'être cher qui est là, mais la nouveauté de l'expérience les déstabilise. Là encore, il arrive que plusieurs membres de la famille vivent ce genre de manifestation simultanément ou durant la même nuit.

Un coucou de mon grand-père

Comme je le raconte au deuxième chapitre, mon grand-père est décédé le 28 décembre. La nuit suivant son décès, je me suis réveillée à trois heures en ressentant sa présence à mes côtés. Je lui ai demandé s'il avait besoin de quelque chose et j'ai senti qu'il avait seulement envie de me saluer. Le jour suivant, je suis allée rejoindre ma mère et je lui ai demandé si elle avait bien dormi. Elle m'a répondu qu'elle s'était réveillée à trois heures. Après avoir regardé l'heure, son attention a été attirée au pied de son lit. Il y avait une lumière évanescente. Elle s'est frotté les yeux pour être bien certaine de ce qu'elle voyait. Pas de doute, il y avait bel et bien une lumière. Puis, en la fixant encore un peu, elle a su que c'était son père qui venait lui rendre visite. Ma mère finissait à peine de me raconter cette expérience quand son frère est arrivé.

Continuant ma petite enquête, j'ai vérifié s'il avait passé une bonne nuit. Comble de surprises! Lui aussi s'était réveillé à trois heures en ressentant la présence de grand-papa. Après quelques heures dans l'au-delà, ce dernier avait eu besoin de venir saluer sa famille. Le connaissant, je suis persuadée que sa tournée ne s'est pas arrêtée à nous trois...

Les énergies qui règnent juste avant le lever du soleil sont propices à la communication entre les plans énergétiques parce qu'elles sont hautement vibratoires. Voilà pourquoi il est recommandé de méditer très tôt le matin. Non seulement nous sommes alors frais et dispos, mais nous bénéficions en plus de l'accessibilité énergétique. Puisque ce moment est propice, l'âme en transition s'en sert pour tenter de communiquer avec nous.

– Entre le moment du décès et celui des funérailles, plusieurs endeuillés ressentent la présence ou reçoivent un signe de l'âme en transition. Ils entendent une chanson fétiche à la radio alors qu'elle n'est pas souvent diffusée. Ou encore, ils n'arrêtent pas de voir un objet symbolique. Que ce soit un papillon, une fleur, un oiseau ou un arc-en-ciel, ce symbole semble les suivre partout où ils vont. Les âmes cherchent ainsi à attirer l'attention de leurs proches. L'objet choisi fait partie du message que ces âmes désirent offrir. En voici un exemple :

Un messager ailé

Une dame m'a raconté que, peu de temps avant la mort de son mari, elle avait remarqué la présence d'un joli petit papillon blanc à la fenêtre. Elle l'a revu ensuite à plusieurs reprises après le décès de son conjoint. Que ce soit chez elle ou lorsqu'elle faisait les courses inhérentes aux funérailles, le papillon était présent non seulement en chair, mais il se retrouvait dans des documents ou sur des emballages. Chaque fois, elle éprouvait la même sensation : son amoureux l'accompagnait dans ses démarches.

Le jour des funérailles, à la sortie de l'église, un papillon blanc était venu se poser sur son épaule. À ce moment, une grande paix s'était installée en elle. Elle m'a confié qu'elle avait senti que c'était sa manière de lui dire : « Je serai toujours là. »

– Toujours entre le décès et les funérailles, de nombreuses personnes racontent avoir ressenti la présence physique de l'être cher comme une main qui se pose sur elles ; elles ont senti son parfum ; elles ont vu la forme d'un corps s'enfoncer dans un fauteuil ou dans le lit ; elles ont entendu des pas. Étant encore très proches du plan terrestre, les êtres en transition sont capables de manier la matière pour que nous les percevions. Évelyne et Ginette ont à leur manière vécu un précieux moment avec un être cher :

Sa main sur mon épaule

Juste avant de rendre un dernier hommage à sa mère, Évelyne se prépare dans sa chambre d'hôtel. Devant son miroir, elle commence à se maquiller et elle ressent alors une grande fatigue. En pensant à tout ce qui l'attendait en ce jour de funérailles, elle demande à son propre reflet comment elle va pouvoir tenir toute la journée. À peine a-t-elle fini de prononcer cette question qu'elle ressent une main sur son épaule qui exerce une forte pression. Dans son cœur, elle sait instantanément qu'elle ne doit pas s'en faire et qu'elle sera capable de vivre cette journée sans problème. La pression sur son épaule est si forte qu'elle regarde derrière pour voir qui est là. Elle ne voit personne. Évelyne comprend alors que c'est sa mère qui lui apporte ce réconfort. Elle la remercie, sachant que la journée se déroulerait bien, et ce fut le cas.

Une odeur salutaire

Dans son bain, Ginette décide de pratiquer un exercice de libération des émotions proposé dans l'un de mes livres. Elle entre dans un état méditatif et, dans la zone du cœur, elle ressent une oppression dont elle ne parvient pas à se défaire. C'est alors qu'elle aperçoit une lumière blanche translucide. S'interrogeant sur la nature et l'origine de cette lumière, une odeur de cigarette grillée survient. Elle n'y comprend rien. Personne ne fume chez elle. Elle se frotte le nez, tente de chasser cette odeur et tout à coup elle pense à son ami Denis qui avait longtemps fumé la cigarette et qui venait tout juste de mourir d'un cancer du poumon. Au même moment, la lumière prend forme et c'est Denis qui se présente à elle. Il pleure à chaudes larmes. Ginette le console et lui dit qu'il sera toujours lié à ses proches et que son amour restera bien vivant. Elle lui rappelle qu'il est aimé et lui parle des bons moments qu'ils ont vécus ensemble. Grâce à ces paroles, Denis s'apaise. Ginette l'invite à rejoindre la lumière et elle voit Denis prendre son envol. Tout en haut, Denis lui jette un regard taquin et Ginette sent qu'il est heureux. Le chakra du cœur ouvert, Ginette a pu voir les énergies de son ami, mais c'est réellement grâce à l'odeur de fumée qu'elle a compris tout ce que ce scénario signifiait. En envoyant cette odeur, Denis savait que Ginette pourrait le reconnaître ainsi et l'aider à s'élever.

— Lors des funérailles, plusieurs endeuillés ressentent un mouvement énergétique subtil, comme une légère brise ou un tourbillon tout autour d'eux. Il survient également des phénomènes comme des bougies qui s'éteignent seules, une percée dans les nuages juste au-dessus du cimetière, une volée d'oiseaux qui suit le cortège funèbre. L'âme éprouve souvent le besoin de faire sentir sa présence à ceux qui se rassemblent en son honneur. C'est une manière de leur offrir sa reconnaissance et d'offrir l'espoir de la survie en cadeau.

Une présence confirmée

J'assiste aux funérailles du père d'une amie. Au cimetière, alors que le prêtre lui rend un dernier hommage, une abeille ne cesse de tourner autour des gens rassemblés près du cercueil. Je suis la seule à ne pas chasser cette abeille, car je sens définitivement qu'elle est une messagère du défunt, mais personne d'autre ne semble y voir la même signification que moi. Alors, dans mon cœur, je parle à l'âme du défunt et je lui dis : « Je sens que vous voulez que les gens sachent que vous êtes bel et bien là, mais l'abeille ne semble pas être le bon moyen. Si vous voulez vraiment que l'on perçoive votre présence, peut-être faudrait-il trouver un autre moyen ? » Je reprends ensuite contact avec les paroles prononcées par le prêtre qui est en train de dire : « [...] faites appel à lui. Il sera toujours là pour vous. » Au même moment, la sonnerie d'un téléphone retentit. Je ne sais absolument pas à quoi ces paroles faisaient référence puisque j'ai manqué le début de la phrase, mais je suis émerveillée par la synchronicité. Pas de doute ! Tout le monde a entendu cette sonnerie et de nombreuses personnes ont remarqué qu'elle tombait à point, y compris mon amie qui fut vraiment touchée de ressentir son papa. Elle était vraiment heureuse de voir qu'il avait pu recevoir tout cet amour qui lui était offert.

Certes, ces quelques signes n'ont rien d'exhaustif. Ces exemples sont mentionnés pour illustrer à quel point nous avons encore besoin de joindre nos proches lorsque nous arrivons dans l'astral. Ce besoin est particulièrement fort dans les premiers jours de notre traversée. Cela se compare aisément aux premiers moments d'un déménagement ou d'un voyage au loin. Fraîchement débarqués dans une nouvelle contrée, nous souhaitons ardemment partager ce que nous vivons avec les êtres aimés. Puis, la routine s'installe et ce besoin s'estompe au fur et à mesure que nous nous créons d'autres repères. Ici encore, il ne faut pas confondre cette volonté de communiquer avec les êtres chers avec le phénomène d'errance causé par un refus de se détacher. Pour pouvoir quitter la terre sereinement, les âmes ont souvent besoin d'un espace de proximité énergétique où elles peuvent mesurer l'ampleur de la relation et constater que celle-ci survit elle aussi à la matière. Cela leur permet ensuite de faire leurs adieux. Ce qui est merveilleux ici, c'est qu'au lieu que ces derniers nous plongent dans le vide de la séparation, comme c'est le cas sur terre, ils nous ramènent à l'unification. Ainsi, ces adieux empreints d'amour nous donnent des ailes.

La célébration de la vie

Les rituels funéraires existent depuis fort longtemps. Depuis leur arrivée sur terre, les êtres humains ont souligné le sens sacré de ce passage. Déjà, lors de la préhistoire, on retrouve des vestiges de rituels funéraires dédiés à la transition entre les mondes. Comme nous l'avons vu au chapitre 3, les rituels funéraires ont une grande utilité pour toutes les âmes touchées par la mort. Pour l'âme en transition, ils constituent une impulsion d'amour cruciale grâce à l'effet de levier des énergies qui sont focalisées vers cette âme. Cela contribue à la libération des attaches affectives et des liens avec la matière. Bien qu'elles n'aient pas besoin d'assister à ces rituels pour en bénéficier, de nombreuses âmes en transition viennent s'y lover et s'énergiser. Il importe cependant que le rythme de l'âme soit respecté pour que ces rituels gardent leur pleine efficacité. Autrefois, la veillée funéraire durait trois jours et elle offrait le temps nécessaire à l'âme pour apprivoiser sa nouvelle réalité dans un cadre d'amour. Elle lui permettait de prendre un moment pour se déposer, de vivre la phase de transfert des mémoires sensorielles à son rythme, de faire ses adieux et ensuite de profiter pleinement de tout l'amour offert dans les hommages funèbres. L'idée ici n'est pas de prêcher en faveur du retour des rituels d'antan, mais plutôt d'insister sur les conditions propices pour vivre ce passage sereinement. C'est davantage la réalisation de ces conditions qui donne la force aux rituels.

Le moment propice

Dans la plupart des sociétés, les coutumes funéraires ont été conçues selon une sagesse ancestrale dans le but de soutenir les âmes touchées par le passage de la mort. Nous avons vu tout au long de ce chapitre quels sont les défis que l'âme en transition doit traverser dans les premiers moments de son arrivée dans l'astral. Il importe donc de nous assurer que nos dernières volontés s'arriment avec le processus d'élévation. La tendance à tenir les funérailles trop rapidement après la mort pourra avoir des conséquences sur la transition lorsque la corde d'argent n'est pas encore rompue ou lorsque l'âme a besoin d'un temps de répit. La transition idéale est évidemment celle qui se passe rapidement et en toute conscience. L'entraînement à rester attentif au moment présent est un outil essentiel pour y parvenir. Cependant, il n'est pas garant de ce qui se déroulera durant ce passage. Voilà pourquoi, à mon avis, la sagesse ancestrale préconisait un temps de pause avant la tenue des funérailles. Ainsi, l'âme en transition, soutenue par les énergies de la prière, bénéficiait des conditions favorables pour rester centrée sur les étapes importantes à vivre au début de ce passage. L'accroissement général de l'ouverture de conscience permet d'envisager la possibilité d'écourter ce délai puisque les âmes bénéficient d'un taux vibratoire plus élevé. En conséquence, les premières étapes peuvent se dérouler rapidement. Cependant, il faut garder à l'esprit que la traversée des plans de conscience, c'est d'abord et avant tout une question d'état. Donc, c'est un processus intérieur qui suit le rythme de l'individu. Voilà pourquoi il importe d'offrir aux âmes en transition cet espace propice à la centration.

Pour nous assurer une transition qui nous convient, il serait préférable de prévoir un tel espace dans nos dernières volontés, particulièrement si nous sommes de nature à prendre notre temps devant de grands changements.

Laisser le corps reposer en paix

Idéalement, après la mort, il est préférable de laisser le corps reposer durant quelques jours. Cela signifie de ne pas « disposer » du corps immédiatement après la mort. Autopsie, incinération, embaumement sont des manières de se défaire du corps. Évidemment, certaines urgences ou circonstances ne peuvent attendre ce délai. Alors, il faut s'assurer que la perturbation de l'espace de paix est la plus brève possible. Pour respecter les normes d'hygiène actuelles, le corps peut être réfrigéré durant ce temps. En fait, du point de vue de l'âme, l'endroit où sera conservé le corps importe souvent moins que l'attention, les soins et l'amour qui lui sont prodigués. Elle a surtout besoin de calme. Prières et soutien sont des cadeaux inestimables en attendant l'élan de propulsion qui lui sera offert lors des rituels funéraires. Dans l'énergie, la proximité du corps n'est pas nécessaire. L'important, c'est la pleine présence de cœur envers cet être en transition. Alors, le soutien à l'âme en transition peut débuter dès le moment où l'âme s'engage dans ce passage.

Enterrement ou incinération

De nombreuses personnes s'interrogent sur le mode de « disposition » le plus favorable. En fait, avant de répondre à cette question, il faut faire une précision. Ce qui est véritablement le plus favorable pour le processus d'élévation, c'est que l'enterrement ou l'incinération ait lieu après la rupture de la corde d'argent. Si l'incinération a lieu avant ce moment, le transfert des mémoires sensorielles en sera influencé. L'embaumement et l'enterrement, s'ils sont effectués avant cette rupture, interfèrent un peu moins dans le transfert que l'incinération puisqu'ils ne dissolvent pas le corps physique et éthérique. Cependant, ils peuvent causer une perturbation de ce mouvement puisque l'âme sera distraite par ce qui se passe dans ces corps denses et autour de ceux-ci. Après cette rupture, les impacts du mode de « disposition » sur la transition sont moindres. Certes, l'incinération facilite l'envolée puisqu'elle détruit tout lien avec les corps de matière dense. Par contre, il faut que celle-ci s'arrime avec nos valeurs et nos croyances.

En effet, choisir l'incinération si elle va à l'encontre de ce que nous sommes peut être source de perturbations tant ici-bas que dans l'au-delà. Cependant, avant de trancher la question définitivement, il faut aussi prendre en compte qu'une fois hors du corps, notre perception des choses se transforme. Nos peurs et nos angoisses essentiellement matérielles sont souvent diminuées. Par exemple, plusieurs personnes disent qu'elles ne veulent pas opter pour l'incinération parce qu'elles ont horreur du feu ou qu'elles ne veulent pas être enterrées parce qu'elles sont claustrophobes. Ces peurs viennent du fait que nous avons l'impression que c'est nous qui allons réellement être mis en terre ou brûlés. Cela est tout à fait justifié lorsque nous sommes incarnés, car nous nous identifions totalement à notre corps. Cependant, dès que nous constatons que nous sommes toujours vivants malgré la perte de notre corps physique, la peur de ce qui peut arriver à ce dernier n'a plus de raison d'être, sauf évidemment si nous y sommes profondément attachés. Ainsi, lorsque nous préparons nos dernières volontés quant à la « disposition » de notre corps physique, une réflexion s'impose pour qu'elles reflètent ce à quoi nous aspirons et non pas ce qui nous freine ici dans la matière.

Dépouille et cendres

Après avoir « disposé » du corps, est-ce nuisible de maintenir des liens avec ce qui reste de la dépouille : corps enterré ou cendres ? Une fois la corde d'argent rompue, les corps denses n'ont plus d'utilité pour l'âme en transition et, de manière générale, cette dernière s'identifie alors à ses corps subtils. En conséquence, elle n'a généralement plus d'intérêt pour ses véhicules physique et éthérique, sauf si elle y est très attachée. Alors, le corps enterré se compare à un vieux vêtement dont elle vient de se départir. Cela est d'autant plus vrai pour les cendres. Du point de vue de l'âme, le lien d'attachement profond qui l'unit à ses proches ne relève absolument plus de la matière dense, mais de l'amour que chacun d'eux se voue mutuellement. Pour elle, ce lien peut être nourri sans passer par une référence au corps ou aux cendres puisque l'âme ne s'y trouve plus. Par contre, pour les endeuillés, le corps physique ou les cendres sont la dernière représentation tangible de l'être cher. Celle-ci les aide à entamer le travail de deuil et de transformation de la relation. Les incidences des liens d'attachement avec le corps ou les cendres s'évaluent en fonction des intentions que nous attribuons à ces liens. S'ils servent d'attache pour refuser le départ de l'être cher, cela pourra nuire à l'élévation de l'âme en transition et au rétablissement de l'endeuillé. Au contraire, s'ils servent de point de recueillement pour nourrir l'amour et augmenter le taux vibratoire, ils auront un effet bénéfique pour toutes les âmes concernées. Ce qui compte réellement, c'est l'intention et non pas le fait que celle-ci soit tournée vers le corps ou vers les cendres.

Il faut aussi mentionner que l'effet de la séparation étant plus grand pour les endeuillés, l'endroit où sont conservées les restes de la dépouille devient un lieu de rassemblement et de recueillement. Des études démontrent qu'il est plus difficile de faire un deuil lorsqu'il n'y a pas d'endroit de recueillement rattaché spécifiquement au défunt. C'est le cas notamment lorsque le corps n'est pas retrouvé, lorsque les cendres sont dispersées dans la nature ou qu'elles sont réparties entre les membres de la famille du défunt ou encore qu'elles sont gardées dans un lieu privé. La présence du corps ou de toutes les cendres symbolise la présence de l'être cher. Ne sachant pas ce qu'il est advenu du défunt ou encore ne pouvant figurer où il se trouve exactement, la sensation de vide ou de séparation s'intensifie. Ainsi, le lieu de commémoration dédié aux morts facilite le recueillement, favorise le détachement et, en conséquence, accélère le travail du deuil[25]. La dispersion des cendres ne nuit pas directement à l'âme dans sa transition, mais selon son état, il est possible que la difficulté qu'elle engendre relativement au deuil de ses proches vienne la perturber.

Est-ce la même chose qui se produit lorsque l'on garde les cendres du défunt à la maison quand cela est permis par la loi ? Ici, ce qui peut poser problème autant pour l'âme en transition que pour les endeuillés, c'est l'attachement disproportionné qui risque d'en découler. En *laissant les morts avec les morts*, il y a nécessairement un espace de détachement non seulement physique, mais également psychologique, qui se crée. Lorsque les morts partagent notre quotidien, il peut être plus difficile de transformer la relation et nous risquons de rester attachés à ce qui a été. Ce lien n'aura alors plus rien de sain et il ralentira le cheminement de l'endeuillé et, potentiellement, celui de l'âme en transition, si celle-ci est de nature à se sentir responsable de la souffrance de ses proches. Puisque le travail du deuil impose un détachement, il est sans doute préférable de susciter les conditions propices dès le départ, en laissant les cendres au mausolée. De plus, le choix de ne pas laisser les cendres dans un endroit établi à cette fin a des conséquences qui vont bien au-delà de l'attachement individuel. Comme Luce Des Aulniers, docteure en anthropologie, le souligne, « [...] dans le "maintien à domicile" des cendres comme dans leur dispersion, ce qui demeure éloquent, c'est la disparition de la collectivité des morts[26] ». Le passage de la mort est ainsi réduit à un événement privé où la communauté est exclue. Il importe donc, avant de faire ce choix, d'en peser les effets à court et à long terme, surtout si notre intention est la dispersion des cendres. C'est la pérennité de la mémoire du défunt qui en dépend.

La mort est bien davantage qu'un passage individuel. Elle concerne de nombreuses âmes qui devront elles aussi transformer leur état pour s'adapter à cette nouvelle réalité. La tendance actuelle à l'individualisme dans notre société vient modifier nos manières d'honorer le passage de la mort. L'important ici est de bien doser nos dernières volontés afin qu'elles servent aussi les besoins des âmes concernées.

La connaissance de ce qui se trame sur le plan énergétique en facilite l'établissement et permet d'intégrer nos proches pour en faire un mouvement collectif d'élévation. Ainsi, tout ce qui a trait à la mise en œuvre de nos dernières volontés devient une occasion de réunion dans l'énergie pour célébrer la continuité de la vie et son caractère sacré. Sous cet angle, la préparation à la mort n'a plus rien de lugubre. Au contraire, elle se compare à la préparation du plus beau des voyages.

La mort n'est qu'un passage de la vie qui se vit exactement comme nous vivons notre incarnation. Attendre la mort pour la vivre revient à dire que tout au long de notre incarnation, nous relayons à plus tard tout ce qui nous ramène à nous-mêmes, tout ce qui nous fait peur, tout ce qui exige un dépassement, tout ce qui nous incite à élever nos vibrations ou encore tous les apprentissages qui nous sont présentés. Vivre exige de plonger vers l'inconnu et d'oser croire en notre lumière pour découvrir toute la beauté et la grandeur de la vie. Vivre, c'est être près de notre être, de notre essence divine. C'est alors que nous touchons à l'essentiel, que la vie se savoure pleinement et qu'elle prend tout son sens. En communion avec la vie, nos relations avec nos proches et avec tout ce qui nous entoure sont magnifiées. Osons plonger dans les grandes questions existentielles pour transformer notre manière d'être, pour donner encore plus de vie à notre incarnation. Notre passage vers l'au-delà n'en sera que plus vivant encore.

Résumé

- La mort idéale est celle qui a été préparée et acceptée par la personnalité et qui se vit en conscience. La mort subite, violente ou qui se produit durant le sommeil représente un choc pour la personnalité et comporte, à ce titre, plus de risques de ralentissement du processus d'élévation.

- La mort cérébrale n'est qu'une étape du processus de la mort. Ce dernier commence par le retrait des énergies dans les extrémités et toute une série de manifestations physiques. Il se termine par la rupture de la corde d'argent.

- Le coma est préparatoire au passage de la mort, ou réparateur, si l'âme décide de réintégrer son corps et de poursuivre son incarnation.

- Il y a trois portes de sortie : le chakra du plexus solaire, le chakra du cœur et le chakra coronal.

- Il est possible de voir l'énergie vitale sortir du corps physique et se loger tout près de lui.

- Dans l'au-delà, notre état détermine ce que nous vivons. Si nous sommes conscients de la mort, nous commençons par apprivoiser les nouvelles sensations que nous procure la libération du corps physique.

- Au moment de la sortie du corps ou dans les premiers instants de conscience dans l'au-delà, nous assistons à la première revue de vie, qui se déroule du dernier instant de vie à la naissance.

- La traversée dans l'au-delà donne la sensation de passer à travers un sas énergétique, comme un tunnel ou une spirale qui nous conduit à un plan plus lumineux.

- De l'autre côté de ce sas nous attendent les défunts qui nous sont chers, les êtres de lumière, les guides ou les aides célestes en qui nous croyons.

- Les premières étapes qui suivent la sortie du corps physique ressemblent à la description scientifique des EMI.

- Les EMI représentent un aperçu partiel du processus de la mort qui décrit le retrait de la conscience dans le corps émotionnel et s'interrompt à ce stade par le retour dans le corps physique.

- Les premiers moments dans l'au-delà servent à amorcer le détachement de la terre.

- Mourir, c'est un deuil pour l'âme en transition et elle a besoin de temps pour accepter sa nouvelle réalité, pour se déposer, pour se reposer et refaire ses énergies.

- L'âme qui quitte la terre a besoin de faires ses adieux, de joindre ses proches pour les réconforter, les prévenir, demander de l'aide ou simplement leur faire savoir qu'elle est toujours là.

- Le mode de « disposition » revêt une importance avant le délai de trois jours.

- La façon de conserver des cendres ne nuit pas à la transition de l'âme, mais elle peut avoir des incidences importantes sur le détachement des endeuillés et sur la perpétuation de la mémoire des défunts.

≈ Chapitre 5 ≈

La suite du voyage dans l'au-delà

Seules les religions orientales (l'hindouisme en particulier) ont compris qu'il [NDA : les auteurs parlent ici de visions de paradis verdoyants, enfer, jugements de l'âme] ne s'agissait en l'occurrence que d'une étape dans le voyage de l'esprit et que ces paysages (infernaux ou paradisiaques) ne dépendaient que de l'état d'esprit du défunt, n'étaient créés que par sa pensée, n'avaient d'autre existence que dans son esprit. De notre point de vue, cette phase serait lumineuse, c'est-à-dire qu'elle se produirait au moment où la conscience du défunt serait encore imprégnée de particules lumineuses, après avoir traversé le mur de la lumière. Tous les besoins terrestres (faim, soif, sommeil, douleur) sont abolis. Le défunt a l'impression d'être un pur esprit, mais il est encore attaché au monde sous-lumineux par de nombreux liens : c'est pourquoi il a besoin de se créer un environnement conforme à ce qu'il a connu au cours de sa vie terrestre (champs, rivières...).

Régis et Brigitte Dutheil, *L'homme superlumineux*, p. 162-163

*Q*u'est-ce qui se passe après ces premiers moments dans l'au-delà ? Cette question nous brûle les lèvres. Comment vivons-nous là-haut et avec qui sommes-nous ? Nous sommes curieux de voir comment cela fonctionne, mais il nous est souvent difficile d'imaginer à quoi un monde intangible peut ressembler. Sur terre, une grande partie de nos points de référence est basée sur un environnement concret et tangible. La plupart de nos actions relèvent d'une interaction avec le monde extérieur. C'est normal puisque nous venons expérimenter les effets de la matière. C'est donc à travers elle que nous agissons et c'est très souvent par elle que nous nous définissons. Des qualificatifs comme *père*, *sœur*, *médecin*, *infirmière*, *ami*, *sans emploi*, *propriétaire*, *célibataire*, *citoyen* ou *majeur* en sont de belles illustrations. Quand nous cherchons à savoir ce qui arrive dans l'au-delà, c'est souvent avec ce même cadre de référence que nous tentons d'en avoir un aperçu. C'est alors que les choses se compliquent. En effet, l'au-delà sert à l'exploration des diverses facettes de la conscience de Soi. En conséquence, notre cadre de référence devient un monde intérieur et ce que nous y accomplissons se décrit à l'aide de ces références internes. Ainsi, non seulement le point de vue est totalement différent, mais, inévitablement, nos actions et notre environnement le seront aussi. Il faut donc garder à l'esprit que l'au-delà ne vise plus l'expérimentation de la matière, mais, il vise à explorer les émotions, les

> **❧ *Saviez-vous que...***
>
> *Les physiciens ont découvert, grâce à des calculs mathématiques, que l'Univers recèle de multiples dimensions au-delà de notre monde familier tridimensionnel. À ce jour, nous croyons qu'il existe au moins dix dimensions. L'une des scientifiques les plus reconnues dans ce domaine est Lisa Randall, une physicienne d'Harvard qui explique ce sujet en détail dans son livre* Warped Passages: Unraveling the Mysteries of the Universe's Hidden Dimensions.
>
> Dr Sam Parnia, auteur et fondateur du Consciousness Research Group
>
> Tiré de *Que se passe-t-il quand nous mourons ?*, p. 190-191

désirs, les sentiments, les habiletés. Une très belle illustration de ce qui nous attend là-haut vient d'être portée au grand écran par la 20th Century Fox. Il s'agit du film brésilien *Nosso Lar* (*Notre demeure*) inspiré de l'œuvre, portant le même titre, du médium Chico Xavier[1].

En cours de lecture, vous pouvez vous référer au tableau de l'annexe 1 qui résume les étapes de la traversée de l'au-delà durant le cycle d'incarnations. Il donne une idée d'ensemble et il permet de situer rapidement chacune des étapes. Cependant, il importe de mentionner que l'au-delà est beaucoup plus vaste et il y aurait bien d'autres éléments à aborder pour parvenir à dresser un juste portrait de sa réalité. Comme cette exploration déborderait largement des objectifs de ce livre, j'ai volontairement limité la visite de l'au-delà à ce qui se rattache directement au processus de la mort.

1 - La première étape dans l'au-delà : l'astral

L'astral, c'est le premier plan que nous visitions après être sortis de notre corps physique, et ce, après la mort ou durant le sommeil. Il évoque souvent un lieu de prédilection où les défunts se retrouvent pour passer le reste de leur vie dans l'amour et la lumière. Plusieurs personnes croient que l'astral correspond au ciel, à la lumière ou encore à tout ce que nous réserve l'au-delà. De nombreux médiums qui communiquent avec les défunts perpétuent cette croyance en transmettant des messages d'âmes qui ont atteint les niveaux supérieurs de ce plan. Cela laisse alors l'impression que ces défunts ont atteint le summum, alors qu'en fait ils ne font que commencer à savourer ce qui les attend après la mort. Comme le titre de cette section l'évoque, l'astral n'est que la première partie du voyage dans l'au-delà.

Qu'est-ce que l'astral ?

L'astral, c'est un plan transitoire qui nous permet de faire le ménage dans nos bagages émotionnels. Depuis le début du livre, il a été souvent mentionné qu'après la mort, nous apportons tout le bagage émotionnel accumulé sur terre. Nous arrivons donc dans l'astral avec ces bagages, comme le voyageur arrive avec les siens dans un nouveau pays. Que fera-t-il alors ? Il les rangera et prendra ce dont il a besoin pour son séjour. Tout comme lui, nous ferons un premier tri de ces bagages. Ce grand nettoyage nous permettra de nous départir des émotions et des désirs lourds que nous avons accumulés en cours d'incarnation. Les désirs sont des attaches à la matière, qui engendrent des états émotionnels souvent associés à la peur, au contrôle, à la possession, au pouvoir, à la colère, à l'insécurité et à la dépendance. Ils vont donc complètement à l'encontre du mouvement d'élévation qui requiert acceptation, lâcher-prise, confiance et détachement. C'est pourquoi la première étape du voyage dans l'au-delà nécessite de faire le tri de tout notre bagage émotionnel afin de ne garder que le beau et le bon de nos expériences terrestres. En d'autres termes, c'est durant cette phase transitoire que nous nous départons de nos sacs de sable et de nos ancrages pour ne garder que l'air chaud qui nous permettra d'accéder à d'autres niveaux de l'au-delà.

Dans le livre *Ils nous parlent…entendons-nous ?*[2], je parle de l'astral comme d'une étape transitoire avant de passer à un plan plus lumineux. Cette étape est nécessaire, car elle contribue à l'accroissement de nos vibrations. En effet, en quittant la terre, nous sommes encore habités par les désirs et les émotions que nous n'avons pas liquidés avant la mort. Ceux-ci nous maintiennent dans de basses fréquences jusqu'à ce que nous cessions de les nourrir. Il nous faudra y renoncer, c'est-à-dire en faire le deuil et accepter de les laisser aller pour parvenir à élever nos vibrations. Cela n'a rien de nouveau puisque nous connaissons déjà ce processus de transformation pour l'avoir vécu ici-bas chaque fois que nous avons accepté de changer une habitude, fait un deuil ou renoncé à un désir qui nous était cher. Nous y reviendrons un peu plus loin.

Comment c'est fait ?

Ingénieusement conçu, l'astral se subdivise en sept niveaux vibratoires qui correspondent chacun à un type de désirs et d'émotions allant des plus vils aux plus élevés. Sur terre comme au ciel, c'est la loi d'attraction qui régit nos expérimentations. Si nos pensées et nos actions sont axées sur des énergies élevées, nous attirons des énergies élevées. Inversement, lorsque nous émanons de basses vibrations, nous attirons à nous des énergies similaires. À titre d'illustration, imaginons seulement ce qui se passe lorsque nous sommes amoureux ! Nous vibrons l'amour et la réponse d'attraction est que nous recevons de l'amour en retour. Inversement, la colère que nous émanons nous rapporte des énergies désagréables. Sur terre, il nous est parfois difficile de faire le lien entre ce que nous émanons et ce que nous recevons en retour, car la loi d'attraction met plus de temps à manifester la réaction à nos vibrations. Dans l'au-delà, l'effet de cette loi est immédiat. Alors, telle la limaille de fer en présence de l'aimant, dès que nous arrivons dans l'astral, c'est notre vibration du moment, donc notre état, qui détermine par attraction le niveau vibratoire sur lequel nous serons automatiquement amenés.

Cette attraction représente en fait une invitation à la libération des désirs associés à ce niveau vibratoire. Nous y sommes attirés parce que, durant l'incarnation, nous avons nourri ce type de désirs et d'émotions et qu'ils sont encore bien actifs en nous. Nous séjournerons sur ce niveau jusqu'à ce que nous soyons prêts à nous en défaire. La loi d'attraction nous conduira alors vers la prochaine attraction vibratoire qui résonne en nous, et ainsi de suite, jusqu'à ce que nous atteignions le premier niveau de l'astral. Ainsi, la traversée de l'astral passe par les sept niveaux vibratoires, mais nous n'arrêtons que sur les niveaux qui correspondent à des désirs actifs en nous. Cela nous permet d'en faire le deuil. C'est donc d'un niveau vibratoire à un autre que nous parvenons à nous détacher de la terre et de la matière et des attaches énergétiques que constituent les désirs et les émotions.

Toutes les âmes séjournent dans l'astral, même les plus évoluées. Cependant, ces dernières accèdent beaucoup plus rapidement aux niveaux supérieurs, car, grâce à leur cheminement spirituel, le ménage des désirs et des émotions a été effectué et il ne leur reste que peu ou pas de sacs de sable à se départir. Ainsi, il n'y a aucune attraction sur les niveaux inférieurs et elles se retrouvent sur l'un des niveaux supérieurs pour achever la libération des désirs qui peuvent encore rester dans leur bagage. Cela veut donc dire qu'il est fort avantageux de commencer tout de suite durant l'incarnation à libérer toutes les émotions denses et les désirs. Non seulement cela nous permettra de vivre une incarnation plus harmonieuse sans ces énergies plus lourdes, mais en plus nous aurons accès plus rapidement aux belles énergies de l'astral lorsque le temps sera venu pour nous de gravir les divers paliers de l'au-delà. Voyons plus en détail comment cette traversée s'effectue.

La traversée de l'astral

Comme mentionné plus haut, c'est la loi d'attraction qui fixe le parcours de l'âme dans l'astral. Pour mieux comprendre comment s'effectue cette traversée, commençons par voir à quoi ressemblent les divers niveaux de ce plan de conscience en partant du plus bas niveau vibratoire jusqu'au plus élevé. Évidemment, il importe d'envisager ces divers niveaux d'un point de vue énergétique et non comme un jugement de valeur.

Une courte visite

- Le septième niveau attire les vibrations associées aux désirs corporels, aux bas instincts, aux comportements destructeurs et aux intentions mesquines et malsaines. Se retrouvent sur ce plan les êtres dont la conscience est peu élevée et pour qui la satisfaction des instincts primaires passe avant toute chose. Êtres dépravés, méchants et mal intentionnés y séjournent.

- Le sixième niveau attire les vibrations d'attachement profond à la matière et celles associées aux états d'inconscience. C'est là le niveau de prédilection de l'errance qui attire tous ceux qui n'ont pas pris conscience de leur mort ou qui sont aveuglément attachés à la matière, à leur corps ou à un être cher.

- Le cinquième niveau attire des vibrations associées aux émotions denses (tristesse, colère, frustration, envie, jalousie, etc.). C'est sur ce plan que les êtres emmurés dans leurs émotions se retrouvent, ceux qui n'ont pas offert ou reçu un pardon et qui s'y accrochent obstinément, ceux qui n'ont pas accepté la mort et qui s'entêtent à rester près de la terre. De nombreux suicidés s'y retrouvent, à cause d'émotions lourdes qu'ils portent en eux. On y trouve aussi les êtres qui sont très préoccupés par un aspect matériel non résolu avant la mort.

- Le quatrième niveau attire des vibrations associées aux sentiments nobles, c'est-à-dire l'amour, la générosité, l'altruisme, le partage, le respect, la bonté ou encore l'amitié. C'est le niveau intermédiaire de l'astral où commencent à régner des vibrations plus agréables. Il regroupe les êtres de cœur qui, de manière générale, ont cherché à faire le bien durant leur vie, qui ont été aimants et qui ont traité les autres avec égard, mais qui sont encore attachés à leurs proches. De nombreux êtres qui souhaitent demeurer près de leur famille dans le but de les aider se retrouvent sur ce niveau.

- Le troisième niveau attire des vibrations associées aux désirs rattachés à la connaissance matérielle, c'est-à-dire l'attachement et le pouvoir inhérents aux idées matérielles. Il regroupe les êtres qui ont développé leur pouvoir de création sur terre, peu importe leur domaine d'activité, mais qui demeurent attachés à leurs créations matérielles ou à leurs capacités créatrices.

- Le deuxième niveau attire des vibrations associées aux désirs dévots ou spirituels. S'y retrouvent les êtres qui ont passé une bonne partie de leur vie à développer des outils spirituels pour servir les autres, mais qui s'en servent à des fins très matérielles ou qui sont attachés aveuglément aux enseignements ou aux maîtres.

- Le premier niveau attire des vibrations associées aux désirs inhérents aux pensées abstraites. Il regroupe les grands penseurs, les philosophes, les scientifiques qui se penchent sur les grandes questions de la vie, mais qui sont attachés à leurs idées et à leurs idéaux.

Sur quel niveau allons-nous ?

Comme nous l'avons vu plus haut, c'est la loi d'attraction qui détermine où nous allons après la mort. Nous serons donc attirés vers le niveau vibratoire qui correspond à notre niveau vibratoire au moment de la mort. Puisque notre taux vibratoire est influencé par nos pensées, celles-ci auront donc une importance capitale pour fixer le lieu de notre réveil dans l'astral. Mais comment cela se passe-t-il au juste ? Voyons quelques exemples pour comprendre le processus.

Dans un premier temps, imaginons qu'un être de cœur pense à ses bien-aimés et qu'il leur envoie de l'amour juste avant sa mort. Cette pensée lumineuse reflète ce qu'il est et ce qu'il a été durant sa vie. Alors, immédiatement après sa mort, ce dernier se réveillera sur la quatrième subdivision de l'astral, tant qu'il sera porté par cette dernière pensée. Après, ce sont ses bagages, les fameux sacs de sable qui déterminent où il ira. S'il n'a pas accumulé de désirs qui correspondent aux trois premiers niveaux de l'astral durant l'incarnation, il demeurera sur la quatrième subdivision puisque c'est celle-ci qui correspond à son état et à ce qu'il a nourri sur terre. S'il possède une attirance vibratoire pour l'un des niveaux inférieurs, il y séjournera le temps de faire le ménage des désirs qui correspondent à cette vibration. Ensuite, il reviendra au quatrième niveau où il libérera les attachements à ses proches, c'est-à-dire tous les désirs de protéger les siens, de les réconforter, de ne pas les abandonner, de leur faire plaisir, d'être là pour eux, etc. Lorsqu'il aura compris que l'amour qui les unit pourvoira toujours à cela, il s'élèvera vers les autres niveaux de l'astral et il s'y attardera si son bagage contient des désirs qui correspondent à leur taux vibratoire.

Prenons un autre exemple. Si un être qui est généralement bon meurt d'une crise cardiaque alors qu'il bout de colère contre son voisin. Il lui en veut et il souhaite lui régler son cas, mais son cœur flanche sous la pression. À cause de ces pensées remplies de colère, son réveil dans l'astral se passera dans la cinquième subdivision, celle associée aux émotions, à moins que sa colère ne soit telle qu'elle ait réveillé en lui des instincts primaires. Dans ce cas, le réveil serait sur le septième niveau de l'astral. Il restera sur l'une de ces deux subdivisions jusqu'à ce qu'il sorte de cette colère. Loin d'être une punition, c'est une simple application de la loi d'attraction qui le propulse vers la même énergie qu'il dégage. Ensuite, ce sont les désirs accumulés dans ses sacs de sable qui le mèneront à gravir les divers niveaux de l'astral. Il séjournera plus longuement sur la subdivision qui correspond à son état ; dans ce cas-ci, c'est la quatrième.

Enfin, voyons une dernière illustration. Imaginons qu'un être ait passé une vie assez difficile vivant sans cesse déception, frustration et jalousie et qui, juste au moment de sa mort, vit une ECA dans laquelle il voit et ressent toute la beauté de la lumière. Ses vibrations s'élèvent alors et lui procurent une dernière pensée fabuleuse. Cette dernière pensée le mènera au deuxième niveau de l'astral, là où règnent les vibrations associées aux désirs d'éveil. Son séjour sur ce plan durera tant que cette pensée sera nourrie en lui. Ce phénomène est similaire à ce qui se passe en méditation ou dans une visualisation lorsque nous touchons à un état plus élevé que le nôtre. Ce moment perdure tant que nous sommes capables de le vivre en conscience. Ensuite, cet être sera ramené par attirance vibratoire à ce qui compose ses bagages énergétiques. Si belles et si grandes soient ces vibrations, si nous ne sommes pas entraînés à les soutenir, nous sommes automatiquement ramenés vers celles qui correspondent à notre état général. Cela signifie que cet être sera attiré vers la cinquième subdivision pour se départir de son bagage émotionnel accumulé durant l'incarnation. Cependant, la vision qu'il a eue de la lumière a créé en lui une ouverture de conscience, et cela l'aidera à accélérer sa libération pour ensuite traverser les autres niveaux de l'astral.

Ces exemples nous permettent de voir l'impact de nos expériences de vie. Tous les efforts investis ici-bas pour nous défaire des émotions et des désirs néfastes nous aident à traverser l'astral plus rapidement. Au contraire, tout ce que nous accumulons sans le régler alourdit notre envolée. Combien de sacs avons-nous dans notre nacelle ? Cette question est cruciale, car la réponse fixe la durée du séjour dans l'astral. De plus, la composition du bagage accumulé importe aussi, car elle fixe la nature de ce que nous vivrons dans l'astral. En effet, si ces sacs sont composés de désirs qui nous ramènent dans les plus bas niveaux de l'astral – cinquième, sixième et septième –, le séjour y sera beaucoup moins agréable que si nous accédons au plan intermédiaire – quatrième – ou aux trois plans supérieurs. La traversée des plans de conscience varie donc énormément d'une âme à l'autre selon les désirs et les émotions qu'elle a nourris tout au long de son incarnation.

Il est souvent tentant d'essayer de déterminer sur quel niveau l'âme d'un être cher se retrouve après sa mort ou d'établir où nous irons après la nôtre. Or, cela est extrêmement difficile puisqu'il y a plusieurs facteurs à prendre en compte. Seule l'âme concernée peut y répondre. Gardons à l'esprit que cette présentation des niveaux de l'astral vise à donner une idée du cheminement que nous devons traverser durant le processus d'élévation et à déterminer la trajectoire d'une âme. Ici-bas, n'oublions pas que notre vision est faussée par le voile de notre personnalité. Notre point d'observation ne nous procure pas les éléments nécessaires pour tirer la bonne conclusion. Comme le randonneur sur le sentier en forêt, nous ne voyons qu'une infime parcelle du tableau. De cette manière, toute tentative de positionnement représente un risque d'égarement, tant pour nous-mêmes que pour comprendre le trajet d'un être cher. C'est la personnalité qui désire avoir cette information pour se rassurer. Seule la vision du cœur peut nous procurer l'apaisement que nous cherchons à ce sujet. De là, notre position dans l'échelle ascensionnelle ou celle d'un être cher décédé n'importe plus. Le contact avec notre nature profonde nous fait voir que tout positionnement a sa raison d'être et qu'il est au service de l'évolution des âmes.

Combien de temps y séjournons-nous?

Le temps n'est pas un concept applicable à l'au-delà. Il est donc difficile de parler de durée. Par contre, le passage dans l'astral a effectivement une durée définie. Nous demeurons dans l'astral jusqu'à ce que nous ayons lâché prise sur nos désirs et nos émotions terrestres. Pour certains, cela peut prendre beaucoup de temps. C'est notamment le cas pour les êtres inconscients de leur mort, pour ceux qui refusent obstinément d'accepter la mort ou de quitter la terre. Pour d'autres, cette traversée sera rapide. Bref, la durée du séjour dans l'astral dépend de nos résistances à vivre ce passage et de nos attachements à la matière.

À quoi ressemble l'astral?

L'astral est le premier plan qui sépare la terre des autres plans énergétiques. On l'imagine de bien des manières, mais comme ses énergies sont près de la matière dense, la majeure partie de son organisation et de son apparence ressemble beaucoup à l'environnement terrestre. Les formes et les objets y sont donc encore très présents. Il y a des paysages, des bâtiments et des animaux. Il y a des maisons, des écoles, des parcs, des hôpitaux, des lieux de ressourcement, des endroits de villégiature et des lieux de prières. Bref, tout nous est familier. Étrangement, par contre, l'apparence de tout ce qui se trouve dans l'astral est plus lumineuse que ce que nous pouvons percevoir sur terre. Cela semble difficile à concevoir puisque nous avons l'impression que parce qu'il s'agit d'un plan plus subtil, tout ce que nous y voyons devrait être plus vaporeux. C'est le cas lorsque nous regardons cet environnement avec nos yeux humains. Cependant, dès que nous sommes en dehors du corps physique, c'est la vision du cœur qui nous donne cette clarté. Alors, tout ce qui se trouve dans l'astral semble bien plus réel que la matière dense. D'ailleurs, sur la sixième subdivision se trouve le double éthérique de tout ce qui existe sur terre. Cette subdivision est donc une copie conforme des lieux, des objets et des formes qui nous entourent. Dans l'astral supérieur, la ressemblance avec la terre diminue, car les attachements à la réalité matérielle sont moindres. Nous avons alors accès à des décors de plus en plus majestueux où les couleurs, les objets, les bâtiments et les formes commencent à ressembler aux élucubrations les plus folles de notre imaginaire.

Un des aspects de l'astral qui étonne est le fait que l'environnement se moule sur nos pensées et sur notre état. En effet, nos pensées sont créatrices. Cela s'explique par la loi d'attraction que nous avons vue plus tôt et par la loi de cause à effet qui implique que toute action engendre une réaction. Ainsi, la pensée que nous nourrissons crée une réaction dans la matière. Donc, ces deux lois s'appliquent où que nous soyons dans les plans de conscience. Toutefois, quand nous sommes incarnés, la matérialisation de nos pensées et de nos désirs prend beaucoup plus de temps à s'effectuer. Il nous est alors difficile d'en voir les effets. Le passage dans l'astral nous offre cette possibilité puisque toutes nos pensées se matérialisent instantanément, les lumineuses comme les sombres. Nous pouvons donc créer à volonté tout ce que nous désirons consciemment ou encore reproduire nos désirs les plus inconscients. Dans un cas comme dans l'autre, cela est bénéfique pour nous permettre de conscientiser ce que nous nourrissons. Les créations lumineuses à répétition finissent par susciter un désintérêt de la matière. Un peu comme ici-bas, lorsque nous avons tout l'argent du monde, il nous faut découvrir une autre motivation que celle de l'acquisition de biens. Sinon, la vie devient rapidement lassante. Les créations sombres, quant à elles, nous amènent à en vivre les répercussions désagréables, voire souffrantes. C'est ce moteur d'inconfort qui nous invite à en sortir au fur et à mesure que nous libérons les énergies néfastes de ces créations sombres.

Que faisons-nous dans l'astral ?

Libération des émotions

Concrètement, que faisons-nous dans l'astral ? Comme mentionné plus haut, nos activités sont principalement axées sur la libération de nos sacs de sable. Cependant, avant d'entamer ce grand ménage, il est possible que nous ayons besoin d'un temps de régénération pour pouvoir nous y consacrer pleinement. Cela survient notamment si nos corps énergétiques ont été lourdement minés par nos actions terrestres, par le type de mort que nous avons vécu ou par la résistance effrénée que nous avons engagée contre la mort. Donc, après avoir vécu les premières étapes dont nous avons parlé au chapitre 4, l'une des premières choses que nous ferons est de dormir. Nous avons souvent peine à nous imaginer que les âmes peuvent dormir. En fait, il s'agit d'une période de repos où l'âme sombre dans un sommeil profond qui dure le temps nécessaire à la régénération des corps énergétiques. Cela peut donc s'étaler de quelques heures à plusieurs jours. Cette période ressemble étrangement à une nuit de sommeil, lorsque nous sommes épuisés et que nous dormons si profondément que la nuit paraît avoir passé en un éclair.

Durant ce temps de repos, nous ne sommes évidemment plus disponibles pour quoi que ce soit, y compris communiquer avec la terre. Plusieurs personnes s'inquiètent de ne pas recevoir de signes d'un être cher après sa mort. De nombreux facteurs peuvent expliquer cette situation, dont la phase de sommeil. Un autre facteur est le type de personnalité. Dans l'astral, nous sommes encore imprégnés par les influences de notre personnalité. Alors, celle-ci viendra inévitablement jouer en matière de communication avec la terre. Certains types de personnalité ne sont tout simplement pas capables d'entrer en relation avec leur entourage lorsqu'ils vivent des moments intenses. Ils s'isolent dans leur bulle intérieure. D'autres ne reviennent jamais en arrière lorsqu'ils ont tourné la page. D'autres encore ont peur de déranger ou d'augmenter la peine de leurs proches et préfèrent rester loin. Dans tous ces cas, l'absence de signe ne relève pas d'un problème d'écoute des êtres chers encore incarnés. Toute communication implique deux interlocuteurs. Les difficultés à communiquer ne viennent donc pas seulement d'un côté du voile. Il faut donc éviter de toujours remettre en cause notre capacité d'écouter une âme. Parfois, nous n'entendons rien parce qu'il n'y a tout simplement pas de message. Cette absence de message ne signifie pas non plus une coupure du lien d'amour qui nous unit à l'être cher décédé. Ce lien ne se rompt jamais.

> ## *La réalité*
>
> *Le monde dans son essence n'est que le reflet, ni plus ni moins, de ce que nous sommes à l'intérieur de nous : nos pensées, sentiments, émotions, croyances, prières... Le professeur en physique de l'université de Princeton, le Dr John Willer, explique précisément ce concept dans un entretien récent. Selon lui, nous vivons dans ce qu'il appelle* un univers participatif. *Au lieu de considérer l'Univers comme étant déjà créé, avec nous en son milieu y vivant nos expériences, le Dr Willer déclare que l'Univers est le résultat, le reflet de ce que nous faisons dans nos vies. Nous sommes des particules de l'Univers qui le regardons et le créons tout au long du processus.*
>
> Tiré de *La science des miracles*
> de Gregg Braden

L'amour ne peut mourir, car c'est le fondement même de la vie. S'il n'y a pas de communication, c'est peut-être simplement parce que notre interlocuteur n'est pas disponible. Alors, sachant cela, nous pouvons être encore plus présents et attentifs envers lui pour l'accompagner dans ce qu'il vit.

Après la phase de sommeil, le retour aux activités se passe comme sur terre et de la même manière que nous le vivions ici-bas. Nous sommes encore très près de la terre et surtout encore très imprégnés de notre personnalité. Tout ce qui se passe après dépend de la conscience que nous avons de la mort et de ce que nous devons faire dans l'au-delà. Alors, nos actions et nos occupations sont très similaires à ce que nous faisions durant notre incarnation, sauf qu'elles ne seront plus axées sur la tâche et le travail, mais beaucoup plus sur notre ressenti, pour en vivre les effets. L'astral est un plan de conscience qui nous amène à un premier niveau d'intériorisation. Une grande partie de nos occupations passent donc par l'observation de nos actions pour voir l'effet de nos désirs et de nos émotions sur nous et sur notre environnement. À cette fin, nous passons beaucoup de temps à projeter nos pensées, qui se matérialisent immédiatement sous nos yeux sous forme d'hologrammes afin que nous puissions en observer les implications et en ressentir toutes les conséquences. Un hologramme pourrait se comparer à un logiciel d'ordinateur capable de reproduire en trois dimensions nos moindres pensées. En plus, ce logiciel nous permet d'interagir avec l'environnement et les personnages du logiciel comme s'ils étaient réels. Les amateurs de science-fiction ou de jeu vidéo ne sont pas dépaysés avec ce concept. C'est donc grâce à nos projections mentales que nous parvenons à nous défaire des désirs conscients ou inconscients qui nous habitent encore après la mort, à force de les rejouer et de les vivre grâce aux hologrammes. Nos actions varieront en fonction du type de désirs que nous cherchons à libérer. Pour mieux en comprendre le fonctionnement, examinons les choses en fonction de divers niveaux vibratoires.

Sur la septième subdivision, les énergies sont très lourdes et nous sommes littéralement piégés dans l'enfer de nos désirs et de nos émotions les plus denses. Nous passons notre temps à projeter nos peurs, nos angoisses, nos doutes et nos émotions primaires dans toutes nos occupations. Si vous avez vu le film *Au-delà de nos rêves* avec Robin Williams[3], ce que vit le personnage d'Annie Collins dans l'au-delà est une excellente illustration des créations que nous pouvons manifester dans ce niveau vibratoire. Le film *Nosso Lar* mentionné plus haut nous en offre aussi un aperçu. Les êtres qui se trouvent sur ce plan sont totalement dominés par les désirs et les émotions. Leurs actions seront donc orientées à recréer des scènes de leur dernière incarnation, qui seront totalement déformées par leurs émotions de basses vibrations. Ils reproduisent ce qu'ils avaient l'habitude de faire à certains moments de leur incarnation, mais ici, ils en vivent toute l'intensité parce que l'environnement vibratoire leur retourne immédiatement l'effet énergétique de leurs désirs et de leurs émotions. Par exemple, ils peuvent rejouer en boucle une dispute qu'ils ont vécue avec un voisin et dans laquelle ils se sont laissé aller à des instincts de vengeance. Dans cette subdivision de l'astral, cette scène deviendra le théâtre de leur colère refoulée ou encore de leurs pires peurs inavouées. Ils seront donc en interaction constante avec la souffrance émotionnelle qu'ils ont alimentée par leurs actions terrestres. Il s'agit d'une belle application de la célèbre maxime « L'enfer est en nous ». Cet enfer, c'est celui que nous avons nous-mêmes créé. Il cesse quand nous acceptons d'en sortir, c'est-à-dire quand nous arrêtons d'alimenter la colère et que nous parvenons à voir la scène autrement. En fait, cela se passe de la même manière avec nos colères terrestres. Nous en sortons quand nous lâchons prise et que nous nous ouvrons à une autre perception de la situation, quand nous acceptons de laisser aller nos sacs de sable.

Sur le sixième plan, nous sommes inconscients de notre mort sur le plan physique, ou nous sommes tellement préoccupés par quelque chose ou encore emmurés dans une croyance profonde que nous ne réalisons pas que nous sommes maintenant dans le plan astral. Nos projections mentales seront donc très proches de ce que nous avions l'habitude de faire avant la mort. Nous continuons d'agir comme nous le faisions sur terre jusqu'à ce que nous réalisions que quelque chose cloche dans nos projections de pensées. Ici, il est assez facile de nous laisser prendre au piège de nos créations puisque nous sommes sur le niveau où se trouve le double éthérique des formes et des objets qui existent dans la matière dense. Les films *Les autres*[4], avec Nicole Kidman, et *Le sixième sens*[5], avec Bruce Willis, sont de belles illustrations de ce qui se passe sur ce niveau vibratoire. L'inconscience de la mort nous maintient encore dans un état émotionnel similaire à celui que nous vivions avant la mort. Dès que nous réalisons que nous sommes dans l'astral, la loi d'attraction nous propulse sur le niveau qui résonne avec notre bagage de désirs.

Au cinquième niveau, nous rejouons les émotions denses. Nos actions sont donc encore beaucoup axées sur ce que nous avions l'habitude de faire sur terre. Nos projections mentales sont chargées de nos histoires émotionnelles non réglées. Elles nous aideront à libérer la colère, la frustration, la dépendance émotionnelle ou matérielle au fur et à mesure où nous revivons les causes de ces émotions et de ces dépendances. Nous sommes aussi beaucoup tentés d'entrer en contact avec nos proches sur terre pour continuer de nourrir les liens d'attachement et ainsi combler nos désirs d'être avec eux. Il y a donc plusieurs demandes d'aide en provenance de ce niveau pour clore une situation inachevée avec nos proches. Remords, regrets, culpabilité font partie des émotions vécues sur ce niveau. L'environnement ressemble à celui qui existait durant l'incarnation et il sert à assouvir les désirs associés à la possession matérielle et aux émotions. Il y a plusieurs similitudes entre ce niveau et le sixième. Cependant, ce qui diffère, c'est la conscience de la mort.

Plusieurs âmes se sentent attirées par le quatrième niveau puisqu'il attire la vibration des êtres de cœur qui consacrent leur vie à aimer leurs proches. Les occupations sont encore axées sur des activités matérielles comme nous les connaissons ici-bas, mais il s'agit d'une version améliorée de ce que nous vivons durant l'incarnation. En effet, puisque nous avons libéré les émotions plus denses, nos projections mentales sont davantage consacrées à créer ce que nous aimons. Nous avons alors la possibilité de matérialiser ce qui nous tient à cœur. Par exemple, si nous aimions jardiner, nous créerons un magnifique jardin que nous entretiendrons avec joie. L'ensemble de ces projections stimulantes nous permet de défaire les attachements avec la matière. Nous éprouvons encore le besoin de rassurer nos proches et de leur faire savoir que nous sommes bien. La grande majorité des communications ayant pour but de rassurer les proches, de les aider ou de les réconforter vient de cette subdivision.

Sur la troisième subdivision, nos occupations commencent à prendre un tournant différent. Nous avons de plus en plus conscience de notre capacité de création. Alors, tel l'artiste passionné, nous entrons dans un espace illimité de création qui n'a plus pour cadre l'environnement terrestre. C'est sur ce plan que nous réalisons nos désirs les plus chers grâce à notre niveau de connaissance et de conscience de Soi. C'est ici que nous donnons vie à nos idéaux dans nos projections mentales. Nous sommes véritablement concentrés à vivre ces moments exaltants de création. Nous ne sommes donc plus emmurés dans des tâches matérielles, mais nous libérons notre potentiel créateur.

Les activités sur la deuxième subdivision ressemblent beaucoup à celles du troisième niveau, mais elles ne s'apparentent plus réellement à une routine de vie terrestre parce que l'état de conscience diffère totalement. Les êtres qui s'y trouvent sont ceux qui ont nourri des aspirations plus élevées et qui ont acquis des outils spirituels. Leurs activités créatrices sont donc orientées vers tout ce qui touche la beauté et la richesse de la vie. Dans le film *Au-delà de nos rêves*, le paysage fantastique que crée le personnage principal du docteur Chris Nielsen en est un bel exemple. L'altruisme développé durant l'incarnation se répercute ici. En effet, nous sommes fortement poussés à transmettre les idées profondes qui émergent de ces œuvres aux êtres incarnés à travers leur intuition dans le but de faciliter leur incarnation ou d'élever les consciences.

Enfin, sur la première subdivision, nos actions sont vouées aux idées intellectuelles. Dans nos projections mentales, nous jonglons avec les idées et les concepts. C'est notre ardent désir de savoir qui nous maintient dans notre corps émotionnel tant que nous ne sommes pas détachés de ce désir. Ici encore, les connaissances qui émergent des créations mentales seront souvent transmises aux êtres incarnés, en rêve ou par l'intuition, afin de les aider à développer de nouvelles idées.

Deuxième revue de vie

Nous avons vu au chapitre 4 qu'immédiatement après la mort nous assistons à la revue de notre vie, à partir des derniers instants de notre incarnation jusqu'à son début. Cette première revue permet le transfert de nos mémoires sensorielles dans notre corps émotionnel. Ces mémoires comprennent tout ce que nous avons vécu sur terre, dont celles chargées des émotions et des désirs non résolus. Pour nous aider à effectuer notre grand ménage, nous assistons à une deuxième revue de vie. Le visionnement de celle-ci est plus long, car il se déroule tout au long de la traversée des divers niveaux de l'astral. Chaque niveau vibratoire nous permet d'observer les effets de nos désirs et de nos émotions sur notre entourage. Nous revoyons les événements marquants de notre incarnation pour en vivre la charge émotionnelle dense qui y est encore grevée ou pour vivre les effets de nos actions et de nos réactions sur notre entourage. Nous ressentons alors tout ce que nos gestes leur ont fait vivre. Ce changement de point de vue aide à ouvrir la conscience de « Soi » parce que nous avons la possibilité de comprendre une autre facette de notre expérimentation.

La dernière phase du visionnement de la revue de vie se produit juste avant d'accéder à la prochaine étape du voyage dans l'au-delà. Elle fixe le beau et le bon de notre dernière incarnation. C'est le même processus qui se produit quand nous quittons le corps physique lors du transfert des mémoires sensorielles. Ici, le fil de notre incarnation se déroule pour laisser émerger les sentiments nobles qui ont été nourris durant l'incarnation. La mémoire de ces ressentis s'imprime alors sur notre corps mental et, imprégnés de ces belles énergies, nous sommes prêts à délaisser notre corps émotionnel. Ainsi, la traversée de l'astral se termine par un dernier survol de l'incarnation, qui nous donne les éléments dont nous aurons besoin au cours de la prochaine étape dans l'au-delà.

Abandon du corps émotionnel

La dernière tâche dans l'astral n'est pas la même pour toutes les âmes. En fait, il y a deux possibilités complètement opposées. La première consiste à se départir du corps émotionnel pour accéder au plan mental. La seconde implique la création de nouveaux corps denses – éthérique et physique – pour retourner immédiatement à la terre. Ce qui détermine quelle direction prendre, ce sont les outils émotionnels et mentaux dont nous disposons à la fin de la traversée de l'astral. Ceux-ci s'acquièrent au fur et à mesure de nos incarnations, en apprenant à gérer nos émotions et nos pensées. En conséquence, au début du cycle d'incarnations, nous n'avons pas suffisamment d'outils pour accéder au plan mental. Pour pouvoir transiter par ce plan, nous avons besoin d'un minimum d'outils qui viennent du développement du corps mental, lesquels nous permettent des activités telles que la capacité de raisonnement, d'analyse, de jugement. Ils sont requis pour pouvoir effectuer les tâches qui se déroulent sur ce plan. Ce n'est pas une punition, mais tout simplement une conséquence inhérente à la traversée de l'au-delà. Donc, si nous avons les outils nécessaires, nous passons au plan mental. Sinon, nous entrons dans un processus de réincarnation. Seules deux catégories d'êtres se réincarnent tout de suite sans passer par le plan mental : les êtres dont la conscience de « Soi » est très faible et les êtres qui se sont suicidés. Dans leur cas, les outils qui leur manquent ne sont pas associés au développement de leur corps mental, mais plutôt à un apprentissage qui n'a pas été complété. Nous donnerons plus de détails sur le trajet qu'empruntent les suicidés au chapitre 6.

Le passage sur le plan mental est ce que l'on appelle souvent la deuxième mort de l'âme, car elle implique l'abandon de notre corps émotionnel. Il ressemble donc beaucoup à la mort du corps physique puisqu'il marque la fin d'une autre étape importante. Cependant, il se passe généralement mieux que la fin de l'incarnation parce que la traversée de l'astral nous amène à nous détacher de la terre. Selon notre ouverture de conscience, il est possible que nous soyons encore habités par de la résistance, des peurs ou des doutes. Tout comme sur terre nous sommes attachés à notre corps physique, dans l'astral, nous éprouvons encore de l'attachement pour notre corps émotionnel. D'une certaine manière, nous nous identifions à lui puisqu'il nous sert de véhicule dans l'astral. Alors, au moment de nous en départir, il est possible que nous vivions certaines craintes. Elles sont alors bien moindres qu'avant de quitter la terre, puisque nous sommes plus près de notre essence divine et que l'astral nous a permis d'élever nos vibrations, ce qui facilite le mouvement de détachement nécessaire à l'abandon de ce corps.

Ce passage revêt une grande importance pour l'âme et elle sait que le fait de franchir ce nouveau palier dans l'au-delà marque la fin de tout ce qui la relie à son incarnation. De nombreuses âmes sentent le besoin de venir aviser leurs proches qu'elles franchiront ce passage. Cela se manifeste fréquemment dans les rêves. Peu importe que ce contact s'effectue durant le sommeil ou par communication télépathique, le message est souvent envoyé dans un langage symbolique qui parle de voyage, de départ, de nouveau projet ou de rentrer à la maison. Il s'agit du même type de langage que les âmes utilisent dans les cas d'ECA dont nous avons parlé au chapitre 2. En voici un exemple :

Je m'en vais

Après une conférence, un homme me raconte un rêve qu'il a fait dans lequel son père décédé depuis plus de cinq ans vient le voir pour lui apprendre qu'il est toujours vivant, mais qu'il doit partir. Il lui explique qu'il ne peut plus rester près de lui. Il lui dit qu'il l'aime et lui dit de ne pas s'en faire et que tout ira bien. L'homme n'y comprend rien. Il me dit : « Pourquoi mon père vient-il me dire qu'il s'en va ? Je sais qu'il est parti. Il est mort depuis cinq ans. En même temps, c'est étrange. Dans le rêve, il avait l'air tellement vivant. Il me l'a dit en plus. » Quand je lui ai expliqué que les âmes viennent souvent nous aviser quand elles sont rendues à ce stade, il a tout compris. Il était touché d'avoir pu vivre ce moment avec son père.

L'astral est un monde transitoire de libération d'émotions et de désirs. Ces derniers font partie de la richesse que la matière dense peut nous léguer si nous prenons le temps de comprendre ce qu'ils ont à nous enseigner sur nous. La terre nous permet de les ressentir dans notre corps physique pour commencer l'apprentissage, et l'astral le poursuit en nous donnant la possibilité d'observer et de ressentir ces expériences à différents niveaux. Le processus se poursuit ensuite à d'autres niveaux de l'au-delà, mais cette première étape après la mort nous ouvre la voie du chemin intérieur où nous attendent les joies et les beautés que nous avons mises dans nos bagages.

2 - La deuxième étape dans l'au-delà : le plan mental

Ce qui se passe sur le plan mental est vraiment différent de ce qui se passe sur le plan astral. En fait, la plupart des religions situent le ciel à ce niveau. Nous verrons plus loin que ce que nous considérons être le paradis, le nirvana ou l'ultime récompense qui vient après l'incarnation, se vit dans des vibrations encore plus élevées que celles qui existent sur le plan mental.

Qu'est-ce que le plan mental ?

Le plan mental, c'est un plan de conscience d'une intense beauté où nous ressentons un grand bien-être. C'est le monde de la pensée concrète. Les énergies qui y règnent sont merveilleusement agréables. La fonction du plan mental est de savourer les aspirations élevées que nous avons nourries durant notre incarnation. C'est le début de la récolte ! Il va sans dire que celle-ci est donc directement proportionnelle à ce que nous avons cultivé sur terre. Mais que récoltons-nous au juste ? Tout le beau et le bien que nous avons semé. Tout ce qui s'y déroule est à la mesure de nos efforts. Ici, nous ne sommes plus à l'étape d'acquérir des apprentissages comme dans l'astral et sur terre. Nous ne composons qu'avec ceux qui sont là. Rien n'est déformé par quoi que ce soit. Tout ce qui se passe est le reflet de l'amour, de la compassion, de la joie et de l'altruisme que nous portons en nous. La traversée de ce plan nous permet d'observer les pensées et les sentiments de la dernière incarnation afin d'en ressentir les effets. Cela contribue à élever nos vibrations et nous aidera à nourrir des aspirations plus élevées dans notre prochaine incarnation. Bien que ce ne soit pas encore le paradis tant espéré, cela s'en approche. Nous y sommes dans un état de bien-être et de grande paix. La perte de notre corps émotionnel nous

> ### *Répandre la bonne nouvelle !*
>
> *L'un des bénéfices d'orienter l'humanité vers une perception juste du monde est la joie qui en résulte en découvrant la nature mentale de l'Univers. Nous n'avons pas idée de ce que cette nature mentale implique, mais – c'est l'aspect extraordinaire – elle est authentique !*
>
> Richard Conn Henry, physicien
> Tiré du livre *Du cerveau à Dieu*, p. 250

rapproche de l'unité. Nous vivons une proximité beaucoup plus grande avec tout ce qui nous entoure. Tout est harmonie.

Sur ce plan, notre réalité change radicalement. En effet, comme nous nous éloignons de plus en plus de la terre et que nous avons abandonné notre corps émotionnel, nous ne ressentons plus l'attrait pour la matière. Notre regard n'est plus tourné vers notre dernière incarnation, mais vers les plans supérieurs. Pour mieux comprendre ce que nous vivons sur ce plan de conscience, je vous propose une autre analogie : celle de la pièce de théâtre. Toute incarnation est un rôle que nous acceptons de jouer dans la grande pièce de la vie écrite et réalisée par le meilleur artiste qui soit : Dieu, la Source, la Lumière ou autrement désigné « le Sans-Nom ». Après notre mort, la pièce n'est pas terminée et les autres comédiens continuent de tenir leur rôle. Il n'y a que notre personnage qui n'en fait plus partie. Imaginons que nous soyons tous des comédiens et que nous acceptions de jouer un rôle dans une immense production. De mon côté, je personnifie le rôle d'une auteure appelée Marie-Hélène, qui est aussi une conjointe, mère, amie et confidente. Après de nombreuses scènes que nous jouons ensemble, mon personnage doit tirer sa révérence. Le rideau tombe sur ce rôle. Puis, un autre acte commence. Autant pour moi que pour toutes les personnes avec qui j'ai partagé la scène, cette situation est difficile. Nos liens d'attachement sont là et nous devons tous en faire le deuil pour pouvoir continuer notre route.

Au début, je suis tellement imprégnée par ce rôle que je continue de suivre l'histoire qui se déroule toujours dans la pièce. J'en deviens spectatrice. Je vais aux répétitions, j'accompagne ma famille de comédiens en coulisse et je m'intéresse au déroulement de la pièce. Le personnage de Marie-Hélène vit encore en moi et il s'anime chaque fois qu'il est en présence des autres comédiens. J'y revis tous les passages éprouvants et tous les beaux et bons moments. Puis, à un moment donné, je sens qu'il est temps de revenir à moi, à ma vie, à mes autres occupations, à ce que je faisais avant de jouer ce rôle, à mes amis, ma famille. Je garderai les bons souvenirs et tout ce que le rôle de Marie-Hélène m'a appris à être, mais pour mon mieux-être, il me faut revenir à ce que je suis fondamentalement, si je veux pouvoir m'épanouir dans toutes les sphères de ma vie. Le personnage de Marie-Hélène cessera alors d'être animé et de prendre forme. Seuls l'amour et les connaissances qui sont nés de ce rôle demeureront vivants en moi.

Alors, lorsque le rideau tombe sur notre rôle d'incarnation, nous sommes exactement comme le comédien qui vient de laisser le personnage auquel il a donné vie. Nous restons en coulisse dans l'astral le temps de nous détacher de celui-ci. Puis, nous renouons avec notre essence divine et nous passons dans le plan mental. C'est là que notre vie réelle se poursuit, celle qui existe au-delà de tout rôle et qui se poursuit hors du cadre matériel. C'est là où nous découvrons toute la richesse du rôle que nous jouons sur terre et que nous pouvons voir toutes les perspectives que celui-ci nous offre. Sur ce plan, nous n'avons plus d'intérêt pour la pièce de théâtre qui se poursuit. Nous ne cherchons plus à revenir en coulisse ni à joindre les personnages de la pièce. Pour nous, ce rôle est terminé et ce qui compte, ce sont les liens d'amour que nous y avons tissés avec les comédiens. Nous cherchons à les nourrir en nous tournant vers les âmes des gens qui nous sont chers. Sur ce plan, c'est bien davantage l'aspect relationnel et les sentiments qui en découlent qui importent.

La traversée du plan mental

Ce plan de conscience est divisé en quatre niveaux. Allons voir à quoi correspond chacun de ces niveaux.

Une courte visite

La quatrième subdivision attire les êtres qui ont nourri un amour sincère envers leurs proches, sans avoir développé d'autres sentiments plus profonds ni entretenu des pensées très élevées ni réfléchi longuement sur la vie. C'est la subdivision la plus peuplée du plan mental parce qu'elle représente le premier niveau de développement des capacités mentales. Celles-ci sont donc peu développées. En conséquence, elles n'offrent pas un large éventail d'activités à accomplir. Les êtres qui s'y trouvent éprouvent un grand bien-être et une quiétude profonde.

La troisième subdivision accueille les êtres qui ont développé une pratique spirituelle dans une religion ou une spiritualité libre, sans toutefois avoir développé des connaissances profondes ou une activité intellectuelle soutenue. Leur dévotion est sincère, mais elle n'est pas fondée sur une profonde recherche de compréhension. Ainsi, les actes dévots durant l'incarnation ont permis de développer des capacités mentales qui donnent accès à un plus large champ d'activités sur ce plan. La vie y est sublime et elle procure contentement et paix.

Sur la deuxième subdivision, nous retrouvons les êtres d'une grande dévotion qui ont œuvré au service de l'humanité en mettant à profit leurs idées, leurs talents et les fruits de leur démarche spirituelle. On y retrouve scientifiques, enseignants, soignants, artistes, missionnaires qui vouent leur incarnation au développement de la collectivité. Grâce à leurs activités sur terre, ces êtres ont développé plusieurs capacités mentales qui les aideront à tirer profit le plus possible de tout ce qu'ils ont semé durant l'incarnation et ainsi accéderont à des vibrations encore plus élevées.

La première subdivision regroupe tous les types de créateurs désintéressés. Ce sont des penseurs, des philosophes, des artistes et des génies qui offrent leur création empreinte d'une grande sagesse pour élever la conscience collective. Ces êtres ont acquis de grandes habiletés mentales et les ont mises à profit tout au long de leur incarnation. C'est le plus haut niveau vibratoire du plan mental où règne une très grande et intense félicité. Les êtres qui y séjournent ont accès à de nouvelles connaissances qui leur permettent d'accroître leur compréhension de la vie. Leur prochaine incarnation en sera fortement teintée et ils pourront ainsi contribuer à la matérialisation de nouvelles idées qui serviront à l'avancement de l'élévation de conscience.

Sur quel niveau allons-nous?

Ici, contrairement à l'astral, la traversée du plan mental ne passe pas par la tournée de tous les niveaux. Nous n'en visitons qu'un seul, c'est-à-dire celui qui correspond à notre état et aux outils mentaux dont nous disposons à ce moment. Tout notre séjour dans le plan mental se déroule sur cette subdivision. En effet, le plan mental étant un moment de récolte, nous ne pouvons récolter plus que ce que nous avons semé. C'est ce qui se passerait si nous avions accès à chacun des niveaux.

Combien de temps y séjournons-nous ?

Sur ce plan, ce qui détermine la durée de notre séjour, ce sont nos capacités mentales et les semences que nous avons fait germer durant l'incarnation, c'est-à-dire les sentiments élevés qui ont été ensemencés dans notre cœur. Un corps mental développé nous permet de récolter plus longuement les fruits de la dernière incarnation. Alors, si nous n'avons pas beaucoup d'outils et peu de fruits à récolter, nous ne sommes pas en mesure d'y rester longtemps. Cela peut se comparer à la méditation. Ce qui nous permet d'atteindre la centration et le silence intérieur durant une période soutenue, c'est l'entraînement, donc le développement de notre capacité de centration. Si nous ne sommes pas entraînés, les périodes de centration seront de courte durée. C'est le même principe qui s'applique sur le plan mental. Voilà pourquoi les grands maîtres nous enseignent à méditer fréquemment et durant des périodes prolongées. Ils savent que ces capacités nous sont non seulement utiles sur terre pour voir une autre facette de notre réalité matérielle, mais également dans la traversée de l'au-delà. Cela s'explique aussi par la quantité d'outils dont nous disposons pour apprécier la vie dans le plan mental. L'être qui a développé ses capacités mentales à travers l'observation, la réflexion, le discernement et la méditation pourra en conséquence approfondir les pensées et les sentiments de la dernière incarnation, pour être ensuite en mesure de tirer la compréhension inhérente aux expérimentations terrestres. Au contraire, lorsque les capacités mentales sont peu développées, les activités sur ce plan sont plus limitées. En conséquence, moins de compréhension peut en être extirpée des expérimentations terrestres.

Durant notre incarnation, nous avons intérêt à privilégier les sentiments et la connaissance au détriment des émotions et de la possession matérielle pour allonger le plus possible notre séjour dans le plan mental. La grosseur de la récolte dépend donc de la nature et de la quantité des semences que nous avons cultivées. Chacun des petits gestes que nous faisons ici-bas nous permet d'être plus conscients et de nous éloigner des fluctuations émotionnelles. La paix et l'harmonie seront plus présentes dans notre quotidien. Notre passage dans l'astral sera en conséquence plus paisible et moins long, nous permettant ainsi de bénéficier d'une moisson plus fructueuse sur le plan mental. Ce petit pas vers nous-mêmes est un puissant levier de croissance dont les répercussions se mesurent aisément avec la connaissance du processus de la mort.

Que faisons-nous sur le plan mental?

Les occupations dans le plan mental n'ont plus rien à voir avec celles que nous avions l'habitude de vivre ici-bas. Elles se comparent plutôt à la vie des moines qui méditent, réfléchissent et intègrent les compréhensions qu'ils y font. De manière générale, la vie active est plus intense que sur tous les autres plans inférieurs parce que nous n'avons plus de limitation. Nous sommes exactement à la mesure de nos capacités. Dans les plans inférieurs, nos peurs, nos angoisses, nos croyances, nos conditionnements influencent directement l'expression de nos capacités. Sur le plan mental, de telles limites n'existent plus. Nous pouvons œuvrer librement pour manifester qui nous sommes.

Renouer avec le corps mental

L'une des premières tâches dans le plan mental consiste à renouer avec notre corps mental. En effet, durant notre incarnation, nous n'avons peu ou pas d'interactions conscientes ou inconscientes avec ce corps, contrairement au corps émotionnel que nous utilisons chaque nuit. Nous avons donc besoin d'un temps d'adaptation pour réapprendre son fonctionnement. Ensuite, la vie dans le plan mental demeure essentiellement un temps d'intériorisation sur nos acquis terrestres.

La troisième revue de vie

Nous amorçons ce voyage par la troisième revue de vie dans laquelle nous extrayons les apprentissages des expériences et nous ne gardons que ce qui est pertinent. Nous ne conservons que le beau et le bon dans le but de développer une compréhension encore plus grande de nos expérimentations dans la prochaine incarnation. Le passage dans le plan mental nous permet de conscientiser nos forces et ce qu'elles engendrent afin que nous puissions les mettre encore plus à profit quand nous retournerons sur terre. Pour reprendre l'analogie de la pièce de théâtre, nous sommes comme le comédien qui prend un temps d'arrêt pour observer sa manière de jouer et y découvrir les nuances et les subtilités qui l'aideront à construire d'autres personnages. Tout comme lui, ce n'est plus la vie du personnage qui fait l'objet de notre attention, mais tout ce qu'il a été, les sentiments qu'il a nourris, les connaissances qu'il a apprises et la conscience de « Soi » qu'il a développée. Voilà pourquoi à cette étape nous ne cherchons plus à rejoindre la terre. Certes, le niveau vibratoire est trop grand et nous n'avons plus de corps pour y accéder, mais c'est davantage parce que nous ne sommes plus un père, une mère, un frère, une amie, un collègue de travail. Nous sommes une âme qui a joué un tel rôle. Ce qui nous importe à ce stade, ce sont tous les sentiments que nous y avons nourris. Nous ne sommes plus attachés aux autres personnages avec qui nous avons joué, mais aux âmes de ces êtres dont nous voyons maintenant le rayonnement.

Manifestation des sentiments

Le plan mental sert à la manifestation des sentiments. La majeure partie de ce que nous y ferons sera donc concentrée sur cette tâche. Ici encore, c'est à l'aide des projections mentales que nous accomplirons cette tâche. Les hologrammes que nous créons sont encore plus fabuleux que ceux de l'astral puisque nous pouvons créer à la mesure de l'amour que nous avons nourri, sans être contraints par des limites matérielles ou émotionnelles. La seule limitation à laquelle nous sommes contraints est celle de nos propres capacités mentales. En conséquence, les actions qui sont accomplies dans le plan mental diffèrent d'une subdivision à l'autre.

Les êtres qui se retrouvent sur la quatrième subdivision sont portés par les pensées altruistes qu'ils ont nourries sur terre. La beauté et la grandeur des relations avec les autres âmes, de leur environnement et de ce qu'ils vivront en dépendent. Leur rôle relève davantage de l'ordre de la contemplation que de l'action puisque les capacités de leur corps mental sont limitées. Leur évolution est lente et leurs activités se concentrent principalement autour des liens d'affection qu'ils ont noués durant l'incarnation. Ils cherchent à rejoindre l'ego des êtres chers pour continuer de nourrir le lien d'amour qui les unit à eux. Ils profitent des grandes énergies de félicité pour emmagasiner une vision supérieure des liens affectifs, qui servira à accroître la nature des sentiments envers les êtres chers au cours du prochain voyage terrestre.

Sur la troisième subdivision, les actions sont orientées vers les sentiments de dévotion envers le dieu ou envers les principes spirituels vénérés sur terre. Bien que les êtres qui s'y trouvent nourrissent encore les liens affectifs avec les êtres chers, la plupart de leurs activités consistent en des prières, en des méditations et en toutes tâches connexes à la dévotion, comme l'étude ou la pratique d'enseignements, l'aide aux êtres des niveaux inférieurs. Ils sont en contact avec l'objet de leur adoration. Cela permet d'approfondir le sentiment en vivant des expériences mystiques profondes. Dans cette subdivision, les êtres ont davantage de capacités de jongler avec les idées, mais leur niveau de connaissances limite leurs possibilités d'exploration. Cependant, le fait d'avoir touché à des niveaux de dévotion si puissants élève leur vision et leur permettra d'accéder à des formes de dévotion plus grandes lors de la prochaine incarnation et ainsi d'élargir leurs connaissances.

La deuxième subdivision est le théâtre de toutes les bonnes causes et du dévouement. Les êtres qui s'y rassemblent ont voué leur incarnation aux nobles sentiments et à servir leur prochain. Ils récoltent ici tous les fruits de ce service et ils vivent dans un état de joie indicible. Ils collaborent à la création et à la construction de projets destinés à aider l'humanité lorsqu'ils seront prêts à être matérialisés. Ils développent leurs aptitudes magnanimes. Ils enseignent et guident les êtres des niveaux inférieurs. Ils œuvrent à l'ouverture de conscience de « Soi ». Ils préparent ainsi leur future incarnation dans laquelle ils œuvreront encore plus au bien-être de la terre. Sur ce niveau, les activités sont vastes et variées. Le niveau de développement des êtres permet une grande réflexion philanthropique et contribue à l'évolution de toutes les âmes.

Sur la plus haute subdivision du plan mental, les activités sont encore plus variées grâce à l'accès à la connaissance et à des capacités mentales fort développées. Il s'agit d'un haut lieu de création où se retrouvent les êtres d'un grand génie. Ils ont accès à des enseignements supérieurs d'une grande sagesse. Ils perfectionnent leurs connaissances, leurs découvertes, leurs réflexions sur la vie. Ils sont dans un état d'exaltation profond où ils peuvent créer à leur mesure. Leurs actions participent à l'élévation de la conscience collective. À ce niveau, les êtres nourrissent des aspirations des plus lumineuses. Les plus avancés d'entre eux effectuent leur dernière visite sur ce plan de conscience. Ils préparent en conséquence leur vie dans les plans supérieurs. Les moins avancés réintégreront un corps de chair et prendront pour mission l'ouverture de la conscience collective en mettant à profit leur génie.

Abandon du corps mental et passage au plan causal

Notre séjour dans le plan mental s'achève quand nous avons pleinement joui de tous les fruits que notre dernière incarnation pouvait nous offrir. Alors, portés par la joie profonde de notre état, nous acceptons d'entrer dans le prochain passage sans aucune résistance. Contrairement à ce qui se passe dans l'astral, tous les êtres qui ont traversé le plan mental accèdent au plan causal. De plus, à ce niveau, il n'y a plus de peur, plus d'angoisse, plus d'appréhension suscitées par le délaissement de ce corps. Il n'y a que de la joie, de la paix et de l'harmonie. La transition au plan suivant coule de source. Le mouvement de sortie de notre corps mental est doux et paisible et nous suivons l'élan vibratoire qui nous élève sur le plan causal.

3 - La troisième étape dans l'au-delà : le plan causal

Le passage au plan causal représente ici aussi un autre changement majeur puisque l'abandon du corps mental signifie aussi l'abandon de notre personnalité. En effet, cette dernière est composée des corps mental, émotionnel et, durant l'incarnation, des corps physique et éthérique. Notre taux vibratoire s'élève donc de nouveau et nous avons alors accès à une félicité encore plus grande que dans le plan mental. Le sentiment d'unité qui existe dans notre corps causal est exaltant. Ce que nous vivons en conséquence sur ce plan diffère totalement de notre réalité matérielle. Le plan causal représente une étape d'intériorisation encore plus grande que l'astral et le mental. Nous le verrons dans les prochains paragraphes.

Qu'est-ce que le plan causal?

Le plan causal est un monde où la forme n'est qu'un accessoire, car il est fondé sur les pensées abstraites, c'est-à-dire des concepts sans forme particulière, comme la notion de justice, de paix ou encore de partage. Les êtres qui s'y trouvent n'ont plus besoin d'une forme qui les représente pour s'identifier. C'est leur rayonnement énergétique qui les définit. Il en est de même pour tout ce qui existe sur ce plan. Nous retrouvons enfin le sentiment profond d'unité dans la conscience de notre individualité. Il est le siège du repos éternel dont parlent religions et grands textes spirituels. Nous sommes immergés dans un flot d'amour, de joie et de paix encore plus intense que ce qui règne dans le plan mental. Sa fonction est de transformer les capacités acquises durant la dernière incarnation en qualités, grâce à la compréhension des causes qui ont engendré nos expérimentations terrestres. Sauf les exceptions dont nous avons parlé dans la section de l'astral, c'est à partir de ce plan que se préparent les réincarnations ou que s'effectue le choix de terminer le cycle d'incarnations.

La traversée du plan causal

Le plan causal est subdivisé en trois niveaux. Le niveau vibratoire y est si intense qu'un corps causal peu développé ne parvient pas à y rester très longtemps et conscient de ce qui se passe. Dans ce cas, ce séjour se passe majoritairement dans un état d'inconscience comparable au sommeil profond. Ainsi, sur ce plan, c'est le développement du corps causal qui dicte non seulement ce qui se passera, mais aussi sur quelle subdivision les activités auront lieu.

Une visite du plan causal et un aperçu des occupations

Le troisième niveau

La troisième subdivision du plan causal est la plus fréquentée. Elle accueille un large créneau d'êtres allant des moins évolués à ceux qui possèdent des capacités intellectuelles soutenues. Elle regroupe donc tous les êtres qui ont séjourné sur le quatrième niveau et une bonne partie de ceux qui ont séjourné au troisième niveau du plan mental. La plupart des êtres qui sont attirés par cette subdivision n'ont pas un corps causal suffisamment développé. Leur séjour sera vécu majoritairement dans un état d'inconscience. Dans leur cas, ils passent dans le plan causal pour accomplir une seule tâche : la préparation de leur nouvelle incarnation. Cela se passe en deux temps. Premièrement, ils vivent une courte phase d'éveil pendant laquelle ils ont accès à ce que l'on appelle la claire vision, c'est-à-dire la compréhension du sens de la dernière incarnation, des causes et des leçons inhérentes. Cette vision nous permet de voir ce que nous souhaitions y apprendre et ce que nous en avons réellement compris. Ensuite, ils se rendorment souvent puisque leur corps causal ne parvient pas à demeurer en état de veille plus longtemps. La deuxième phase consiste à enclencher le processus d'incarnation, c'est-à-dire à établir les prochains apprentissages à acquérir, à choisir le contexte de vie et à amorcer la création des corps mental, émotionnel, éthérique et physique. Cette préparation se déroule toujours en présence des maîtres d'incarnations et des guides. Cependant, si les êtres ne parviennent pas à demeurer conscients après la claire vision, ce sont les guides et les maîtres qui veillent au grain pour que ce voyage terrestre soit au service de notre évolution. Cela peut surprendre, mais en fait, on peut comparer cette situation à la naissance d'un enfant sur terre, qui n'est pas conscient de ce qui lui arrive et qui sera guidé par ses parents le temps de s'éveiller à sa nouvelle réalité.

Si les êtres sont en mesure de rester éveillés, ils assisteront à la projection des potentialités d'apprentissage de cette nouvelle incarnation, mais leur conscience étant limitée, ils n'en garderont que de vagues réminiscences. Les êtres qui parviennent à demeurer éveillés sur ce premier niveau connaissent un état de grâce extraordinaire. Ils savourent la présence des autres êtres qui les entourent, en ne voyant que leur nature essentielle. Ils ont accès à la réalité des choses et de toutes les expériences de l'incarnation. Ils les observent dans le but d'y comprendre les causes. Ces compréhensions seront ancrées solidement dans leur conscience de « Soi » et elles deviendront des balises intuitives dans leur prochaine incarnation, pour les aider à ne pas se perdre dans les dédales des désirs. Bref, ce sont ces observations qui permettent de ne plus répéter les mêmes gestes néfastes et d'être plus alertes à l'amour de « Soi » et des autres dans les incarnations suivantes.

Le deuxième niveau

Les vibrations de la deuxième subdivision sont nettement plus élevées que celles du premier niveau. Celle-ci est moins densément peuplée. Les êtres qui s'y trouvent ont fait un grand cheminement spirituel durant leur incarnation et ils ont offert leurs talents pour servir l'humanité. Ce sont des êtres qui sont en mesure de s'observer avec justesse et de comprendre les effets de leurs actions. Ils possèdent une bonne capacité de discernement et ils sont capables d'entrer en contact avec leur nature divine. Ils comprennent le sens de la vie et du cycle d'incarnations. Le passage dans le plan causal leur permet d'approfondir les grands principes de la vie. Ils développent leur pensée abstraite en présence d'êtres venant des plans de conscience plus élevés. Ils ont accès à une vision plus globale des mondes inférieurs, qui nourrira leurs actions durant la prochaine incarnation. Celles-ci seront en conséquence plus porteuses de sens et fondées sur une profonde sagesse.

> ✎ *Saviez vous que...*
>
> *Dans un état altéré de conscience, plusieurs personnes font l'expérience d'une conscience qui semble être celle de l'Univers lui-même... Elles disent avoir fait l'expérience d'un immense et insondable champ de conscience doté d'une intelligence infinie et d'un pouvoir créateur illimité. Le champ de conscience cosmique dont elles font l'expérience est un vide cosmique. Pourtant, paradoxalement, c'est aussi une plénitude essentielle. Bien qu'il ne comporte rien sous une forme concrète manifestée, il renferme potentiellement toute l'existence.*
>
> Ervin Laszlo, chercheur et auteur
> *Science et champ akashique*, p. 40

Puisque c'est sur ce plan que naissent les causes qui ont engendré les expériences de notre dernière incarnation, sur ce niveau la claire vision nous donne accès à leur véritable sens. Ici, le niveau de compréhension que nous atteignons imbrique non seulement le sens de notre incarnation, mais aussi le sens plus vaste qu'elle a joué dans notre cycle d'incarnations. En effet, en percevant dorénavant les choses selon la vision de l'ego conscient de sa nature profonde, nous avons alors accès à toutes nos incarnations passées. Ainsi, nous pouvons avoir une vision extrêmement claire de nos expérimentations pour pouvoir mesurer les qualités acquises. Cette claire vision nous sert aussi pour la préparation de la prochaine incarnation. Nous aurons accès aux grandes lignes de ce projet, c'est-à-dire à toutes les causes dont elle sera issue.

Premier niveau

La première subdivision est le siège de la claire lumière. Nous avons vu que les personnes qui vivent un ECA en fin de vie ont accès à une courte vision de cette lumière pour les aider à lâcher prise et à accueillir la mort avec plus de facilité. Certains expérienceurs d'EMI joignent aussi cette lumière intense qui transforme à jamais leur compréhension de la vie. C'est le nirvana des bouddhistes ou encore le véritable paradis des catholiques. La claire vision représente un aperçu du niveau de compréhension et de béatitude auquel nous avons accès sur cette subdivision. Comme c'est le cas avec les ECA ou les EMI, la claire vision est un fragment de claire lumière offert dans un but d'avancement et de compréhension.

Pour pouvoir séjourner sur cette subdivision, il faut avoir un corps causal très développé, par un entraînement assidu. Ce niveau accueille donc les grands maîtres et les disciples acharnés qui sont parvenus au plus haut niveau d'évolution du plan mental. Durant leur incarnation, ils transmettent leur sagesse par l'exemple. Ils savent très bien maîtriser leur personnalité et leurs désirs. La matière n'a d'intérêt que pour servir l'accroissement des consciences. Sur ce plan, ils œuvrent en collaboration avec les êtres réalisés – ceux qui ont terminé le cycle d'incarnations et qui ont accédé au plan bouddhique – en infusant des énergies lumineuses vers la terre. Ils accompagnent les êtres qui sont sur le plan mental dans le développement de leur conscience de « Soi » et ils aident les êtres incarnés en les guidant dans leurs tâches terrestres. C'est de ce plan qu'émerge l'inspiration divine, ensuite infusée aux niveaux inférieurs pour qu'elle soit matérialisée. À ce haut niveau de conscience, les êtres ne voient plus seulement l'ensemble de leurs incarnations, mais ils ont accès à une vision unifiée de leur vie entière. Cette vision s'intègre dans une compréhension globale de la vie. C'est grâce à cette compréhension que les êtres de ce niveau vibratoire peuvent effectuer le choix de poursuivre leur incarnation ou d'abandonner leur corps causal pour accéder au plan bouddhique.

Combien de temps séjournons-nous sur ce plan ?

Ce qui détermine la durée du séjour sur le plan causal, c'est le niveau de développement de notre corps causal. Plus celui-ci est développé, plus nous y restons longtemps. Inversement, moins celui-ci est développé, plus notre passage sera bref. Un séjour prolongé contribue à l'accélération de notre ouverture de conscience. En effet, contrairement à ce qui se passe sur le plan mental où nous composons seulement avec nos acquis, sur ce plan, nous pouvons parfaire nos connaissances et développer de nouvelles habiletés. Les êtres peu évolués n'y resteront que quelques heures, voire quelques jours, puis prendront la direction de la terre. Alors que les êtres qui ont accès au premier niveau peuvent y séjourner plusieurs centaines d'années terrestres, bien que sur ce plan la notion de temps n'ait plus aucune commune mesure avec ce que nous connaissons ici-bas.

4 - Nos interactions dans l'au-delà

Nous venons de voir les trois grandes étapes que nous franchissons dans l'au-delà durant le cycle d'incarnations. Mais avec qui vivons-nous ces expériences ? Cette question revient constamment lors de mes conférences ou de mes consultations. La mort nous force à affronter nos pires angoisses. Celle d'être seul en fait partie. Bien souvent, le fait de savoir que l'être cher décédé n'est pas seul est rassurant et permet d'espérer que lorsque notre tour viendra, nous serons, nous aussi, accompagnés dans cette traversée. Durant l'incarnation, nous envisageons ces retrouvailles avec nos yeux humains. Nous souhaitons en conséquence retrouver tous ceux que nous avons aimés et continuer notre relation avec eux là où elle s'est interrompue. Cette manière de voir les choses est très réconfortante. Cependant, l'au-delà étant un monde intérieur, toutes nos interactions avec le monde extérieur se transforment au fur et à mesure de notre montée dans les divers plans de conscience. Nos interactions suivent donc ce même mouvement de transformations. Voyons maintenant plus concrètement avec qui nous partageons cette grande traversée.

Jamais seuls

En tout temps, sur terre comme au ciel, nous ne sommes jamais seuls. Nous bénéficions toujours de la présence de nos aides célestes à nos côtés. Parmi ces aides se trouvent les guides qui nous suivent d'incarnation en incarnation, assistés des maîtres d'incarnations. Nous bénéficions d'autres aides célestes, comme les anges et les archanges, qui nous accompagnent lorsque nous leur demandons assistance. Ces derniers interviennent dans des situations spécifiques alors que notre guidance reste auprès de nous en permanence. En tout temps, durant le cycle d'incarnations, des êtres réalisés et des êtres plus avancés que nous nous accompagnent et nous aident à traverser les défis d'apprentissage que nous nous sommes fixés. En plus, il arrive que des défunts qui nous sont chers choisissent de nous aider à accomplir certaines tâches particulières. En voici un exemple :

Une aide temporaire

Tout au long de l'écriture de mon premier livre, j'ai senti la présence de nombreuses âmes qui m'ont grandement aidée à découvrir l'univers fascinant de l'au-delà. Mon grand-père en faisait évidemment partie. À la fin de ce projet, il est venu me dire qu'il était resté auprès de moi pour m'accompagner dans ce travail, car celui-ci faisait partie des tâches que nos âmes avaient choisi de vivre ensemble. Ensuite, nos interactions ont été beaucoup moins fréquentes. Cette tâche accomplie, grand-papa a poursuivi sa route et moi, la mienne.

Dans les passages difficiles, des êtres désincarnés qui ont connu la souffrance que nous éprouvons viennent aussi à la rescousse pour nous insuffler les énergies dont nous avons besoin pour maintenir le cap. Par exemple, certains suicidés choisissent d'accompagner des êtres aux pensées suicidaires dans des moments critiques, afin de raviver la flamme de l'espoir en eux[6]. D'autres qui sont parvenus à sortir de l'enfer de la dépendance aideront les personnalités incarnées aux prises avec une dépendance.

Nous sommes donc toujours accompagnés par des présences célestes. Cependant, nous sommes parfois trop préoccupés pour avoir conscience que cette ressource inépuisable est à notre portée. Peu importe que nous soyons incarnés ou dans l'au-delà, c'est encore une fois notre conscience de ce qui se passe qui nous permet d'avoir accès à cette aide. Donc, si nous sommes très préoccupés, notre état et notre taux vibratoire nous empêchent de ressentir la présence de notre guidance. Nos croyances viennent également interférer dans nos perceptions. Sur terre comme au ciel, si nous croyons que personne ne peut nous aider, nous fermons la porte à toute forme d'aide possible. En voici une illustration :

Si près et si loin en même temps

Il m'est arrivé d'accompagner une âme qui se trouvait au deuxième niveau de l'astral. Elle se sentait seule et désemparée. Elle ne savait plus quoi faire ni où aller. Durant son incarnation, elle avait la profonde conviction qu'il n'existait rien après la mort. À mon arrivée auprès d'elle, je ne percevais que sa propre vision de l'au-delà. Il n'y avait rien, qu'un décor gris sans forme particulière. Puis, peu à peu, au fil de notre conversation, le décor s'est éclairci et j'ai vu ses guides qui étaient juste derrière elle, mais ils lui étaient invisibles. Ce n'est que lorsqu'elle a accepté l'idée de s'ouvrir à la réalité céleste qu'elle a enfin pu les voir[7]. Cet accompagnement d'âme m'a énormément aidée à comprendre l'impact de nos croyances et de nos pensées sur notre réalité personnelle. Elles changent la nature même de nos perceptions.

L'aide céleste est toujours présente, mais pour qu'elle puisse intervenir, nous devons la demander. C'est le libre arbitre qui impose cette règle. Personne, pas même notre guidance, ne peut interférer dans nos choix puisque cela réduirait considérablement notre capacité d'exercer notre volonté. Alors, dans les moments éprouvants, lorsque nous nous sentons seuls ou accablés par une situation, il importe de recourir aux services des présences célestes pour pouvoir bénéficier de son coup de main. Une fois la demande complétée, il ne nous reste qu'à être attentifs à la réponse.

Famille terrestre, famille d'âmes, famille céleste

Lorsque nous sommes incarnés, une grande partie de notre sécurité affective est fondée sur les liens que nous avons noués avec nos proches. Notre famille terrestre ne comprend pas uniquement les liens biologiques, mais aussi tous ceux avec qui nous avons développé une relation significative, peu importe sa longévité. Lorsque nous traversons dans l'au-delà, nous bénéficions encore de l'aide de cette famille, qui prie pour nous et qui nous accompagne par ses pensées d'amour. Dans l'au-delà, nous avons accès à des familles élargies, c'est-à-dire à notre famille terrestre, mais également à notre famille d'âmes qui correspond à notre famille vibratoire et à notre famille céleste qui correspond à tous les êtres avec qui nous avons nourri des liens profonds au fil des incarnations. Nos interactions avec ces familles varient d'un plan à l'autre. Voyons comment cela fonctionne.

Dans l'astral

L'astral sert à la transformation de nos désirs et de nos émotions. Les interactions se passent à la fois vers l'extérieur et l'intérieur. Nous sommes encore près de la terre et de ses influences. Dès notre arrivée dans l'astral, nous serons tentés de joindre nos proches encore incarnés parce que nous avons l'habitude d'aller vers eux et que nous n'avons pas encore le réflexe d'aller vers notre famille d'âmes. Au fur et à mesure de la traversée dans l'astral, c'est le contraire qui survient. Il est possible qu'en arrivant sur ce plan, nous ressentions de la solitude si les êtres que nous cherchons à joindre ne perçoivent pas notre présence. Ce ressenti vient d'une perception et non de la réalité, puisque nous ne sommes jamais seuls et nous pouvons toujours joindre notre famille d'âmes. Nous avons plusieurs affinités avec ces âmes puisqu'elles vibrent à la même réalité que la nôtre. Avec elles, nous nous sentons exactement comme avec nos proches, c'est-à-dire avec ceux qui comprennent ce que nous vivons, au-delà des mots. Par contre, il faut seulement accepter d'aller vers elles lorsque nous ne parvenons pas à être entendus de nos proches incarnés.

Plus nous nous élevons dans l'astral, moins nous éprouvons de solitude. Cette émotion ne survient que sur les premières subdivisions de l'astral. À partir du quatrième niveau, nous en sommes libérés. C'est aussi à partir de ce niveau que nous commençons à transformer nos liens d'attachement avec la famille terrestre pour ne garder que le beau et le bon. Dans les niveaux supérieurs, les interactions avec la famille céleste sont plus nombreuses, car l'éloignement avec la terre a transformé nos désirs de la joindre et nous permet de ressentir davantage nos affinités avec notre famille d'âmes.

Sur le plan mental

En traversant dans le plan mental, la proximité avec notre famille d'âmes devient encore plus grande. Cela vient du fait que nous avons accepté de délaisser notre corps émotionnel et toutes les attaches à la terre. Ainsi, cela nous permet de voir les êtres qui nous entourent tels qu'ils sont. Leur corps mental se moule à leur état. Il n'y a plus de masques, de mensonges, de manipulations ni de faux-fuyants. Chacun se révèle à l'autre. Par le fait même, les relations se simplifient et s'approfondissent, car elles ne sont plus vouées à la satisfaction des désirs personnels, mais à nourrir des sentiments sincères et profonds. Ce ne sont plus les personnages avec qui nous avons joué cet acte de la vie qui importent, mais l'âme et l'esprit qui leur ont donné chair. C'est avec l'essence même de l'être que nous entendons poursuivre l'histoire. L'amour qui nous unit perdure au-delà de nos rôles et une fois libérés des désirs de notre personnalité, nous pouvons savourer toute son ampleur.

Sur le plan causal

C'est sur le plan causal que nous retrouvons notre véritable famille, celle que nous cherchons depuis le début de notre incarnation : notre famille céleste. Celle-ci regroupe tous les êtres pour qui nous éprouvons des sentiments profonds. Cela va bien au-delà du rôle que nous avons joué ensemble durant une ou plusieurs incarnations. Ici, c'est la profondeur du lien qui nous unit à ces êtres que nous retrouvons. Nous sommes en contact direct avec la nature profonde des êtres que nous avons aimés dans toutes nos incarnations. Le sentiment d'être unis à eux est très puissant. Nous vibrons et rayonnons notre unicité, nourrissant ainsi chacune de nos interactions d'amour sans condition. Les retrouvailles que nous vivons immédiatement après notre arrivée dans l'astral nous offrent un avant-goût de la joie qui nous attend sur le plan causal. Cependant, notre corps émotionnel et notre corps mental en limitent notre réceptivité. Ce n'est que dépourvus de ces corps que nous goûtons l'ampleur de ces vibrations. En plus de côtoyer notre famille céleste, il nous est aussi possible d'interagir avec des êtres des plans supérieurs, qui viennent nous assister dans nos apprentissages et nous aider à perfectionner nos capacités afin de les transformer en habiletés.

Nous sommes donc toujours entourés, peu importe sur quel plan de conscience nous sommes. Par contre, plus nous nous élevons, plus nous sommes conscients des êtres qui nous entourent et plus nous bénéficions de leur présence. Sur terre, notre vision est souvent limitée à notre famille terrestre et nous ne percevons pas toujours la présence de notre famille d'âmes. Il nous arrive parfois de reconnaître certaines d'entre elles au premier contact. Ce sont les personnes que nous avons l'impression de connaître de longue date. Dans l'astral, au début, nous ne percevons souvent que notre famille terrestre. Puis, nous redécouvrons notre famille d'âmes. Nous partagerons notre expérimentation avec ces deux familles selon notre niveau d'attachement à la terre. Dans le plan mental, c'est avec notre famille d'âmes que nous vivons le plus clair de notre temps. Il nous arrive de communiquer avec l'ego des êtres chers, mais l'ensemble de nos interrelations se passe avec la famille d'âmes. Sur le plan causal, nos relations ne passent plus par le voile de notre personnalité, que nous avons abandonnée avec notre corps mental. Nous sommes unis à tous les ego qui nous entourent. Bien qu'il y ait encore une séparation entre nous, à cause de nos corps subtils supérieurs, celle-ci est ténue et nous vivons en symbiose avec notre entourage.

Les possibilités de communication

Avec la terre

Comme nous l'avons vu précédemment, la communication directe entre les défunts et leurs proches incarnés vient des divers niveaux de l'astral. La proximité avec la terre nous offre cette possibilité. Dans l'astral inférieur, l'attrait pour la terre est si fort que nous cherchons davantage à communiquer avec nos proches qu'avec notre famille d'âmes. Ces communications comblent nos intérêts personnels et sont souvent très égocentriques. À partir du quatrième niveau, elles commencent à devenir plus altruistes. Nous nous préoccupons davantage du bien-être de nos proches que de la satisfaction de nos désirs. Puis, sur les plans supérieurs, nous désirons communiquer avec eux dans un but plus élevé encore. Nous souhaitons les aider dans leur cheminement et faciliter leurs expérimentations dans la matière.

Avec notre famille d'âmes et notre famille céleste

Sur terre comme au ciel, les relations avec notre entourage représentent une part importante de nos prises de conscience. Tout ce que nous vivons sert cet objectif. Les autres nous aident à nous observer et à nous définir. Sur terre, nous sommes en contact avec des êtres de différents niveaux vibratoires. Même si, de manière générale, nous sommes attirés vers ceux avec qui nous avons plus d'affinités, il n'en demeure pas moins que nous côtoyons un vaste éventail d'ouvertures de conscience. Nous sommes ainsi amenés à en ressentir les impacts vibratoires dans nos corps denses. Les attraits et les répulsions qui en découlent sont de précieuses informations dans notre quête de conscience de « Soi ».

Au ciel, le fonctionnement diffère. Puisque nous nous rassemblons avec les êtres qui ont le même niveau de conscience que le nôtre, ce n'est donc plus par la divergence que nous apprenons sur nous-mêmes, mais par l'attraction. La similitude vibratoire devient un outil d'intériorisation. Sur terre, l'observation passe par l'extérieur. L'autre est un miroir qui nous reflète une partie de notre être. À force de faire face à une force de répulsion ou d'attrait, nos actions ou nos réactions finissent par nous permettre de découvrir ce fameux reflet qui cherche à poindre au grand jour, à la condition évidemment que nous prenions le temps de l'observer. Au ciel, la similarité vibratoire de notre entourage nous mène en résonance avec une facette de notre être dans le but de pouvoir la conscientiser davantage. Tout ce qui nous entoure, y compris notre famille d'âmes, nous envoie un même reflet. Dans l'astral, nous expérimentons nos actions et nos réactions pour prendre conscience du reflet de nos désirs et de nos émotions. Sur le plan mental, c'est le reflet de nos sentiments qui nous sera retourné. Sur le plan causal, c'est le reflet de nos apprentissages que nous pouvons voir à travers la vibration des autres. Grâce aux êtres qui nous entourent sur chacun de ces plans, nous pouvons apprendre sur nous et nous parvenons à retrouver notre essence et toutes les capacités qu'elle contient. Tous nos échanges et toutes nos interactions représentent des moyens d'ouverture de conscience, car ils nous offrent une vision particulière de notre état.

Un indice pour la compréhension du message

Il n'est pas toujours évident de comprendre le message d'une âme désincarnée. Les informations transmises par télépathie sont souvent symboliques. Pour bien entendre le message, il importe d'écouter sans sauter aux conclusions. Par exemple, dans chacune des communications, l'image corporelle et l'état projeté font partie du message. Ils servent de support à sa compréhension. Ainsi, l'image ou l'état projeté dans une conversation ne dicte pas nécessairement le niveau vibratoire de l'âme, mais est davantage associé au message qu'elle souhaite offrir. Ainsi, le fait de voir un être cher entouré de lumière dans les premiers moments après sa mort ne veut pas dire qu'il soit déjà dans des plans lumineux comme le plan mental ou causal, mais peut simplement vouloir dire à ses proches de ne pas s'inquiéter pour lui et qu'il est bien là où il se trouve. Inversement, le fait de percevoir un être cher dans un état de tristesse ne veut pas nécessairement dire qu'il se trouve encore dans la subdivision émotionnelle de l'astral, mais peut tout simplement évoquer une tristesse vécue par un membre de sa famille terrestre. Il faut éviter d'en tirer des conclusions hâtives. Sur terre comme au ciel, les messages que nous transmettons aux autres parlent bien plus souvent d'une situation temporaire que d'un état permanent et irréversible. Une communication avec un défunt, c'est comme une photographie. Elle ne parle que de ce qui se passe dans le moment présent et de l'intention qui habite le défunt à ce moment-là.

Accepter la transformation de la relation

Lorsqu'un être cher nous quitte ou lorsque nous quittons la terre, il peut être réconfortant de rester en contact. De telles communications représentent un véritable baume sur la souffrance inhérente au deuil et à la transformation de la relation. De part et d'autre, si ce type de contacts est fait sans attente et dans l'acceptation des transformations qui en découlent, ces derniers s'avèrent un moteur dans le cheminement respectif de chacun. Cependant, s'ils servent à alimenter le lien d'attachement, ils sont nuisibles pour tous. Transformer la relation, c'est accepter que les rôles soient terminés. C'est accepter de voir l'âme au-delà de la personnalité, l'être au-delà du rôle, l'amour au-delà de l'attachement. Cela nous permet de nourrir les sentiments qui nous unissent. Ainsi, la communication d'âme à âme, de cœur à cœur, devient la voie privilégiée de communication. Nous nous adressons alors à l'essence de l'être que nous aimons et nous élevons notre vision de notre relation en dehors des décors connus pour atteindre la profondeur des sentiments éprouvés.

Lors de chacune des conférences que j'offre, on me demande s'il est nuisible de chercher à joindre un être cher décédé. Il n'y a pas une seule réponse ici. Cela dépend de notre motivation. L'amour élève toujours. Inversement, la dépendance nuit toujours. Peu importe de quel côté du voile nous nous trouvons, nous sommes des âmes en transition. Nous avons besoin d'amour pour avancer. Le fait de vouloir joindre un être cher pour l'aider à s'élever n'a rien de nuisant, surtout dans les premiers moments de sa mort. Éventuellement, lorsqu'il sera sur le plan mental, ce dernier ne pourra plus nous répondre directement, mais il pourra continuer de le faire en passant par la *voie* de notre ego, qui à son tour pourra nous transmettre sous forme de ressentis et d'intuitions la *voix* de son cœur. Nous sommes donc toujours en contact, mais le moyen de communiquer change.

Au fur et à mesure de l'élévation, de part et d'autre, il faut aussi ajuster nos vibrations et notre écoute pour que la communication s'établisse. Sans cette transformation, l'écart vibratoire devient trop grand et nous risquons de perdre le contact. L'amour qui nous unit ne meurt jamais, mais la distance peut se faire sentir. La communication entre les mondes doit inévitablement suivre le mouvement vibratoire pour perdurer. Cependant, avec ou sans ajustement, le retour à la communication surviendra dès lors que nous parviendrons au plan mental.

5 - Le choix de notre route

Comme nous l'avons vu plus haut, c'est dans le plan causal que la suite de notre trajet se joue. Si nous avons complété tous les apprentissages que la terre peut nous offrir, nous sommes libérés du cycle d'incarnations. Nous pouvons alors choisir de servir l'accroissement de la conscience collective en retournant sur terre comme enseignant et non plus comme élève. Nous pouvons clore le cycle d'incarnations en abandonnant le corps causal et accéder au plan bouddhique où nous continuerons notre élévation de conscience en aidant les êtres qui sont encore dans le cycle d'incarnations. Ce passage au plan bouddhique nous mène sur la voie des êtres réalisés, vers l'unification et l'illumination.

Nos demeures célestes comme notre demeure terrestre sont des lieux d'exploration de notre conscience. Chaque incarnation façonne notre vision de nous-mêmes. Ce que nous visons tous, c'est d'arriver à une intégration profonde de toutes les capacités de notre être dans le but de renouer avec notre essence divine. La mort n'est qu'une étape dans ce périple qui nous permet de dresser un constat de nos acquis terrestres en nous élevant à divers points de vue différents. Savoir ce qui nous attend après la mort nous permet de voir l'importance de nos actions sur terre. C'est ici-bas que nous traçons les grandes lignes du voyage dans l'au-delà. C'est maintenant que nous préparons les bagages dont nous disposerons dans l'au-delà et que nous œuvrons à la fin de ce grand mouvement entre ciel et terre. Savez-vous ce qu'il y a dans vos bagages actuellement? La question peut surprendre, mais c'est dès maintenant qu'il faut commencer à faire le tri pour ne garder que ce qui allège notre cœur et tout notre être. C'est là le plus beau des cadeaux que nous puissions nous offrir ici, maintenant, et jusqu'à la fin de nos incarnations.

Résumé

- Durant le cycle d'incarnations, nous traversons généralement trois étapes essentielles de transformation dans l'au-delà : l'astral, le plan mental et le plan causal.

- L'astral, c'est le plan de transformation des désirs et des émotions qui s'y rattachent. Il sert à nous aider à nous détacher de la terre et de la matière.

- L'astral est composé de sept niveaux vibratoires que nous traversons pour parvenir à libérer les différents désirs que nous avons alimentés durant l'incarnation. Nous ne séjournons que sur les niveaux correspondant aux désirs actifs en nous.

- La dernière pensée avant la mort nous propulse sur le plan vibratoire qui lui correspond. Ensuite, ce sont les désirs accumulés dans nos bagages qui fixent les niveaux que nous visitons et la durée de notre séjour dans l'astral.

- La deuxième revue de vie permet de nous aider à libérer nos désirs et à voir le beau et le bon de notre incarnation.

- La majorité des âmes accèdent au plan mental, sauf celles qui n'ont pas les capacités mentales suffisamment développées et les êtres qui se sont suicidés.

- Le plan mental, c'est le plan de la transformation des sentiments.

- La troisième revue de vie sert à conscientiser les capacités que nous avons développées durant l'incarnation. Elle nous aide alors à savourer notre récolte.

- Le plan mental est composé de quatre niveaux et nous séjournons seulement sur celui qui correspond à nos capacités mentales.

- Le passage sur ce plan marque la fin des liens d'attachement avec la terre.

- La durée de notre séjour sur ce plan dépend de la quantité de sentiments qui se trouvent dans nos bagages.

- Le passage au plan causal marque l'abandon de la personnalité et le renouement avec l'individualité.

- Le plan causal, c'est le plan de la cause. Il sert à comprendre toutes les causes qui ont engendré nos expérimentations durant l'incarnation.

- C'est le plan des retrouvailles avec notre famille céleste.

- Le plan causal est composé de trois niveaux et nous séjournons seulement sur celui qui correspond à notre niveau de conscience de « Soi ».

- La durée de notre séjour dans ce plan dépend du développement de notre corps causal. Plus il est développé, plus nous y restons longtemps.

- C'est sur ce plan que nous préparons nos réincarnations.

- Nos interactions varient d'un plan à l'autre, mais nous ne sommes jamais seuls.

- Dans les premiers niveaux de l'astral, nous cherchons à communiquer avec la terre, et à partir du niveau intermédiaire, nous entrons de plus en plus en interaction avec notre famille d'âmes.

- Sur le plan mental, nos interactions se passent davantage avec notre famille d'âmes, mais nous communiquons aussi avec notre famille céleste, pour continuer de nourrir les liens avec les êtres chers.

- Sur le plan causal, nos interactions se passent avec notre famille céleste.

- Quand nous avons atteint la maîtrise de toutes nos capacités, nous pouvons choisir de mettre fin au cycle d'incarnations. Alors, nous accédons aux plus hauts niveaux vibratoires de notre univers.

Chapitre 6

Suivre un autre parcours

Que cette vie soit comme un nouveau jour.

*Voyez-la comme unique, car jamais
vous ne la retrouverez.*

Votre « moi, je » n'a aucun pouvoir sur elle.

*Si vous voulez mourir,
mourez à votre mental inférieur,*

*à celui qui juge, qui contrôle,
qui craint et qui divise.*

*Laissez-le se dissoudre sans peur
de perdre quoi que ce soit.*

*La fin du corps physique n'entraînera
jamais la fin de la vie qui,
par essence, est immortelle.*

Anne Givaudan, *La rupture de contrat*, p. 162.

*J*l est toujours très émouvant de parler d'un sujet aussi délicat que le suicide. À huit ou neuf ans, je me souviens d'avoir été totalement ébranlée quand j'ai appris que le père d'un élève de ma classe s'était enlevé la vie. Il s'agissait de mon premier contact avec une telle possibilité et je ne comprenais pas pourquoi une personne pouvait faire un tel geste. Je me souviens que j'ai été habitée longtemps par un flot de questions, mais je sentais ce sujet tellement explosif que je n'osais pas les exprimer de peur de blesser ou de susciter un malaise. Les années ont passé et la souffrance qui gravite autour de ce type de mort est toujours aussi facilement palpable. Ce geste est chargé de tabous et de fausses croyances. Il n'y a pas si longtemps, on faisait tout pour ne pas révéler au grand jour que la cause de la mort était un suicide. Honte, peur du jugement, culpabilité imposaient de passer cette cause sous silence. À la longue, tous ces secrets se transforment en un fardeau très lourd à porter, tant individuellement que collectivement. Le poids des croyances, des tabous et des jugements amplifie la souffrance et la difficulté d'en parler ouvertement. Pourtant, la prévention et la guérison passent inévitablement par l'expression de la souffrance inhérente à ce type de mort.

C'est pourquoi je propose ce chapitre. Je souhaite d'abord qu'il soit une source d'information pour mieux comprendre la nature et les conséquences d'un tel geste du point de vue de l'âme. Je souhaite également qu'il soit un moteur d'échange, de discussion et de libération, tant pour les personnes qui ont des idées suicidaires que pour les proches qui doivent accepter les conséquences d'un tel geste. Plus nous en discuterons et plus nous contribuerons à défaire les

> ⬡ *Saviez vous que...*
>
> *À travers le monde, le nombre de suicides est plus élevé que le nombre de personnes qui décèdent dans des guerres ou des conflits de nature politique ou idéologique.*
>
> Tiré des informations recueillies par l'OMS

nœuds énergétiques, les tabous et surtout l'illusion qui entourent le suicide. Ainsi, en unissant nos forces pour changer la perception de ce type de mort, nous pourrons soulager bien des cœurs meurtris.

1 - Les différentes motivations derrière l'acte

La mort ne nous transforme pas et elle ne nous soulage pas de la souffrance émotionnelle ni d'aucune tâche à accomplir. Elle n'est pas une panacée qui guérit tout par elle-même. Elle ne règle aucun problème. Elle nous place simplement devant le constat de notre état. S'enlever la vie n'est jamais un choix avantageux du point de vue de l'âme. Ce sont nos croyances quant à la mort et quant à la vie qui détournent la personnalité vers ce chemin sinueux. Malgré les conséquences néfastes que ce geste implique, le libre arbitre permet de l'expérimenter. En effet, ce précieux cadeau qui nous donne la capacité de choisir consciemment ou inconsciemment les expériences que nous désirons vivre, nous offre même la possibilité d'interrompre une incarnation en cours de route. Tout suicide témoigne d'un choix : celui de quitter ce monde pour une raison spécifique.

Par contre, l'exercice de choix n'est pas effectué par l'âme et il n'y a donc pas ici de mouvement préparatoire amorcé par l'âme ou, du moins, si la mort faisait partie des plans de l'âme, celle-ci ne devrait pas se produire de cette manière. La décision de mettre fin à ses jours vient de la personnalité, qui ne comprend pas le sens de cette incarnation ni les apprentissages que son être souhaite vivre. Nous y reviendrons plus loin. Les conséquences de ce choix sont grandes sur

> ### Quelques chiffres
>
> - *En 2000, toutes les quarante secondes, une personne s'est enlevé la vie.*
> - *Partout à travers le monde, le suicide représente le plus haut taux de mortalité chez les 15-34 ans.*
> - *En 1950, 56 % des suicidés avaient moins de 44 ans.*
> - *En 1995, 53 % des suicidés avaient plus de 45 ans.*
> - *En gros, le taux de suicide est trois fois plus élevé chez les hommes que chez les femmes, sauf en Chine où il est plus élevé chez les femmes.*
>
> Tiré d'une *étude multicentrique d'intervention sur les comportements suicidaires – SUPRE-MISS –* produite par l'OMS en 2006

le chemin qui nous attend dans l'au-delà et sur la prochaine incarnation. Puisqu'elles varient en fonction de la motivation qui anime ce choix, voyons d'abord ce qui se cache derrière le geste.

Mourir en désespoir de cause

Dans notre société occidentale moderne, nous bénéficions de conditions de vie des plus enviables. Pourtant, en observant les statistiques, tout ce confort ne semble pas contribuer au bonheur ni à donner un caractère sacré à la vie. Nous détenons l'un des plus hauts taux de suicide au monde. Comment cela se fait-il? Il y a d'autant plus de raisons de s'interroger en regardant d'autres sociétés pour qui le suicide est pratiquement inexistant. Sans entrer dans une analyse approfondie des causes sociales, personnellement, je crois qu'en grande partie, cela est causé par une méconnaissance du sens de la vie. Anciennement, la religion, qui prenait une place importante dans notre vie, nous proposait des réponses aux grandes questions de la vie et elle nous amenait à nous centrer sur de grandes valeurs comme l'amour, la générosité, le don de soi, la compassion. À travers les enseignements religieux, la souffrance avait un sens et ces derniers fournissaient un encadrement aux personnes éprouvées. En abandonnant la pratique religieuse, le sens des défis de la vie s'est perdu. Loin de moi l'idée d'imposer un retour à des valeurs qui ne nous conviennent pas ni de faire la promotion d'une quelconque religion. Il s'agit simplement d'un constat.

Aujourd'hui, nous n'avons plus de balises. La liberté individuelle est notre valeur culte. Le *chacun-pour-soi* et le *vivre et laisser vivre* représentent la base de notre épanouissement personnel et ils nous procurent d'infinies possibilités lorsque nous désirons prendre notre envol. Par contre, si nous n'avons pas développé d'attrait pour la spiritualité – c'est-à-dire une ouverture sur le sens profond de la vie exercée librement ou à travers un cadre religieux –, ils deviennent rapidement du plomb dans les ailes lorsque nous vivons de grandes souffrances. Certes, de nombreux réseaux d'entraide existent pour soutenir les gens en détresse, mais leurs actions sont consacrées à l'aide à la personne. Par respect des croyances de chacun, le cheminement spirituel qui pourrait apporter un sens à cette souffrance est un outil suggéré, mais il reste une démarche individuelle. Plus personne n'ose s'immiscer dans ce domaine de peur de heurter les croyances. Cela a pour conséquence de laisser un vide important lorsqu'une personne cherche un baume à sa souffrance. Le sens est porteur d'espoir. C'est ce qui nous fait avancer. Dans les profonds tourments, quand rien n'a de sens, c'est là que le suicide semble la seule solution valable pour que cesse le supplice. Au fond, lorsque nous sommes en désespoir de cause, ce n'est pas la mort qui est recherchée, c'est le mieux-être. Or, c'est seulement lorsque nous savons ce qui nous attend au-delà de notre corps physique que l'idée du suicide est écartée à tout jamais. Nous y reviendrons plus loin après la revue des motivations qui poussent au suicide.

Mourir pour une cause

Même si, dans cette société, la plupart des êtres qui se suicident le font parce qu'ils sont complètement désespérés, il existe bien d'autres motivations qui poussent à s'enlever la vie. Comme c'est l'état qui détermine ce qui se passe après la mort, il importe de distinguer les motivations qui ont conduit à ce geste parce qu'elles ont une influence directe sur la suite du trajet. J'exclus volontairement ce que l'on appelle parfois le suicide altruiste, c'est-à-dire faire don de sa vie pour sauver la vie de quelqu'un d'autre. Cette forme de mort fait à mon avis partie des morts planifiées. La pulsion qui incite à céder sa place en apparence spontanée témoigne en fait d'une forte intuition à suivre cette voie qui est vraiment celle de l'âme. Il ne s'agit donc pas d'une volonté de mettre fin à ses jours, mais d'une volonté de suivre le plan divin qui a été fixé par les âmes concernées. Les motivations qui suivent ne viennent pas d'un plan de vie établi par l'âme avec l'aide de ses guides. Au contraire, elles démontrent plutôt un éloignement entre la personnalité et l'âme, qui l'écarte du chemin la conduisant à la conscience de « Soi ».

Suicide inconscient

Le suicide inconscient survient à cause d'une maladie ou d'un désordre des facultés mentales qui fait en sorte qu'un être ne parvient plus à mesurer les conséquences de ses gestes. L'important, ici, c'est de comprendre que l'être ne cherche pas à mourir. Il fait un geste qu'il n'a pas la capacité d'évaluer à ce moment-là parce que son cerveau éprouve des difficultés de fonctionnement. Par exemple, durant un épisode de délire psychotique, une personne peut se prendre pour un oiseau et sauter en bas d'un gratte-ciel. Elle est alors persuadée qu'elle volera et elle ne réalise pas ou ne comprend pas que cela n'est pas possible, du moins de cette manière.

Suicide par vengeance

Le suicide par vengeance est un acte d'une grande violence. Il représente non seulement le choix de mourir, mais en plus, l'intention de faire souffrir quelqu'un ou de causer du tort à un être ou à un groupe qui gravite dans son entourage. Il constitue donc un geste délibéré exprimant une colère intense, souvent accumulée depuis un moment.

Suicide pour fuir

Le suicide pour fuir survient lorsqu'un être ne parvient pas à faire face à un événement ou aux conséquences de ses choix passés. Culpabilité, honte, remords, sentiment d'échec ou d'impuissance sont si intenses que la fuite semble être la meilleure option. Bien qu'il s'apparente au suicide en désespoir de cause, celui-ci n'est pas pour faire cesser une souffrance intérieure, mais pour fuir une responsabilité. Par exemple, l'être qui réalise qu'il vient d'être démasqué et que toutes ses duperies seront mises au grand jour peut choisir de s'enlever la vie juste avant que l'on vienne l'arrêter. Il refuse d'affronter ce qu'il a lui-même créé.

Suicide fanatique

Le suicide fanatique consiste à se donner la mort en raison d'une dévotion aveugle. Il sert souvent une cause associée à un mouvement religieux ou à des croyances sociales. La mort est vue comme un sacrifice pour servir les intérêts d'un groupe ou comme une punition que l'on s'inflige pour laver l'honneur du groupe. Ce choix est fondé sur une croyance erronée qu'un tel sacrifice peut faire avancer la cause. Or, il n'y a aucun avancement possible en bafouant le caractère sacré de la vie et cela est encore plus vrai lorsque le suicide fanatique implique une vengeance auprès d'autres personnes.

Suicide assisté

Il s'agit ici d'abréger sa vie alors que l'on se sait atteint d'une maladie incurable et d'une mort prévisible. Cette forme de suicide gagne en popularité dans notre société. L'être qui voit la mort arriver désire précipiter le mouvement, dans le but d'éviter tous les désagréments et la souffrance que la maladie pourra lui occasionner. En fait, l'être choisit de devancer la mort sous prétexte que tout ce qui pourrait survenir d'ici à ce que la mort naturelle arrive soit totalement inutile. Comme nous l'avons vu dans les chapitres 2 et 4, le processus sert à l'avancement de notre cheminement jusqu'à la fin si nous le vivons en conscience. Évidemment, il est plus que normal de vouloir vivre ce passage de manière sereine. À ce titre, il est primordial de s'assurer d'être à l'affût de la souffrance pour la soulager dans la mesure du possible et de ne pas prolonger la vie contre le gré de l'âme en transition. Cependant, comme nous le verrons ci-dessous, il y a une grande différence entre le fait de vivre ce passage jusqu'au bout dans les meilleures conditions qui soient et d'interrompre le processus naturel de la mort de manière volontaire.

Toutes ces causes qui expliquent le geste du suicide ont des incidences sur la suite du trajet dans l'au-delà, mais malheureusement, aucune d'elles ne sert la cause de l'élévation. Le suicide peut sembler une option valable, mais si tentante soit cette option, elle n'est toujours qu'un long détour dans notre cheminement.

2 - Les conséquences

Au cours des dix dernières années, j'ai rencontré tellement de personnes touchées de près par le suicide, qui ne savaient pas comment panser l'immense sillon qu'il creuse sur son passage. D'une part, les suicidés regrettent amèrement leur geste et ils doivent maintenant vivre avec les conséquences. En effet, les suicidés découvrent très rapidement l'existence d'une autre voie une fois rendus dans l'au-delà. J'ai accompagné plusieurs êtres qui ont quitté la terre de cette façon et le premier constat qu'ils font est : « Il y avait une solution. Je ne la voyais pas. Il est trop tard et ce qui est le plus terrible est de savoir que je ne peux plus tirer profit de cette solution maintenant. » Il est extrêmement douloureux pour eux de s'éveiller dans l'astral et de réaliser que ce qu'ils souhaitaient le plus en faisant ce geste n'est pas arrivé, pire encore, que leur situation s'est aggravée par le poids des remords et des regrets.

D'autre part, les proches qui restent sont inquiets et ils se demandent ce qui arrive aux suicidés dans l'au-delà. Il n'y a pas qu'une réponse ici, et la prochaine section en apportera certains éléments. Ce qui importe de comprendre, c'est qu'il y a plusieurs mythes qui circulent à leur sujet. Nombre d'entre eux condamnent les suicidés à un enfer éternel ou les expédient tous dans un lieu de damnation où ils devront expier leur faute. Entretenir de telles visions faussées n'arrange en rien la situation de ces êtres souffrants. Le suicide est certainement un très mauvais choix pour accéder à l'au-delà, mais d'emblée, il faut savoir qu'aucune loi ou règle n'a été créée à l'usage spécifique des suicidés. Leur sort découle des mêmes règles qui s'appliquent à toute autre forme de mort. Les suicidés ne sont pas condamnés à quoi que ce soit, si ce n'est qu'à faire face au bagage qu'ils apportent avec eux dans l'astral. L'amour inconditionnel qui est le fondement même de la vie ne juge jamais, mais il accueille avec compassion. Puisqu'il est sans condition, il ne pourrait y avoir de petits addendas spécifiques aux suicidés. Il s'applique de la même manière. C'est à cause des motivations mêmes du geste qu'il en découle inévitablement des conséquences différentes.

Le suicide court-circuite notre plan de match. Nous sommes venus sur terre pour apprendre certaines leçons importantes pour notre ouverture de conscience. Elles ont été choisies sciemment par notre âme avant de nous incarner. Ces apprentissages sont amorcés dans un dessein plus vaste que nous pouvons le concevoir avec les yeux de la personnalité. Nous venons sur terre pour découvrir de nouvelles facettes de nos habiletés et chacune des expériences de notre vie existe pour nous aider à conscientiser ces habiletés. En ce sens, le suicide ne fait pas partie des expériences planifiées dans l'au-delà. Au contraire, il va à l'encontre même de ce que notre âme cherche à travers l'incarnation. Bien que le libre arbitre permette de marcher sur ce chemin sinueux, celui-ci s'avère toujours un détour du point de vue de l'évolution de l'être puisqu'il vient interrompre une leçon en voie d'intégration.

Pour illustrer cela, le suicide peut se comparer au décrochage scolaire. En s'inscrivant à une formation dont il a besoin pour son avenir professionnel, l'étudiant désire acquérir des connaissances nécessaires à son avancement. S'il décroche parce que les travaux sont trop exigeants ou parce qu'il n'en peut plus d'investir des efforts ou encore parce qu'il refuse de s'intégrer dans ce cadre scolaire, il se détourne de son objectif : son avancement professionnel. Que les motivations de ce dernier soient valables ou non importe peu. Le résultat est le même. Il vient de retarder son avancement. Certes, cette décision l'amènera à vivre d'autres apprentissages, mais ceux requis au départ n'y seront pas et son plan de carrière en sera influencé. Si cet élève veut sa certification ou son diplôme, le décrochage ne fait pas partie des options dont il dispose. Il en est de même pour l'être qui s'incarne. Il a besoin de vivre les expériences terrestres déterminées dans son plan de match pour poursuivre son évolution, et le fait de s'enlever la vie ne fait pas partie des options qui lui permettront de compléter ces apprentissages.

En plus, le suicide nuit au parcours de tout l'entourage du suicidé. Lorsque nous venons sur terre, nous venons dans un but individuel d'abord. Nous visons à accroître notre conscience de « Soi » par les expériences que nous vivrons. Mais nous venons aussi dans un but collectif : celui d'élever la conscience des êtres incarnés. Nous planifions cette incarnation avec nos guides et avec les guides de tous les êtres qui seront sur notre parcours. La grande pièce de la vie imbrique tous les personnages de manière à ce que la contribution de chacun soutienne l'évolution des autres, et vice versa. Aucun rôle n'a plus de valeur qu'un autre et chaque personnage donne la réplique à la mesure de ses capacités. Le suicide vient cependant bousiller le cours de la pièce. Des répliques ne seront jamais données, des actes entiers ne pourront être joués à cause de ce départ précipité. Certes, la vie n'est jamais prise au dépourvu et un scénario de rechange viendra se substituer au premier, mais celui-ci ne pourra égaler la situation optimale qui avait été envisagée par toutes les âmes concernées.

En conséquence, la mort volontaire n'est jamais qu'un détour qui ne résout rien et qui n'aide en aucun cas une quelconque cause. Elle retarde l'élévation parce qu'en décrochant ainsi de l'incarnation, les outils qui devaient être acquis ne le seront pas et le parcours ne peut donc pas s'effectuer comme prévu.

La traversée de l'astral

Il y a énormément d'histoires d'horreur qui circulent au sujet de ce qui arrive aux suicidés dans l'au-delà. Certes, leur sort n'est pas vraiment enviable, mais il faut aussi avouer que les croyances à leur sujet font bien plus de tort que de bien. En effet, le non-amour dirigé vers eux chaque fois que leur geste est jugé, chaque fois qu'on les imagine dans un lieu infernal équivalant à la septième subdivision de l'astral ou qu'on les condamne à la souffrance éternelle ne les aide pas à élever leur énergie. Comme pour tous les autres types de mort, c'est la dernière pensée et l'état de conscience qui fixe la destination dans l'astral. Or, c'est souvent ici que le bât blesse. L'état des suicidés au moment de la mort n'est généralement pas très lumineux. S'il l'est, cela vient d'une croyance infondée. Alors, la loi d'attraction les amène dans les niveaux inférieurs de l'astral. Ils passeront la grande majorité de leur séjour sur le niveau vibratoire correspondant à leur état de conscience. Par exemple, l'être qui s'enlève la vie par désespoir est barricadé dans des émotions de basses vibrations. Son réveil se passe sur le cinquième niveau de l'astral et il éprouve de la souffrance, car il réalise sur-le-champ qu'il est toujours vivant et qu'il est toujours aux prises avec la même dynamique émotionnelle. Comme son bagage émotionnel est très dense, il y restera un bon moment, le temps de se libérer des émotions et des désirs qui l'ont mené à faire ce geste. L'être est rapidement conscient de son geste et il en éprouve énormément de culpabilité, de regrets ou de remords. La revue de vie sera éprouvante puisqu'il ressentira l'ampleur de la souffrance que son geste a occasionnée à ses proches. Si les émotions entretenues durant l'incarnation sont destructrices, violentes et haineuses, l'être sera alors attiré vers la septième subdivision. Il en est de même pour celui qui met fin à ses jours par vengeance. Dans ce cas, il s'agit de la pire sentence qu'un être puisse s'imposer puisque non seulement l'état le propulse dans un environnement vibratoire des plus sombres, mais la culpabilité l'assombrit davantage.

Le suicide fanatique, bien qu'il apporte une certaine joie très éphémère et une certaine satisfaction à l'être qui le commet en étant convaincu qu'il agit en héros, emmure le suicidé dans une croyance des plus hermétiques issue d'un manque de discernement et d'une passion vive mal canalisée. Cela a pour effet de le maintenir dans des vibrations associées à la sixième subdivision de l'astral. C'est la croyance aveugle qui l'amène dans un état similaire à l'inconscience. Le suicidé vit donc dans sa projection mentale et il revit tous les événements qui le maintiennent dans sa croyance et qui l'ont mené au suicide. Plus sa croyance est forte et ancrée, plus il en demeurera longtemps prisonnier. Une fois sorti de celle-ci, la revue de vie sera atrocement douloureuse puisqu'elle lui fera vivre la souffrance imposée à toutes les personnes concernées par son geste.

Le suicide inconscient, s'il est produit par une déficience ou une maladie mentale, ramène l'être sur le plan de conscience qui correspond à son niveau d'ouverture de conscience. En effet, une fois hors du corps physique, la déficience ou la maladie mentale cesse. Automatiquement, la conscience de l'être revient comme elle était avant la maladie ou la déficience ; si la maladie ou la déficience existe depuis la naissance, la conscience reste identique à ce qu'elle était au moment de l'incarnation. Dans l'au-delà, il existe toujours de l'aide pour les suicidés, mais ce type de suicide engendre un mouvement de prise en charge encore plus grand puisqu'il suscite beaucoup de compassion, étant donné que le geste n'était pas intentionnel. La revue de vie est généralement clémente si l'être n'avait pas de malice. Lorsque le suicide inconscient survient à la suite d'une altération volontaire des facultés mentales par la drogue ou les médicaments, l'être est propulsé sur le sixième niveau vibratoire de l'astral, le plan de l'inconscience, et il continuera de vivre de la même manière que sur terre jusqu'à ce qu'il réalise son état de dépendance. Alors, la revue de vie est difficile, car elle montre les conséquences des actions autodestructrices tant sur l'être qui les a commises que sur tout son entourage.

Le suicide assisté, quant à lui, représente une grande déception pour l'être qui le commet. Il croyait s'avancer dans son cheminement et il découvre qu'il vient au contraire de prendre un grand retard. Il se retrouvera généralement sur la cinquième ou la quatrième subdivision de l'astral, à moins que ses actions durant l'incarnation ne l'aient mené à nourrir des vibrations plus basses. Sa désillusion se dissipe assez rapidement, sauf si elle vient d'une croyance profondément ancrée. La revue de vie sert à lui montrer les apprentissages qu'il n'a pas complétés à cause de son geste.

Dans l'astral, les suicidés sont amenés à réaliser les conséquences de leurs gestes. Cela les aidera dans leur prochaine incarnation à ne plus suivre cette voie ou à tout le moins à y résister encore plus longtemps. Par contre, ils n'auront pas l'occasion d'approfondir davantage leur expérience. La terre les rappelle tout de suite après la traversée de l'astral.

La prochaine incarnation

Le suicide interrompt le parcours que l'âme avait déterminé. Cela implique qu'elle ne peut plus continuer sa route comme prévu. Elle ne peut en conséquence accéder ni au plan mental ni au plan causal. Elle doit retourner sur terre pour acquérir les leçons qui lui manquent. Ainsi, contrairement aux autres types de mort qui permettent d'approfondir les expériences terrestres pour en tirer profit et en comprendre les causes, le suicide, lui, replonge l'être qui l'a commis dans un rôle qui aura essentiellement les mêmes caractéristiques et les mêmes aventures que le personnage qu'il a joué précédemment pour pouvoir récupérer ce qui a été loupé. Le suicidé retourne donc dans un corps physique sans avoir pu goûter la félicité du plan mental. Il ne bénéficiera pas non plus de la claire lumière du plan causal pour planifier sa nouvelle incarnation. La porte qu'il a choisie le mène ni plus ni moins à la case départ. C'est là l'ultime conséquence du suicide. L'interruption du plan d'incarnation implique une reprise immédiate pour pouvoir poursuivre ensuite le processus d'élévation.

Tout comme l'étudiant qui décroche reprend son année scolaire du début, le suicidé recommence une incarnation similaire pour intégrer les apprentissages qui lui manquent. Comme il ne s'est pas départi de ses corps émotionnel, mental et causal, sa personnalité sera donc encore fortement imprégnée des mêmes désirs et des mêmes formes-pensées. À ce titre, il n'y aura que les décors et les comédiens qui seront différents. Le suicidé baignera donc dans le même genre d'expériences qui ont engendré son précédent suicide. Par contre, même si la tentation de s'enlever la vie sera encore présente, il sera un peu plus armé pour y résister.

Si le suicide est survenu alors que la plupart des apprentissages étaient intégrés, l'incarnation sera brève. Par exemple, l'être qui s'est suicidé pour ne pas affronter la dégénérescence associée à une maladie en phase terminale n'aura que cette portion d'expérience à revivre. Il pourra alors renaître dans le corps d'un enfant atteint d'une maladie incurable et mourir en bas âge en vivant cette fois toutes les étapes qu'il a précédemment escamotées. Cependant, si l'être n'a pas réussi à exécuter l'ensemble de ses apprentissages ou s'il a manqué une grande leçon de vie avant de mettre fin à ses jours, il lui faudra vivre toutes les circonstances qui lui permettront d'atteindre cet objectif. En d'autres mots, le suicidé revient pour intégrer ce qui lui manque et une fois que cela est atteint, il peut poursuivre son cheminement. Il devra à nouveau passer par l'astral pour atteindre enfin les plans mental et causal.

Comme nous venons de le voir, le suicide est un très grand détour. Non seulement il ramène les êtres tout de suite sur terre pour revivre une expérience similaire, mais ces derniers doivent ensuite refaire tout le trajet dans l'astral avant de pouvoir toucher à la paix intérieure qu'ils cherchaient en faisant ce geste. Le fait de se suicider ne règle pas les problèmes, il ne fait que rallonger le parcours pour parvenir à les régler. Quelle que soit la cause du suicide, la mort n'est qu'un changement de plan de conscience. Tenter de nous débarrasser du corps physique n'a aucun effet sur ce que nous portons en nous. Vouloir accélérer le processus d'élévation par la vengeance, le fanatisme, le désespoir ou la fuite est totalement vain. L'intégration de la conscience de Soi ne peut se faire qu'en accord avec les règles de la vie et qu'en accord avec son sens profond.

3 - Un retour à nous pour maintenir le cap

Tout au long de ce livre, nous avons vu que le sens des incarnations est fondé sur le développement de la conscience de « Soi ». Les diverses expériences sur les plans de conscience nous permettent d'élargir notre vision consciente de nous-mêmes. La souffrance émotionnelle

> ## Une perspective intéressante
>
> *Les psychologues cliniques savent que le sentiment de solitude conduit à l'anxiété, au mal-être et à la dépression. Pour maintenir la santé physique et morale, non seulement des individus, mais aussi des sociétés, nous devons croire que nous vivons dans un monde riche de sens et de valeurs. Or, le psi évoque un tel « univers conscient » non uniquement comme une méthode thérapeutique, mais comme une réalité.*
>
> Tiré de *La conscience invisible*, p. 291

n'est pas imposée par un quelconque juge injuste. Elle vient de la résistance, des peurs, des angoisses à entrer dans une expérience de vie. La souffrance est un signal d'alarme pour nous ramener sur le chemin du cœur, afin que nous y puisions le sens pour pouvoir poursuivre notre route. Le problème, c'est que trop souvent, quand nous souffrons, nous tentons d'arrêter la souffrance au lieu de prendre le temps d'entendre le message qu'elle vient nous livrer. Les défis auxquels nous faisons face sur notre route nous amènent à découvrir un potentiel endormi en nous. Les cycles d'incarnations servent à cette fin. Aucune incarnation ne vise à expérimenter la souffrance. Au contraire, elles sont toutes basées sur l'épanouissement. Cependant, la souffrance naît souvent d'un sentiment profond de solitude, d'impuissance ou d'une peur qui nous incite à résister à l'expérience proposée. Lorsque nous éprouvons un tel sentiment, c'est que nous ne sommes plus en contact avec notre essence divine et que nous nous éloignons du sentier que nous avions choisi avant de nous incarner. En cherchant uniquement la solution à l'extérieur, nous nous égarons davantage. C'est grâce au retour à « Soi », dans l'espace sacré du cœur que toutes les ressources externes prennent leur sens et que l'espoir de sortir de cette zone de souffrance nous apparaît enfin.

La quête du sens de la vie

La souffrance existe en tant que moteur d'apprentissage parce que nous ne connaissons pas le fonctionnement de la vie. C'est évidemment un moyen d'intégration à la dure qui est loin d'être nécessaire.

Plus nous comprenons les règles de la vie, le processus de la mort et les cycles d'incarnations, plus nous nous tournons vers notre essence divine pour accueillir les expériences. Cette compréhension donne un cadre rassurant à ce que nous vivons. Il devient plus facile alors d'accepter et de lâcher prise. Ainsi, la souffrance diminue, voire disparaît complètement. Dans le film *Faux départ*[1], le docteur Raymond Moody explique que certains psychologues américains ont fait lire des récits d'EMI à leurs patients suicidaires et qu'ils ont ensuite observé une diminution de leur désir de mourir. Selon lui, certains psychologues ont remarqué des changements significatifs chez les personnes suicidaires qui ont vécu une EMI. Le vécu des expérienceurs suicidaires ne diffère pas de celui d'autres causes d'EMI, et ce qui survient durant leur EMI est similaire, y compris lorsque ces derniers résistent à l'expérience. Cependant, les expérienceurs suicidaires développent une nouvelle perception de la vie et de leurs difficultés après celle-ci. Ils affirment qu'ils ont compris le sens de la vie et la cause de leur désespoir durant cette expérience et que cela leur a enlevé à tout jamais les idées suicidaires. Durant leur EMI, ils ont vu que tout ce qu'ils vivaient avait un sens profond et que la souffrance était en fait un moteur d'avancement dans leur cheminement personnel. Les recherches effectuées par des psychologues ont aussi révélé que la simple lecture de récits d'EMI aidait les suicidaires à transformer leur perception de la vie et de la souffrance[2].

Comme mentionné au chapitre 4, les EMI sont des expériences transformatrices au même titre que les expériences mystiques ou que tout autre procédé qui mène à des états de conscience altérée[3]. Elles offrent la possibilité d'acquérir un savoir profond au sujet du sens de la vie et de l'immortalité de l'être. Lorsque la perception ou la compréhension du suicide semble donner un sens ou une motivation à la vie, il s'agit là d'un signal d'alerte important à écouter. La vie ne peut jamais s'épanouir ou trouver une direction à travers ce geste. C'est tout le contraire. Le suicide empêche l'épanouissement et interrompt le mouvement qui conduisait au sens de l'expérience. Le mouvement de la vie est basé sur l'amour. L'amour construit. Il ne détruit pas. Peu importe la cause qui se cache derrière un suicide, il ne sert ni notre vie ni le grand mouvement de la vie. Il arrête notre mouvement d'élévation et, du coup, il ralentit aussi celui de toute la collectivité. Avant que s'installe l'élan final, il faut comprendre pourquoi cette idée semble si invitante. Il est aussi nécessaire de chercher les bonnes informations, de peser le pour et le contre d'un tel choix et d'envisager cette décision dans la perspective des cycles d'incarnations, car une fois le geste fait, il n'est plus possible d'y changer quoi que ce soit. Les conséquences s'imposent par la loi karmique, c'est-à-dire la loi de cause à effet. L'apprentissage manqué doit en conséquence être repris.

Peu importe les motivations qui incitent un être à se donner la mort, ce dernier peut toujours en voir le véritable fondement dans son cœur et il bénéficie en tout temps d'aides terrestres et célestes pour y parvenir. Un simple pas suffit pour y accéder... Un tout petit pas vers soi, au cœur de l'être. Bien que ce dernier ait des allures gigantesques, car cela semble souvent effrayant d'entrer dans cet espace sacré, ce mouvement intérieur se produit en fait tout naturellement dès que nous acceptons de lâcher prise. Il requiert tellement moins d'efforts et d'énergie que la résistance et encore moins que l'irréparable geste du suicide. Il procure une telle libération ! En lâchant prise, nous ouvrons la seule porte qui, jusque-là, nous était inaccessible : celle de notre cœur. Nous élevons nos vibrations et nous nous permettons d'envisager les choses autrement. Nous permettons à notre âme de nous donner la bonne direction et nous permettons à la vie de soutenir nos actions. C'est là que nous trouverons la paix et le réconfort tant attendus.

Un apprentissage vital

Pour avoir jonglé avec l'idée du suicide pendant de nombreuses années, je sais à quel point nos perceptions de la vie et nos constructions mentales forgent notre réalité personnelle, mais au fil du temps, celle-ci n'a souvent plus rien à voir avec une réalité objective. À travers cette vision déformée, la vie me paraissait insensée et pénible jusqu'à ce que j'ouvre la seule porte que je n'avais osé ouvrir jusque-là, celle qui mène à mon cœur et à mon essence divine. C'est grâce à la méditation et à ma quête de réponses que je suis parvenue à transcender ces pensées et à défaire les murs d'isolement que j'avais construits tout autour de moi. Aujourd'hui, je sais que toute la souffrance que je ressentais n'était qu'un éloignement de ma nature profonde et une incompréhension du sens de la vie. J'éprouvais un grand vide dans ma vie parce que je cherchais des réponses de nature matérielle. Alors, tout ce que je trouvais ne m'apportait pas beaucoup de satisfaction. En allant en moi, non seulement les communications avec les âmes et mes recherches sur la vie après la mort m'ont procuré des réponses des plus vibrantes, mais elles ont aussi éliminé à tout jamais l'idée de mourir. Jamais je n'aurais pu imaginer ce qui allait découler de ma décision d'accepter d'entrer en moi. Tout ce que je souhaitais alors, c'était de trouver un espace de paix en moi. Ma vie n'est plus la même. Elle est tellement plus belle et plus sereine. J'y éprouve encore des difficultés, mais elles n'ont plus la même emprise sur moi. Ma perception n'est plus emmurée dans des sentiments d'impuissance et de solitude. Au contraire, grâce à cette connexion avec mon être, j'ai trouvé de nouveaux outils pour faire face aux apprentissages ardus et j'ai découvert que nous ne sommes jamais seuls pour y faire face. Aujourd'hui, je sais que l'incarnation ne vise pas à nous mettre à l'épreuve, mais à nous apprendre à faire rayonner notre plein potentiel. Je sais aussi que toute souffrance me ramène dans mon espace sacré pour entendre et accueillir le message qu'elle livre.

La vie n'a plus la même saveur. Elle est merveilleusement bonne parce que ma vision et ma compréhension ont évolué.

Chercher de l'aide

Il y a toujours une solution au suicide. Il y a toujours un filet de sécurité en dessous de nous quand nous acceptons de lâcher prise. Il y a toujours une avenue quand nous choisissons la vie, car cette dernière est source de mouvement, de création et d'amour. Il existe de nombreuses ressources et de nombreux moyens pour nous détourner de cette voie et nous ramener dans la nôtre. L'important, c'est de chercher de l'aide dès que nous avons conscience que quelque chose ne va plus. La reconnaissance de nos besoins, de nos capacités et de nos limitations est une force extraordinaire qui nous permet de demeurer bien alignés sur notre être et de nous allier à des ressources extérieures qui pourront accroître ou bonifier les nôtres. À ce titre, chercher de l'aide est une preuve de sagesse et non de faiblesse. Même s'il est difficile de parler d'idées suicidaires parce qu'elles témoignent de la vulnérabilité, de la peur, de la souffrance, des croyances, du sentiment d'impuissance et de solitude qui nous habite, le fait de les garder secrètes contribue à les alimenter et à leur donner de la force. En parler contribue à aligner les pensées. Ce faisant, la perspective change et permet de voir les choses autrement. C'est plus que faire un premier pas vers l'autre et accepter la main qu'il tend. C'est faire un premier pas vers soi. Dans mon livre *Pétales de vie*[4], tout un chapitre est consacré aux bienfaits du partage du vécu. Trucs et conseils y sont donnés pour trouver le bon confident.

Accéder à l'espace du cœur

Comme nous l'avons vu plus haut, les idées suicidaires ne font pas partie des options envisagées avant l'incarnation. Elles résultent d'un égarement quant à notre plan de match initial. La méconnaissance du sens profond de la vie, la souffrance, l'isolement, les croyances peuvent nous détourner de ce que nous étions venus expérimenter ici-bas. Lorsque nous sommes entraînés dans les basses vibrations, nourrir le beau, le bon, le lumineux et tout ce qui élève l'âme nous ramène au centre de notre être. Dans l'espace du cœur, toutes les réponses que nous cherchons nous attendent ; toutes les solutions à nos difficultés s'y trouvent ; tous les espoirs existent ; la paix et le mieux-être y règnent. Tout ce que nous cherchons si ardemment en dehors de nous réside dans cet espace sacré. Il suffit de prendre le temps d'écouter. Mais là comme ailleurs, l'écoute requiert calme et attention pour entendre les messages qui nous sont livrés. En période de grandes décisions ou de tumultes, ces deux conditions font souvent défaut, surtout si nous n'avons pas développé au préalable notre habileté d'écoute. Ainsi, avant de chercher ces réponses, cherchons donc à élever nos vibrations par des moyens simples et accessibles, comme un exercice de respiration, une marche en forêt, une activité que nous aimons ou une rencontre avec une personne chère. Il existe plusieurs moyens pour nous aider en ce sens et le livre *Pétales de vie*[5] représente un bon coffre d'outils pour élever le taux vibratoire.

En augmentant nos vibrations, il nous sera plus facile de rétablir le contact avec notre âme et de retrouver notre véritable chemin. Toutes les réponses que nous cherchons sont en nous. Toute la paix à laquelle nous rêvons est en nous. L'espoir que nous chérissons est accessible dans notre cœur. Sur terre comme au ciel, tout ce que nous cherchons existe dans cet espace sacré. Il ne reste qu'à y entrer pour savourer ce que la vie et notre âme désirent tant nous offrir. Les idées suicidaires sont un appel à trouver ce qui ne va pas dans notre manière de penser, dans nos perceptions, dans nos constructions mentales. Elles nous poussent à l'isolement, mais le sachant, nous pouvons être vigilants afin de ne pas les alimenter. Dès qu'elles se pointent, il faut réagir, car elles nous interpellent à comprendre un malaise, un blocage qui nuit à notre bien-être et à notre épanouissement. Peu importe la cause, toute envie de mourir est un signal de déconnexion à notre nature profonde. Il est alors urgent d'en parler, de chercher de l'aide, de trouver un moyen d'élever nos vibrations et de nous rebrancher à nos forces intérieures. Elles seules ont le pouvoir de faire cesser la souffrance, de régler tout problème et de nous mener vers notre bonheur.

C'est dans le cœur que la beauté et la grandeur de la vie se révèlent. Voilà le message que tous les grands maîtres et les enseignements de sagesse nous livrent depuis des millénaires. Nous sommes des êtres divins dotés de tant d'amour et de lumière. Puissions-nous toujours valider nos choix et nos désirs à la lumière de ces forces, pour qu'ils soient toujours alignés sur notre vérité et qu'ils servent notre épanouissement.

Résumé

• Dans notre société individualiste et matérialiste, le suicide par désespoir vient souvent d'une incompréhension de la vie. Les expériences qui engendrent de la souffrance semblent insensées et la croyance que la mort libère de tout nourrit l'illusion que le suicide est une solution.

• Peu importe la cause du suicide, ce type de mort engendre un long détour dans le processus d'élévation. Il court-circuite le plan de vie.

- À cause de l'état qui a engendré cette mort, la majeure partie de la traversée dans l'astral s'effectue sur les plans inférieurs et elle sert à dénouer les émotions ou les désirs intenses qui ont attiré la personnalité dans cette voie tortueuse.

- Les êtres qui quittent le plan terrestre par suicide se réincarnent sans accéder aux plans mental et causal. Ils doivent d'abord inté-grer les apprentissages prévus pour leur élévation avant de pouvoir atteindre ces niveaux.

- Dans leur nouvelle incarnation, ces êtres seront soumis aux mêmes défis que durant l'incarnation qu'ils ont interrompue. Cette fois, ils ont plus de résistance par rapport à l'adversité puisqu'ils y ont déjà fait face.

- Le suicide n'est jamais une solution à l'épanouissement. La voie du cœur est celle qui nous y conduit.

- Quand les idées suicidaires surviennent, il s'agit d'un appel de l'âme à l'intériorisation, à trouver de l'aide pour comprendre le sens de la vie et à élever nos vibrations pour renouer avec notre essence divine.

- Sur terre comme au ciel, c'est dans l'espace du cœur que nous trouvons les réponses, le mieux-être, la paix et l'espoir que nous cherchons.

Chapitre 7

À ceux qui tiennent la main...

Ce qui manque à toute situation, c'est ce que vous pouvez y apporter.

Marianne Williamson, *Méditations pour une vie de miracle en miracle*

Lorsqu'un être cher doit faire face à la réalité de la mort, tout son entourage en est aussi touché. De nombreuses questions fusent alors. Comment réagir devant une telle éventualité ? Que dire ? Que faire pour l'aider à vivre ce passage ? Il n'y a pas de recette miracle ni de solution établie. La mort ne transforme pas les besoins fondamentaux d'être aimé, accompagné, soutenu et écouté. Nous pouvons être de précieux alliés dans cette grande traversée si nous écoutons au-delà des mots, des gestes et des apparences. Les temps de silence pour entendre les messages subtils sont de précieux alliés qui nous permettent de percevoir ce que l'âme en transition tente de nous dire. De plus, la compréhension des diverses étapes du processus de la mort permet d'être plus attentif au processus même que l'être cher vivra tout au long de sa traversée. Loin d'être un chemin tout tracé, ces étapes servent de repères pour l'écoute de l'autre. Évidemment, les besoins de l'âme en transition priment toujours et il n'y a que l'écoute de l'âme qui puisse nous révéler le type d'accompagnement approprié.

Accompagner l'âme d'un être cher, c'est être en compagnie de l'être cher; c'est être présent pour lui et marcher à ses côtés en suivant son rythme; c'est tenir la main pour exprimer et accueillir; c'est comprendre sans influencer; c'est inciter l'autre à réfléchir sur sa propre direction; c'est soutenir sa traversée dans l'au-delà en respectant ses croyances et ses connaissances; bref, c'est offrir une présence de cœur sans chercher à contrôler ou à diriger le mouvement. L'accompagnement d'un être dans le processus de la mort requiert les mêmes actions que le développement de la conscience de « Soi » : écouter, observer, accueillir. Comme il n'est pas toujours évident de comprendre les demandes d'aide qu'une âme en transition nous envoie, voyons quelques repères importants dans les différentes phases du processus de la mort, qui pourront nous aider à rester alertes dans l'accompagnement de l'être cher.

1 - Accompagner dans la phase préparatoire

Comme nous l'avons vu dans les chapitres 2 et 4, le processus de la mort se prépare de longue haleine. Puisqu'une grande partie de ce processus se déroule sur le plan inconscient, l'aide que nous pouvons apporter à cette âme survient souvent lorsque la mort devient prévisible du point de vue conscient.

Sur le plan physique

Lorsqu'un être arrive à la fin de son parcours terrestre, il est possible que ses efforts voués à la préparation consciente et inconsciente soient ralentis par certaines contraintes physiques. En effet, lorsque le mouvement de sortie du corps s'engage, cela exige plusieurs efforts de centration. Sans le vouloir, certaines circonstances, certains gestes ou certains soins peuvent nuire aux efforts investis. Voici donc quelques informations qui peuvent aider tant à la préparation consciente, comme nous le verrons dans le prochain chapitre, qu'aux accompagnants en fin de vie. Évidemment, puisque l'accompagnement implique de suivre la volonté de la personne accompagnée, il nous sera très utile de vérifier si celle-ci a consigné ses dernières volontés concernant les soins en fin de vie par écrit dans un document que l'on appelle un testament biologique ou des directives de fin de vie[1]. Je le recommandais déjà à l'époque où je pratiquais le notariat, mais aujourd'hui, il m'apparaît encore plus essentiel. Nous y reviendrons plus amplement au chapitre 8 consacré à des trucs et à des exercices pour aider les personnes qui veulent vivre les expériences de l'incarnation plus en conscience, dont évidemment le passage de la mort.

Je reçois plusieurs questions concernant les dernières volontés. Plusieurs personnes se demandent si elles sont obligées de les suivre, surtout lorsque ces volontés vont à l'encontre de leurs propres croyances. En fait, légalement parlant, il n'y a aucune disposition qui oblige à respecter les dernières volontés d'un défunt. Cependant, il est clair que si un être cher a exprimé verbalement ou par écrit ce qu'il souhaitait vivre durant le processus de la mort, il ne s'agit habituellement pas d'un vœu pieux qui laisse à l'entourage la discrétion de l'exécuter. Il s'agit au contraire d'éléments qu'il considère comme importants pour lui et qui lui assurent une tranquillité d'esprit nécessaire à ce passage. En faire fi peut être une source de confusion, de frustration ou de colère pour cet être qui avait pris le temps de partager ce qui lui était cher. Prenons un exemple fréquent. Lorsque vient le temps de déterminer le mode de « disposition » du corps, il arrive très souvent que ce soit la famille qui décide malgré les directives à ce sujet, sous prétexte que de toute manière l'être est mort et que cela ne le dérange plus. Cela peut effectivement être le cas. Toutefois, l'âme qui est attachée à son corps, à ses idées ou à ses croyances pourrait en être choquée ou blessée. Alors, au lieu de poursuivre sa route ou d'être centrée sur le processus de transfert des données ou sur son arrivée dans l'astral, elle pourra rester prise dans cette émotion de colère ou de frustration. De toute évidence, il faut aussi tenir compte des circonstances. Parfois, il peut être difficile, voire impossible de respecter de telles volontés. À ce moment, dans l'espace du cœur, l'accompagnant peut le signifier à cette âme et lui demander de le guider vers une solution acceptable pour elle. Ainsi, l'âme ne se sentira pas délaissée ou trahie et l'entourage ne se sentira pas coupable d'avoir outrepassé les directives de l'être cher. Si l'être cher n'a pas exprimé ce qu'il souhaitait à ce sujet, la même démarche de cœur peut être faite pour découvrir ce dont il a besoin. Là encore, celle-ci assure aux accompagnants que leurs gestes, leurs intentions et leurs paroles s'arriment avec ceux de l'être cher.

Ambiance

Puisque la grande traversée représente un acte solennel d'une grande importance, il importe de créer une ambiance propice au re-cueillement. Le silence est de mise pour permettre la centration néces-saire à ce passage. Il favorise donc un état de centration et diminue les possibilités de distraction. Lorsque le mouvement de sortie s'étire longuement, il est parfois aidant que l'entourage et les accompagnants réitèrent leur accord à ce départ, leur aide pour accompagner la personne dans la traversée, et qu'ils demeurent attentifs à leurs intuitions pour assister l'âme en transition comme elle le souhaite. Bien que ce rappel puisse être offert avec les mots du cœur, la vibration des mots peut contribuer à un lâcher-prise plus rapide.

Une lumière feutrée est de loin préférable à un éclairage intense. Celle-ci aide à l'intériorisation. Si cela est possible, l'accompagnant pourrait prévoir une lumière tamisée et orangée, car cette couleur accroît la centration et le détachement de la matière. Il existe des en-cens, comme le bois de santal, qui purifient les énergies, ou des huiles, comme l'huile de passage[2] ou de pruche, ou le nard de l'Himalaya qui sont conçus pour aider à calmer l'agitation mentale, pour favoriser la centration ou encore l'accroissement du taux vibratoire. Certaines musiques contribuent également à l'apaisement, à la centration ou à l'augmentation du taux vibratoire. Par contre, il ne faut pas oublier que tous ces outils, si merveilleux soient-ils, ne seront d'aucune utilité s'ils perturbent la centration de l'être en transition parce qu'ils l'agressent ou qu'ils vont à l'encontre de ses croyances ou de ses goûts. Pour éviter un casse-tête à nos proches ou pour éviter de vivre des désagré-ments à ce sujet lors de notre passage, partageons-leur ce qui nous tient à cœur et inscrivons-le dans nos dernières volontés pour que toutes nos actions soient dirigées vers une seule et même direction.

Les écrits restent

Une dame qui œuvre auprès de personnes en fin de vie m'a raconté qu'elle a assisté à une scène éprouvante pour l'un des patients qu'elle accompagnait. Sa fille venait lui rendre visite et elle a profité du moment de solitude avec son père pour lui offrir un soin énergétique afin de l'aider à se calmer puisqu'il était agité. Juste avant de terminer ce soin, un autre membre de la famille est entré dans la chambre et il s'est offusqué de la situation. Ce dernier ne croyait pas du tout en sa pertinence et il l'associait plutôt à des manœuvres de charlatans. Dans le corridor, une discussion houleuse a suivi entre la fille du patient et l'autre membre de la famille. Lorsqu'ils furent partis, la dame s'est rendue au chevet de son patient et ce dernier lui a confié qu'il se sentait extrêmement mal à l'aise. Il ne savait plus très bien à qui se fier et s'il devait continuer de recevoir les soins de sa fille qui, selon ses dires, lui faisaient un grand bien. Il ne voulait déplaire à sa fille ni au reste de la famille qui n'aimait pas les soins naturels. Il se sentait coincé et ce conflit l'empêchait de se centrer sur sa propre direction. La dame lui a demandé s'il allait accepter les soins de sa fille si sa famille les approuvait. Sa réponse ne laissait aucun doute. Alors, elle a rencontré la famille pour lui faire part de cette volonté. Cependant, la tension ne s'est pas dissipée, car le principal intéressé n'a jamais osé l'affirmer devant sa famille. Dans de telles situations, la prière, l'amour et la lumière deviennent de puissants moteurs pour donner à cette âme tout ce dont elle a besoin, en dépit des circonstances. Cette dame le savait et c'est ce qu'elle a offert à son patient pour l'apaiser et le réconforter.

Contacts avec le corps

Un des gestes les plus courants des accompagnateurs ou du personnel soignant est de toucher la personne qui s'apprête à partir pour la rassurer et lui offrir soutien et compassion. En eux-mêmes, ces gestes sont réellement extraordinaires, car ils sont porteurs d'amour. Cependant, ils peuvent nuire au mouvement de sortie des corps énergétiques malgré toutes les intentions lumineuses qu'ils peuvent contenir. Lorsqu'il est temps de quitter le corps physique, l'âme et la personnalité doivent orienter leurs énergies dans la même direction. C'est pour cela qu'il faut mettre tout en œuvre pour maintenir la centration. Puisque le mouvement de départ s'amorce par les extrémités, le fait de les toucher lorsqu'une personne est entrée dans la dernière phase de l'incarnation peut la décentrer en la ramenant dans son corps et interrompre la sortie du corps. En effet, en stimulant les extrémités par un toucher, la personne reprend contact avec cette partie du corps qui commençait à s'endormir pour de bon. La personnalité qui résiste au processus de la mort y verra une excellente occasion de s'accrocher davantage au corps physique en réintégrant cette partie. Ainsi, le processus de retrait doit être recommencé et, du coup, la mort s'en trouve retardée.

Est-ce à dire qu'en phase terminale, il est préférable de ne pas toucher un être cher qui a commencé le processus de retrait de sa conscience? C'est ce que nous enseignent les grands maîtres afin d'éviter toute distraction. Évidemment, cela ne veut absolument pas dire qu'il faille laisser quelqu'un mourir sans intervenir ni se préoccuper de ce qu'il vit. Au contraire, ce que ces maîtres nous montrent, c'est que le soutien de l'âme en transition s'effectue de cœur à cœur, de manière à ne pas la ramener à son corps ou aux attachements à la matière. À ce sujet, les Tibétains ont développé une pratique appelée *tonglen* qui consiste à prendre la souffrance de l'autre et à lui offrir la paix et le bonheur en retour[3]. Toute l'aide offerte a lieu en énergie sans passer par le corps. Il s'agit d'une technique puissante et très efficace. Évidemment, elle est évoquée à titre d'exemple, mais sachons que nous avons tout en nous pour accompagner un être dans cette traversée. Lorsque nous allons dans notre centre divin, l'aide propice se révèle à nous tout naturellement. Ce thème a été plus amplement exploré dans le livre *J'aimerais tant te parler*[4].

Cependant, il arrive que la personne en fin de vie ait beaucoup de difficulté à se centrer et donc à ressentir l'aide que le *tonglen* ou toute autre technique similaire peut lui procurer. La peur de la solitude ou de ne pas être aimés est aussi une grande distraction qui peut être déclenchée par le manque de cette proximité rassurante que représente une main aimante posée sur nous. Alors, pour favoriser un état de calme et de confiance propice à l'abandon du corps, il peut être aidant de poser doucement une main sur le chakra du cœur. Sachant qu'en fin de parcours, toutes les énergies cherchent à se concentrer dans la région du cœur, cela l'aidera à y focaliser son attention et contribuera à faciliter le détachement du corps. Nous pouvons aussi poser une main sur son chakra coronal pour aider l'âme à centrer son attention dans cette région et favoriser une augmentation de ses vibrations. Il importe alors d'être attentif à sa réaction. S'il s'agite davantage, il est clair que ce geste ne convient pas dans le moment présent. Si tout son être se détend et se calme, nous pouvons maintenir ce contact.

Soins

Nous avons vu plus haut que lorsqu'une personne entre dans la phase terminale, la mort de son corps physique commence par l'apparition de certaines transformations physiologiques. Les soins doivent alors respecter ce mouvement naturel pour ne pas ralentir ou carrément stopper le processus de fin de vie. Pour faciliter la sortie de l'énergie vitale, la position propice est évidemment celle qui nous aide à rester centrés. La centration est capitale pour pouvoir vivre le retrait de l'énergie vitale en conscience ou à tout le moins pour être conscient du changement de plan de conscience. Aujourd'hui, il arrive souvent que l'on veuille éliminer les nombreux symptômes physiques mentionnés dans la section « Manifestations visibles » du chapitre 4 afin de maximiser le confort de la personne en fin de vie. Cependant, cela ne fait souvent que retarder l'élan énergétique d'une grande utilité pour le mouvement de retrait. Il est évident que le confort fait partie d'une condition propice à la transition dans l'au-delà. Par contre, il est important de voir à ce que les soins servent à limiter l'inconfort plutôt qu'à stopper le processus de la sortie du corps.

Durant la phase d'augmentation des sécrétions où il y a transfert des sens physiques aux sens subtils, le fait d'être allongé en position horizontale augmente l'inconfort et les possibilités de complications dans le système respiratoire. L'inclinaison du lit contribue à l'écoulement des sécrétions et au mieux-être. Puis, vient la phase naturelle de déshydratation. Là encore, il importe de suivre le mouvement du corps plutôt que de chercher à interrompre le phénomène par de la médication ou une hydratation à outrance. Durant les derniers moments de vie, la respiration change et s'espace. L'énergie vitale qui a commencé son retrait du corps se concentre alors dans la région cardiaque. À ce moment, le fait d'être allongé sur le côté droit facilite la finalisation du mouvement de retrait.

Une fois que le dernier souffle est rendu, le corps physique a toujours besoin de calme et d'un temps de repos. Même si la mort clinique est survenue, le processus de la mort n'est pas achevé pour autant. Idéalement, dans les premières heures suivant la mort, le seul soin qui devrait être offert au corps physique est de le laver. L'eau débarrasse le corps des scories, énergies lourdes qui se créent autour des corps physique et éthérique par la souffrance physique ou émotionnelle. Après, il est recommandé d'éviter de toucher le corps pour ne pas y rappeler l'âme. La corde d'argent n'est pas automatiquement rompue et il existe toujours un lien avec le corps. Ainsi, tout ce qui s'y passe est ressenti dans les corps subtils et cela devient une source de distraction pour l'âme qui est fort occupée à poursuivre sa transition. Le transfert des mémoires sensorielles requiert une grande centration. Lorsque l'âme est distraite, il s'ensuit une interruption du transfert ou une moins bonne qualité dans le transfert de l'information sensorielle. Comme nous l'avons vu précédemment, cela aura une éventuelle incidence sur le potentiel de l'apprentissage que nous pourrons tirer des expériences vécues durant notre incarnation.

Puisque ce lien entre les corps énergétiques subtils et le corps physique demeure tout au plus trois jours, il est donc souhaitable de laisser reposer le corps durant ce délai pour ne pas troubler la quiétude nécessaire à ce mouvement crucial. Voilà pourquoi, anciennement, on procédait à une veillée funéraire durant les trois premiers jours après le décès. Comme il n'est pas toujours évident de savoir si la corde d'argent est définitivement rompue, le repos de trois jours assure une tranquillité à l'âme qui de toute manière lui sera bénéfique. Lorsque les corps subtils sont complètement dégagés des corps de matière dense, il est possible de « disposer » du corps physique sans porter atteinte au processus d'élévation. Dans le cas de mort subite ou violente, la rupture brutale de la corde d'argent provoque un transfert sommaire des perceptions sensorielles. Malgré cette rupture rapide, il est tout de même préférable de laisser reposer le corps après l'avoir lavé. Cela facilitera grandement la conscientisation de la mort et le détachement de la matière.

Il existe plusieurs techniques pour soutenir l'âme après qu'elle a quitté sa demeure de chair. J'en évoque certaines dans le livre *Ils nous parlent... entendons-nous?* Les Tibétains en offrent aussi et plusieurs auteurs ont écrit sur le sujet, dont Marie Lise Labonté[5]. Pour aider notre entourage à mieux nous accompagner, nous pouvons nous familiariser avec l'une de ces techniques et choisir laquelle correspond mieux à notre système de valeurs et de croyances. Toutes ces précieuses informations nous aident à renseigner nos proches à propos de ce que nous souhaitons comme soins, non seulement avant de rendre notre dernier souffle, mais durant les jours suivants. Lorsque ces volontés et leur signification sont consignées, cela permet à nos proches de se joindre tous en chœur à notre traversée.

Don d'organe

Puisque nous venons de mentionner qu'il est préférable de ne pas toucher au corps après la mort, une question se pose : qu'arrive-t-il dans le cas d'un don d'organe? En fait, ici encore, il n'y a pas qu'un seul aspect à considérer. Bien que l'âme en transition souhaite se départir de son corps dense et donc des organes qui le composaient, il y a des implications énergétiques qui peuvent avoir des répercussions sur le processus de transition. Premièrement, le prélèvement de l'organe peut perturber la centration nécessaire au premier mouvement de l'élévation, si l'intervention a lieu avant que la corde d'argent soit rompue. Puisque le prélèvement d'organe s'effectue souvent dans un contexte de mort subite ou violente, cette éventualité de distraction est donc moins fréquente. Si la mort ne survient pas de cette manière, alors l'âme peut être distraite par le don d'organe et ramenée vers son corps. Dans ce cas, le processus de transfert des impulsions sensorielles peut être influencé lors du prélèvement puisque le corps éthérique est alors toujours lié aux corps subtils. Enfin, tant que le cordon d'ancrage n'est pas rompu, tout ce qui se passe dans le corps physique est transmis dans les corps énergétiques sous forme de faibles impulsions. Certes, on ne parle pas ici de souffrances physiques telles qu'elles sont ressenties dans le corps quand la conscience y est ancrée, mais davantage de réminiscences énergétiques. En conséquence, la rupture de la corde d'argent diminue les trois motifs de perturbation qui viennent d'être évoqués. Cependant, dans les cas où il y a refus d'accepter la mort et confusion à son sujet, le prélèvement de l'organe peut inciter l'âme à revenir auprès du corps pour surveiller tout ce qui s'y passe.

Deuxièmement, il faut aussi savoir qu'un don d'organe maintient une part de notre énergie vitale en vie. Cela signifie que la corde d'argent liant cet organe à nos corps subtils ne se rompt pas après la transplantation. Il se crée donc un lien subtil qui influencera tant l'âme du donneur que celle du receveur. L'âme du donneur poursuivra sa route dans l'au-delà sans pouvoir s'éloigner beaucoup du plan terrestre puisqu'elle y est encore attachée. Ainsi, le don d'organe interfère dans le processus d'élévation. Cependant, cet ancrage n'est que temporaire. Il demeure en effet environ sept ans, soit le temps que chaque cellule de l'organe transplanté se renouvelle et que le receveur se l'approprie complètement tant physiquement qu'énergétiquement. Alors, l'âme du donneur peut poursuivre son chemin. Enfin, le don d'un organe physique ne prive pas les corps énergétiques de leur fonctionnement normal puisque les corps subtils supérieurs ne sont pas amputés de cet organe. Les implications du don ne se mani-

---

Ils ont tout vu

Les chercheurs ont constaté que les aveugles, y compris les aveugles de naissance, rapportent effectivement des EMI classiques du même type que celles des personnes voyantes; qu'une majorité d'aveugles revendique des perceptions visuelles durant l'EMI ou l'OBE*; et que les revendications d'une connaissance basée sur la vision – qui n'aurait pu être obtenue par les voies sensorielles habituelles – ont pu partiellement être corroborées par des tiers.

*out-of-the-body experience
(*expérience hors du corps*)

Tiré du *Manuel clinique des expériences extraordinaires*, p. 58

festent donc que sur le plan de l'élévation et non pas en ce qui a trait à nos corps subtils qui ne sont pas concernés par ce don.

Les dons d'organe ont des impacts majeurs sur la transition de tout être dans l'au-delà. Loin d'être un plaidoyer contre de tels dons, il s'agit au contraire d'une conscientisation à leurs conséquences énergétiques. Offrir un tel cadeau pour aider un être à poursuivre son plan d'âme est un acte d'amour incroyable. Il est tout à notre honneur d'en être l'auteur. Comme tout geste d'amour, il offre des bénéfices importants s'il est en accord avec le plan d'âme du donneur et du receveur. En effet, lorsque la greffe fait partie de notre chemin de vie, elle offre la possibilité de poursuivre les apprentissages de la matière dense tant chez le donneur que chez le receveur. Le lien qui s'établit entre le donneur et le receveur est une occasion unique d'observer l'incarnation d'une tout autre manière pour y approfondir des leçons. S'il n'y a pas de compatibilité énergétique ou de plan de vie, l'organe ne peut survivre à l'écart vibratoire que cette situation occasionne malgré une compatibilité physique. Les deux âmes concernées doivent être sur la même longueur d'onde pour que la greffe réussisse. Les phénomènes de rejet s'expliquent ainsi. Bref, bien que le don d'organe retarde la traversée temporairement, il peut aussi susciter une grande augmentation de notre taux vibratoire une fois que la corde d'argent sera définitivement rompue. À ce titre, notre cœur devient le meilleur conseiller pour nous dicter s'il est approprié pour nous ou pour l'être que nous accompagnons. Avant de bannir ou d'offrir ce geste d'une grande générosité, une introspection s'impose. Pour éviter un choix déchirant à nos proches, il faut prendre le temps de réfléchir à une question aussi importante afin d'indiquer clairement ce que nous souhaitons à ce sujet.

Comme nous venons de le voir, il y a plusieurs détails qui peuvent être des éléments significatifs au moment de la sortie de corps ou dans les premiers instants où celle-ci s'achève. Ces derniers peuvent parfaitement s'inscrire dans une réflexion consciente sur la mort qui pourra ensuite être partagée avec nos proches pour nous assurer de la présence de précieux alliés au moment de cette grande transition. La mort ne doit plus être un tabou entre les êtres qui s'aiment. Elle fait partie de la vie. En parler ne fait pas mourir, mais contribue à vivre encore plus pleinement chacun des passages de la vie. Cela approfondit la relation avec nos proches et du coup le lien d'amour qui nous unit à eux. Étant davantage en communion, ce lien puissant saura nous guider mutuellement de part et d'autre de ce grand passage qu'est la mort.

Aide apportée

En tant qu'accompagnants, nous devons manifester notre désir d'accompagnement de vive voix afin que l'être sache clairement que nous sommes disponibles pour lui et qu'il peut compter sur nous. Il importe de savoir que nos actions ne peuvent aller au-delà ni à l'encontre de la volonté de cet être. Son rythme est le nôtre et nous devons respecter tout ce qu'il est et tout ce qu'il porte en lui. Nous n'avons ni à le convaincre de quoi que ce soit ni à chercher à transformer ce qu'il est. Pour l'aider dans sa préparation, nous pouvons lui suggérer un outil comme le *Carnet de passage*[6]. Cela pourra être un moyen d'échanger avec lui sur des étapes importantes à venir, sur ce qu'il désire vivre et sur la manière dont il envisage la mort. Pour favoriser un meilleur accompagnement, nous pouvons aussi être attentifs aux divers besoins qui peuvent surgir en fin de vie tels que prévenir son entourage, être accompagné, vivre ce moment en toute intimité, connaître sa destination, obtenir un assentiment, clore tout ce qui est en cours et trouver un sens à sa vie. Enfin, en présence d'ECA, il faut prendre le temps d'écouter, d'observer

> ❧ *Saviez vous que...*
>
> *Le* National Demonstration Project, *une étude mise sur pied à Washington DC et menée pendant plus de 2 mois en 1993 a prouvé que lorsque le groupe de superradiance* [NDA groupe de personnes qui pratique la méditation transcendantale dans le but d'instaurer une plus grande harmonie dans le monde] *augmentait à 4 000 personnes, les crimes violents, en hausse au cours des 5 premiers mois de l'année, baissaient de 24 % et continuaient ainsi jusqu'à la fin de l'expérience.*
>
> Tiré du *Champ de la cohérence universelle*, p. 247

et d'entendre au-delà des mots employés ce que l'être cher tente de nous dire. Pour cela, il est aidant de nous centrer sur l'espace sacré pour y cueillir le sens.

L'accompagnement dans le processus de la mort doit tenir compte des besoins profonds de l'âme et de ce qu'elle vit. Autrement, les actions dans la matière demeurent souvent incomplètes, voire parfois faussées, même si elles sont empreintes des meilleures intentions qui soient. Ainsi, la connaissance de ces besoins alliée à l'observation et à l'écoute de notre ressenti nous guidera vers le bon geste, la bonne parole ou la bonne action à accomplir dans le silence.

Sur le plan énergétique

Il est également possible d'agir sur le plan énergétique. Cela s'applique que nous soyons en présence de l'être cher ou à distance. La prière est un moyen d'agir sur le plan énergétique. Elle suscite l'augmentation des vibrations et offre en conséquence à l'être cher la possibilité d'améliorer sa perception de la situation, de ce qu'il vit et d'augmenter sa capacité de centration.

Le livre *Ils nous parlent…entendons-nous ?*[27] propose plusieurs prières et méditations d'accompagnement. En fait, la meilleure façon d'aider un être cher à se préparer à ce passage et à le vivre le mieux possible, c'est d'entrer dans l'espace du cœur et de demander à cette âme comment nous pouvons lui être utiles. À cette fin, voici une adaptation de l'exercice « Demandez et vous recevrez » que vous trouverez au chapitre 8.

Offrir de l'aide à l'autre

Dans un endroit calme et propice à la centration, prenez quelques profondes respirations. Lorsque vous vous sentez plus détendu et apaisé, entrez dans l'espace du cœur et ressentez tout l'amour que vous éprouvez pour l'être cher que vous souhaitez accompagner. Laissez cet amour grandir et occuper tout l'espace de votre cœur. Puis, montez jusqu'au sommet de votre escalier ou spirale de lumière. De là, dans cet espace de lumière, demandez à l'âme de l'être cher de venir vous rejoindre. Entourez-le d'amour et exprimez-lui votre désir de lui venir en aide. Offrez-lui votre soutien énergétique. Demandez-lui de vous indiquer la meilleure manière de l'aider. Puis, écoutez tout ce qui monte en vous. Ne discriminez aucune information, quelle qu'elle soit. Laissez les images, les couleurs, les sons, les musiques et les mots vous livrer le moyen d'intervenir auprès de cette âme. Demandez à votre esprit, à votre âme et à vos guides de vous aider à comprendre la manière d'intervenir auprès de cette âme. Entourez cette demande de lumière, entourez-vous de lumière et de nouveau entourez d'amour l'âme de l'être cher. Remerciez l'âme de l'être cher, votre âme et vos guides pour cet entretien et laissez-les retourner à leurs occupations en les bénissant. Laissez votre requête s'envoler et sachez que tout ce dont vous aurez besoin pour accompagner l'âme de l'être cher vous parviendra en temps et lieu.

Il arrive très souvent qu'une âme vienne nous demander un soutien énergétique lors de certaines étapes du processus de la mort. Par exemple, il arrive qu'une âme ait recours à nos services durant la phase préparatoire, comme ce fut le cas pour mon grand-père et pour ma grand-mère. De nombreuses personnes m'ont raconté des communications qu'elles ont reçues avant le décès d'un proche. Il est aussi très fréquent qu'une âme vienne nous voir en rêve ou qu'elle nous tire du sommeil au moment même de la mort de son corps de chair. C'est une manière pour l'âme de chercher une écoute attentive et de vivre ce passage en présence d'une personne qui peut lui offrir la compassion et l'amour dont elle a besoin. La plupart du temps, ces manifestations nous laissent songeurs. Nous ne savons pas trop comment y réagir et nous les remettons souvent en doute. En fait, lorsque cela survient, c'est un appel à l'aide que l'âme nous envoie. Notre simple présence de cœur a pu suffire à lui offrir ce dont elle avait besoin, mais il est possible que cet appel ne soit que le début d'une demande d'accompagnement. Voici donc quelques suggestions pour répondre à une demande d'aide :

Comment répondre à une demande d'aide

- Exprimer à l'âme que nous avons compris sa demande ou à tout le moins que nous savons qu'elle cherche à nous demander quelque chose dont la teneur nous échappe encore.

- Lui offrir notre écoute et notre soutien pour l'accompagner. À cet effet, nous pouvons lui mentionner de quelle manière elle peut s'adresser à nous (par le rêve, la méditation, l'écriture télépathique ou automatique, les signes de jour ou tout autre moyen que nous aurons déterminés).

- Si nous ne sommes pas disposés à lui répondre dans le moment présent, il est important de le mentionner à l'âme et de lui exprimer quel sera le meilleur moment où nous pourrons lui assurer une réelle présence de cœur. Si nous ne nous sentons pas en mesure de l'aider, il faut également l'exprimer sans nous sentir coupables. En matière d'accompagnement, nous devons être à l'écoute de notre ressenti pour être présents à l'autre et cela implique de respecter nos limites. Il vaut toujours mieux être honnêtes envers nous et envers l'autre que d'outrepasser nos limites. Ce faisant, nous risquons non seulement de ne pas entendre son besoin, mais nous passons carrément à côté des nôtres. Ainsi, le seul moyen d'être réellement aidants pour une âme, c'est de nous assurer de ne pas nous oublier dans le service de l'autre.

- Lui demander des précisions sur ses besoins si nous ne sommes pas certains d'avoir compris le sens de sa demande d'accompagnement.

- Prier pour elle, lui envoyer amour, compassion et lumière. En tout temps, la prière s'avère un cadeau inestimable pour l'âme en transition. Lorsque nous nous sentons démunis devant une demande d'aide ou devant une âme qui s'engage dans le processus de la mort, la prière demeure l'un des outils les plus efficaces et les plus simples à utiliser.

2 - Accompagner lors des premiers jours après le décès

Comme nous l'avons vu au chapitre 4, les premiers moments dans l'au-delà sont capitaux pour trouver notre direction et renouer avec notre essence divine. Les âmes qui viennent tout juste de quitter leur corps physique se tournent souvent vers les êtres chers pour tenter de comprendre ce qui leur arrive, pour raconter ce qu'elles vivent ou encore pour être accompagnées dans leur transition. Elles cherchent très souvent à entrer en communication avec la terre dans les premiers moments et notre écoute leur sera des plus bénéfiques. Lors de consultations et de conférences, de nombreuses personnes témoignent avoir reçu un signe ou senti une présence après la mort d'un proche. La plupart d'entre elles ignorent cependant que cela constitue une communication avec cet être cher et que si elles prennent le temps d'observer ce qui s'y est passé, elles peuvent comprendre le message que cette âme est venue leur exprimer. La plupart des communications avec une âme sont très brèves et elles se terminent souvent abruptement parce que nous n'y répondons tout simplement pas.

Une âme qui vient nous offrir un signe tente d'engager la conversation avec nous. Si nous remettons le signe en question ou si nous ne poursuivons pas le mouvement, le dialogue ne peut s'établir. Ici aussi, ce n'est qu'en prenant le temps d'entendre le message derrière le signe que nous pouvons réellement comprendre ce que cette âme souhaite nous dire. Voici donc quelques outils pour accompagner une âme qui vient de quitter la terre :

Écouter et observer

Si une âme se manifeste à nous dans les premiers temps de son passage dans l'au-delà, il importe de prendre un moment pour observer notre ressenti. C'est grâce à cela qu'il est possible d'entendre le vrai message. Le signe n'est qu'une manière de nous aviser d'être attentifs à ce que nous ressentons alors dans le moment présent. Le fait d'éprouver joie, tristesse, bien-être, sentiment de paix ou d'inquiétude au moment même où nous ressentons cette âme représente ce qu'elle cherche à nous exprimer. Ce ressenti est directement associé à la présence du signe. Il ne dure qu'un court moment. Puis, il s'estompe aussi rapidement qu'il s'est installé. Ensuite, ce sont tous les ressentis qu'évoque cette présence qui font surface. Parfois, cela se passe si rapidement que si nous ne prenons pas le temps d'arrêter un moment pour observer ce qui s'est passé, nous n'en gardons qu'une vague impression. Pour comprendre le sens, il faut délaisser le discours mental pour aller dans l'espace du cœur. Alors, notre ressenti se transforme en mots et le message devient limpide.

Offrir

Dès que nous apprenons la mort d'un être cher, nous pouvons lui offrir notre aide, notre écoute, notre soutien, notre amour en guise d'accompagnement. Il n'est pas nécessaire d'attendre de recevoir un signe de sa part pour

> ### Quelques chiffres
>
> *Selon une enquête nationale américaine réalisée en 1973 par le professeur et sociologue Andrew Greeley dans laquelle il demandait aux personnes interrogées si elles avaient déjà eu l'impression d'être réellement en contact avec une personne décédée, 42 % ont répondu oui.*
>
> *Dans une enquête réalisée par Long et Long, il a été découvert que les communications amorcées par un défunt se déroulaient :*
>
> - *à 79,2 % avec un parent dont la relation était profonde et harmonieuse ;*
> - *à 6,2 % avec un parent dont la relation était conflictuelle ;*
> - *à 14,6 % avec des personnes qui ne sont pas nécessairement significatives.*
>
> Tiré de *Manuel clinique des expériences extraordinaires*, p. 144

procéder. Pour ce faire, nous pouvons suivre les conseils de « Comment répondre à une demande d'aide » ci-dessus mentionnés dans l'encadré.

Guider

Immédiatement après la mort d'un être cher, nous pouvons également nous adresser à lui pour lui expliquer ce qui se passe et ce qu'il doit faire.

Pour cela, il suffit de nous centrer un moment et d'exprimer les mots qui surgissent spontanément du cœur ou encore nous pouvons lui mentionner :

- qu'il vit un passage important et qu'il vient de quitter son corps physique ;

- que sa demeure n'est plus la terre et qu'il est normal qu'il ait de la difficulté à joindre ses proches, car ces derniers ne le voient ni ne l'entendent plus ;

- qu'il doit maintenant rejoindre sa famille d'âmes et que ses guides et les personnes chères qu'il a connues sur terre l'attendent pour lui montrer le chemin. Qu'il n'est jamais seul et qu'il bénéficie en tout temps d'aide céleste et également d'aide terrestre ;

- que grâce à l'amour qui vous unit, vous serez toujours en lien et qu'il n'a pas à rester près des plans terrestres pour ressentir ce lien d'amour ;

- qu'il lui est nécessaire d'accepter d'entrer dans ce passage pour pouvoir goûter les beautés et le bonheur que l'au-delà lui réserve ;

- que sa lumière intérieure le guide et qu'il doit s'ouvrir à elle pour trouver sa route ;

- qu'il lui est possible de prendre le temps de se reposer un moment si le passage a été éprouvant, de prendre le temps de faire ses adieux, de régler certaines choses importantes pour lui et qu'il peut suivre son rythme intérieur ;

- que l'astral est une première étape dans son voyage dans l'au-delà et que ce qui l'attend après est encore plus merveilleux ;

- que vous serez toujours là pour l'accompagner et l'aimer.

Reprendre le fil de la conversation

Si une conversation a été interrompue à cause des doutes ou de la méconnaissance du fonctionnement, il n'est jamais trop tard pour exprimer à cette âme ce que nous aurions souhaité lui dire. Il suffit de créer un moment propice en allant dans notre sanctuaire sacré et de reprendre le fil de la conversation là où nous l'avons laissé. N'oublions pas que la communication avec l'âme ne diffère pas de celles que nous établissons avec notre entourage. Sur terre comme au ciel, nous avons toujours la possibilité d'exprimer à l'autre ce qui nous tient à cœur.

Invoquer l'aide d'une âme en transition

Est-il nuisible d'invoquer l'aide d'une âme en transition? Cette question préoccupe certaines personnes, car il y a plusieurs réponses qui circulent à ce sujet. En fait, il est difficile d'arriver avec une réponse qui s'appliquerait à toute situation. Il faut décortiquer un peu pour pouvoir y répondre adéquatement. Dans le livre *Ils nous parlent… entendons-nous ?*, je raconte comment les âmes m'ont exprimé à plusieurs reprises le besoin d'établir une communication avec leurs proches dans le but de continuer la relation qu'elles ont développée avec eux. Durant leur passage dans l'astral, elles désirent rester en contact avec la terre pour soutenir les êtres chers dans ce qu'ils vivent. Elles ont besoin de recevoir leur amour et leurs prières pour les aider à cheminer de leur côté. De manière générale, la communication est donc un besoin mutuel pour aider le processus transitoire tant sur terre qu'au ciel. Elle permet d'apprivoiser la transformation de la relation qui ne peut plus être axée sur l'aspect matériel de l'être. Les communications avec les défunts servent donc de tremplin pour parvenir à voir la relation autrement.

Cela dit, pour savoir si une demande adressée à une âme est nuisible, il faut voir ce qu'elle vit et comment elle est dans sa personnalité. Une même demande sera troublante pour une âme alors qu'une autre âme sera ravie d'y répondre. Durant les premiers moments de la transition, l'âme a beaucoup à faire pour renouer avec son essence divine et trouver sa direction. Les demandes d'aide peuvent effectivement la détourner de ce qui est essentiel pour elle dans le moment présent. Une des tâches que l'âme doit accomplir, c'est de se détacher du rôle qu'elle a joué sur terre. Évidemment, les demandes d'aide la ramènent souvent à ce rôle. En ce sens, elles peuvent avoir une incidence sur le parcours de l'âme. Puisque nous ne sommes pas différents dans l'au-delà, reprenons la question autrement avec un exemple du quotidien. Lorsque nous sommes exténués après un grand effort, comment réagissons-nous à une demande d'aide d'un proche? Est-ce que cela nous dérange ou nous perturbe? Il n'y a pas une seule réponse. Cela dépend de moult facteurs. D'abord, cela dépend de notre degré de fatigue. Cela dépend aussi de l'urgence de la demande pour l'autre, de notre degré d'implication émotionnelle et de notre manière de réagir à ce genre de requête. Par exemple, même si nous n'avons plus une once d'énergie et que notre enfant a réellement besoin de nous, il y a fort à parier que nous trouverons les ressources nécessaires pour intervenir. Pourrions-nous alors affirmer que cela nuit à notre cheminement personnel et qu'il aurait été préférable que cette demande d'aide ne nous soit pas adressée?

Évidemment, l'élan d'amour que nous avons pour notre enfant nous revitalise instantanément et nous procure souvent des ressources insoupçonnées. Dans cette optique, il n'y a absolument rien de néfaste. Au contraire, de part et d'autre, l'amour nous élève et contribue à notre avancement. Même si tout notre être nous appelait au repos, la demande de notre enfant ne représente pas un détour, mais un moteur d'amour qui nous aidera ensuite à nous élever. Il en est de même pour l'âme en transition. Certaines demandes d'aide en provenance de la terre sont aussi des sources d'élévation pour l'âme en transition et elles ne nuisent donc pas à leur parcours. Par contre, il faut aussi aller plus loin dans notre comparaison pour voir les implications d'autres cas. Imaginons maintenant que la demande d'aide vienne de notre enfant, mais qu'elle ne soit pas urgente ou qu'elle vienne d'une personne qui requiert constamment notre aide ou encore que la demande arrive alors que nous n'en pouvons plus. Comment réagissons-nous? Respectons-nous nos limites et nous donnons-nous le droit de penser à nous? La culpabilité nous empêche-t-elle de refuser notre aide ou de la remettre à plus tard? La crainte d'être rongés par les remords d'avoir décliné la demande d'aide nous incite-t-elle à y répondre?

Peu importe sur quel plan de conscience nous nous trouvons, il y a de nombreuses façons de réagir à une demande d'aide. Certes, l'âme en transition doit se détacher de la terre, mais dans les premiers moments, elle cherche à collaborer avec ceux qu'elle aime plutôt qu'à les délaisser. Lorsque nous affirmons haut et fort que toute demande est nuisible à l'âme, nous décidons à sa place de ce qui est bon ou non pour elle. Notre intention de ne pas nuire provoque parfois l'effet contraire. J'ai reçu de nombreuses communications avec des défunts qui me disaient être très tristes, voire parfois troublés, inquiets et déçus de constater que leurs proches s'empêchaient de leur parler par peur de déranger ou de nuire à leur traversée. Ils avaient l'impression qu'ils étaient mis de côté alors qu'ils auraient aimé pouvoir donner un coup de main. Cela se comprend aisément lorsque nous envisageons comment nous réagissons quand un proche qui avait besoin d'aide nous avoue qu'il ne nous en a pas parlé de peur de nous déranger.

La juste mesure s'établit ici dans la transparence et dans la liberté d'action. Sur terre comme au ciel, les demandes d'aide doivent être basées sur le respect de l'autre, l'amour et la liberté, pour qu'elles servent l'épanouissement de toutes les parties concernées. Les âmes qui viennent de quitter la terre sont encore touchées par ce que nous vivons. Ainsi, il nous est possible de leur partager nos joies et nos peines tout en étant aussi à l'écoute des leurs. Telle est la collaboration souhaitée par les âmes. Lorsque nous avons besoin d'aide, nous pouvons leur en faire part en leur laissant la pleine liberté de venir à notre secours et en leur mentionnant que nous savons qu'elles sont occupées. En plus, nous pouvons développer l'habitude de nous adresser aussi à nos guides. C'est effectivement de leur ressort de nous assister durant notre incarnation. À ce titre, nous multiplions les possibilités de recevoir de l'aide puisque ces derniers sont bien plus disponibles qu'une âme en transition qui n'a peut-être pas encore les capacités de nous prodiguer l'appui dont nous avons besoin. L'âme concernée sera alors plus libre d'y répondre, sachant que la réponse ne repose pas entièrement sur ses épaules. La vie nous dicte de demander pour recevoir. Ce qui importe n'est pas la provenance de la réponse, mais la réponse elle-même. Dès lors, ne limitons pas nos possibilités de recevoir à une âme spécifique. Demandons à toute notre guidance quand nous avons besoin d'aide. Signifions notre besoin d'aide à l'être cher décédé pour que notre relation demeure transparente et offrons-lui notre amour. Ainsi, nous serons certains d'avancer main dans la main sans aucune nuisance.

3 - Accompagner au fil du temps

Suivre le mouvement

Comme nous l'avons vu au chapitre 5, les besoins de l'âme dans l'au-delà se transforment au fur et à mesure qu'elle s'élève dans les plans et les sous-plans de conscience. Dans l'astral, l'âme cherche à entrer en communication avec la terre, d'abord pour répondre à des besoins plus personnels puis dans un désir de transmettre des connaissances. Lorsqu'elle accède au plan mental, elle cherche plutôt à entrer en communication avec la partie supérieure de ceux qu'elle aime plutôt qu'avec leur personnalité. Cela apporte donc un grand changement dans la manière de communiquer et d'accompagner. Au départ, l'âme qui cherche à nous joindre passe par des moyens plus matériels. Elle utilisera souvent les éléments extérieurs pour entrer en contact avec nous. Au fur et à mesure qu'elle s'élève, elle se tourne vers des formes de communications plus subtiles : télépathie, écriture automatique, canalisation et rêve deviennent ses moyens de prédilection pour transmettre ses messages. Nous avons donc avantage à nous intérioriser pour pouvoir continuer d'entendre ce qu'elle désire nous dire, autrement nous aurons l'impression que la communication est rompue.

De plus, sachant qu'à partir du plan mental, les messages ne sont plus directement adressés à notre personnalité, il importe d'accueillir cette transformation de la relation et d'accepter que les signes et les moyens de communication doivent s'adapter à cette nouvelle réalité. Il faut également nous attendre à ce que la teneur des messages change puisque le lien entre cette âme et nous passe désormais par notre partie supérieure. Ces messages servent à nourrir la relation d'amour inconditionnel qui nous unit à cette âme et non plus à des préoccupations matérielles ou personnelles. La communication se poursuit par l'intermédiaire de notre âme et de notre essence divine qui servent de relais de transmission. Pour pouvoir poursuivre les communications et capter les messages de l'être cher, il faut apprendre à élever nos vibrations et à développer nos habiletés de centration. Nous devons également élever nos intentions de prières, notre amour et nos messages vers l'âme, vers son ego ou son esprit au lieu de les diriger vers sa personnalité. À ce stade, l'être cher n'est plus un père, une sœur ou un ami. Il a retrouvé son essence individuelle et c'est de ce point de vue qu'il observe maintenant tout ce qui s'est déroulé dans sa dernière incarnation. Lorsqu'il pense aux êtres qu'il aime, il ne pense plus aux personnages qui lui ont donné la réplique, mais aux êtres divins qui les ont animés.

Développer des outils adaptés

C'est pour cela qu'il nous faut développer des outils pour élever nos vibrations. La relation avec les défunts ne peut rester statique. Elle doit suivre le mouvement de l'élévation de l'âme pour que le contact subsiste. Le lien d'amour ne meurt jamais, mais si nous n'acceptons pas d'aller au-delà du rôle, nous stagnons dans cette relation et dans l'apprentissage que ce passage de la mort peut nous offrir. En elle-même, la mort ne nous transforme pas. C'est le fait d'accueillir la métamorphose inhérente au processus de la mort qui nous amène à nous transformer, à changer de perspective et à voir le sens des événements autrement. Le changement qui s'opère chez l'une des parties de la relation influence inévitablement l'autre partie. Si, d'une part, la relation reste ancrée dans le passé et que, d'autre part, elle évolue, cela crée un décalage qui l'empêche de s'épanouir. De plus, notre volonté d'accompagner l'autre demeure, mais nos actions ne sont plus adéquates et ne procurent plus l'effet escompté. De part et d'autre, la relation doit évoluer dans le même sens que le processus de la mort pour qu'elle demeure transparente, limpide et épanouissante.

Ainsi, les demandes que nous adressons à l'être cher décédé doivent aussi subir une transformation puisque ce dernier ne peut plus nous aider de la même manière. Nous devons les élever pour qu'elles visent à illuminer notre âme qui, à son tour, nous aidera dans notre quotidien. Nous devons chercher les réponses dans notre cœur et non plus dans des signes matériels. Ces demandes doivent dorénavant servir à nourrir le lien d'amour qui nous unit et non plus à alimenter une relation basée sur les rôles que nous avons joués. Elles doivent aussi suivre le mouvement de l'être cher qui tente de transmuter les sentiments en apprentissages pour en voir la beauté et la richesse. L'aide que ce dernier pourra alors nous apporter se situe davantage à ce niveau. Rien ne sert de lui faire des demandes qui concernent l'aspect matériel puisqu'il n'a plus la possibilité de nous aider à ce niveau. Nos guides et notre essence divine demeurent les ressources pertinentes pour ce genre de demandes. La vie est en perpétuel changement. Nos relations le sont aussi et le processus de la mort vise à élever nos relations vers une dimension encore plus profonde d'amour, si nous acceptons d'entrer nous aussi dans le mouvement d'élévation.

Dans l'espace du cœur

La compréhension du grand processus de la mort et du cycle d'incarnations nous permet de mieux accueillir les transformations inhérentes à la mort d'un être cher. Plus nous sommes branchés sur notre essence divine, plus nous pouvons comprendre et accueillir les changements. Grâce à la conscience de « Soi » qui nous est accessible dans notre espace sacré, nous demeurons en tout temps en lien avec ceux qui nous ont quittés. De là, nous pouvons leur venir adéquatement en aide et nous pouvons recevoir à notre tour leur assistance. La conscience de Soi, c'est ce trait d'union entre la matière et l'esprit, entre la séparation et l'unité. Elle nous aide à être conscients non seulement de notre essence divine, mais également de celle des êtres chers. Dans l'espace sacré du cœur, nous goûtons la réunion de nos êtres dans l'amour inconditionnel.

En approfondissant notre démarche de conscience de « Soi », nous nous rapprochons davantage de nous et de nos proches, incarnés ou non. Chaque pas vers nous est aussi un pas vers cette réunification que nous espérons tant. Voilà pourquoi nous ressentons si souvent cet appel à l'intériorisation. Depuis des millénaires, les grands maîtres cherchent à nous y conduire pour que nous puissions enfin rayonner tout notre potentiel. Cet appel nous indique le chemin vers tout ce que nous cherchons aveuglément dans la matière. Il nous mène dans l'espace de *silence*, là où nous pouvons puiser « ce qui manque à toute situation[8] ». N'attendons pas la mort pour goûter ce plein potentiel, cette joie de vivre en conscience, cette grandeur de tout ce qui nous entoure. C'est ici et maintenant que tout se joue. Mordons dans toutes les expériences de notre incarnation en adoptant la vision du cœur. Elle nous procure toujours tous les outils et l'amour nécessaires à leur traversée.

≫ Chapitre 8 ≪

Vivre plus en conscience

*Votre pouvoir est au maximum
lorsqu'il est exercé en silence.*

Marianne Williamson, *Méditations pour une vie
de miracle en miracle*

u fil de ce livre, nous avons vu que le passage de la mort est une étape dans le grand cycle d'incarnations. La continuité de la vie est admise par toutes les grandes religions, par les grands maîtres et les philosophes qui ont traversé les époques ainsi que par de nombreuses études scientifiques. La mort fait partie intégrante de la vie. Nous avons donc avantage à la comprendre pour mieux la vivre. En effet, la connaissance de son fonctionnement procure un sentiment de confiance et de sérénité. Cette dernière a toujours été la meilleure arme pour faire fuir la peur et le doute. Ainsi, non seulement le mystère de la mort s'éclaircit, mais c'est aussi toute l'incarnation qui devient du coup plus sensée. Incarnation et mort font partie intégrante de la vie. Elles sont régies par les mêmes règles. Elles n'ont de sens qu'en les imbriquant. Contrairement à ce que plusieurs croient, le fait de nous intéresser au processus de la mort n'a rien de morbide puisqu'en fait cela nous mène plutôt à la découverte des fondements de la vie. La connaissance de ce qui nous attend au-delà de notre enveloppe charnelle aide indubitablement à notre ouverture de conscience. Elle nous permet de comprendre qui nous sommes réellement et de voir d'où nous venons. Elle sert à éveiller un peu notre conscience, mais, à elle seule, elle n'est pas suffisante pour permettre d'accéder rapidement aux plans supérieurs du monde céleste.

Le grand cycle d'incarnations est au service de la conscience de Soi. Celle-ci s'acquiert autant durant nos passages sur terre que lors du processus de la mort et dans l'au-delà. La durée globale de ce cycle d'incarnations dépend donc de l'acquisition de conscience que nous atteignons dans chacune de nos incarnations et entre celles-ci. Lors de consultations et d'ateliers, il arrive souvent que l'on me demande quand ce cycle prend fin. La réponse se trouve dans les chapitres précédents. Cependant, une question demeure : est-il possible d'accélérer le retour définitif à notre véritable demeure ? Certainement, si nous sommes de plus en plus conscients de nos pensées, de nos actions et de notre état. Le degré de conscience de « Soi » est notre laissez-passer vers les plans célestes. Voilà pourquoi tous les grands maîtres nous enseignent l'importance de vivre tout ce qui nous arrive en conscience. Celle-ci élève notre état vibratoire et accroît notre conscience, ce qui favorise un passage de la mort plus harmonieux et une meilleure conscientisation des apprentissages que nous sommes venus expérimenter. Cela bonifie notre séjour dans l'au-delà. En conséquence, notre conscience s'élève davantage et cela raccourcit d'autant plus notre cycle d'incarnations.

Chaque geste pour élever nos vibrations et pour accroître notre connaissance du fonctionnement de la vie sert à accélérer notre élévation. Nous pouvons tirer davantage profit des expériences de notre incarnation si nous sommes plus présents à nous-mêmes et si nous prenons le temps d'observer la richesse qu'elles contiennent. La présence d'être est la clé pour nous élever. C'est ici et maintenant que se développe cette habileté. Attendre le processus de la mort pour vivre ce qui nous arrive en conscience, c'est limiter le potentiel d'expérimentation de notre incarnation. Pour bien des gens, ce n'est que lorsque le glas de la mort sonne que l'urgence de comprendre le sens de leur vie et de leurs expérimentations s'impose. Au fond, en y regardant de près, nous aurions avantage à intégrer cette conscience d'être le plus rapidement possible en début d'incarnation afin de magnifier notre passage sur terre et notre séjour dans l'au-delà.

Tous les défis de la vie nous placent devant un miroir qui nous aide à nous observer tels que nous sommes, avec nos forces et nos zones d'ombre. Au cours de l'incarnation, nous avons toujours la possibilité de nous détourner de ce miroir sans tenir compte du reflet qu'il nous renvoie, mais la proximité de la mort nous incite fortement à nous regarder bien en face. En remettant à demain ce que nous pouvons accomplir aujourd'hui, nous gaspillons nos possibilités d'apprentissage tant sur terre que dans l'au-delà. Dans ce cas, nous sommes exactement comme l'étudiant qui ne se présente pas à ses cours, qui ne remet pas ses travaux à temps et qui, à la veille de l'examen final, se réveille en belle panique, de peur d'être recalé.

Ce chapitre s'adresse donc à toutes les personnes qui désirent s'engager dans une démarche consciente. Des outils et des exercices y sont présentés pour inciter à passer à l'action afin de profiter encore plus pleinement de la vie. Plus nous intégrerons des moyens d'accroître la conscience de « Soi » au cœur de notre quotidien, plus rapidement nous pourrons rejoindre pour de bon notre famille céleste. Les bénéfices de cet objectif peuvent sembler très lointains. Bien au contraire, la conscience de « Soi » permet de mieux vivre tout ce qui nous arrive dans notre incarnation. Elle éclaire notre route et nous évite bien des souffrances et des détours. À l'instar de l'étudiant, nous pouvons apprendre les leçons au fur et à mesure des enseignements plutôt que d'attendre la veille de l'examen terminal pour nous taper tout le travail. Il existe de nombreux moyens pour augmenter notre présence d'être. Ce qui compte, c'est de trouver ceux qui nous conviennent et qui nous font du bien. Notre âme sait ce dont nous avons besoin et ce qui nous aidera à ouvrir notre conscience. Notre ressenti nous guide vers ce qui nous convient. Il ne reste qu'à nous abandonner au mouvement en toute confiance. Les exercices sont présentés à titre suggestif. Le ressenti demeure toujours le meilleur conseiller à ce sujet.

1- Renouer avec la conscience de nous-mêmes

Acquérir des connaissances

La curiosité intellectuelle est le moteur du développement de notre être. Si nous n'étions pas curieux, nous n'apprendrions pas constamment de nouvelles données. Les apprentissages sont le fondement même de notre évolution, et plus particulièrement tous ceux qui nous aident à élever notre vibration. Nous nous incarnons pour accroître nos connaissances, lesquelles nous aident à comprendre qui nous sommes et ce que nous sommes venus expérimenter. C'est cette curiosité intellectuelle qui nourrit les énergies dans notre corps mental. L'acquisition de connaissances stimule notre intellect, qui à son tour vient stimuler le corps causal. Elle joue donc un rôle crucial dans le développement de notre conscience de « Soi ». L'objectif ici n'est pas d'entrer dans la surconsommation d'informations, mais plutôt de satisfaire une saine curiosité en cherchant les réponses aux questions qui nous préoccupent. Celles-ci peuvent être d'ordre général ou liées à notre vie.

Baignés dans une société d'informations, nous avons le privilège d'avoir accès à tous les sujets possibles et inimaginables. Il ne reste qu'à alimenter cette curiosité. Lecture, documentaires, formations, discussions ne sont que des moyens d'obtenir plus d'informations. L'important ici est de passer à l'action, c'est-à-dire de faire un geste concret pour élever notre conscience grâce à l'acquisition de nouvelles connaissances. Des objectifs bien adaptés à notre réalité, insérés dans un échéancier, pourraient nous aider à mieux planifier nos apprentissages. Ici, c'est un peu comme la forme physique. Ce qui nous permettra d'atteindre nos objectifs, c'est de respecter un équilibre et d'y trouver plaisir. La quête d'informations ne doit pas être une tâche de plus dans la journée, mais un bonheur de découvrir quelque chose qui nous inspirera à avancer sur notre chemin de vie.

Un programme de formation sur mesure

Nous pouvons avoir à portée de main un carnet dans lequel nous consignons :

- les questions qui nous passent par l'esprit ;

- les livres que nous aimerions lire ;

- les formations que nous souhaitons suivre ;

- les films, documentaires ou émissions que nous désirons visionner.

Quand vient le temps d'établir notre échéancier, nous pouvons déterminer :

- la période qu'il couvre ;

- la ou les question(s) que nous souhaitons le plus aborder ;

- le temps que nous souhaitons investir ;

- le budget dont nous disposons.

Puis, il ne reste qu'à déterminer parmi les moyens d'information notés dans nos listes ceux qui conviennent le mieux pour répondre à nos questions ou, à défaut, de partir en quête de ces moyens. Tout au long de la confection de notre échéancier, gardons en mémoire les mots *plaisir* et *équilibre*. Ils sont le gage de sa concrétisation.

Observer nos désirs

Les désirs sont une source d'expérimentation de la matière. Ils nous permettent de nous connaître et de nous définir. Cependant, s'ils ne sont pas maîtrisés, ils deviennent source d'égarement. Les désirs font appel à nos sens et ils alimentent nos corps denses. Ils nous gardent captifs de la terre et limitent notre élévation ici comme dans l'au-delà. Leur maîtrise, quant à elle, fait appel aux outils développés dans nos corps supérieurs. Pour nous aider à réduire leur teneur, nous pouvons commencer par les observer et voir ce qu'ils nous apportent réellement. Par exemple, nous arrive-t-il d'être complètement obnubilés par l'idée de manger un aliment, de parler à quelqu'un, d'acheter quelque chose, d'aller quelque part, d'apprendre quelque chose ? Une telle idée est-elle récurrente ? Nourrit-elle notre être ou nous garde-t-elle en appétit ?

Encore ici, l'exercice n'a pas pour but de tomber dans les excès, mais de nous amuser à observer à quoi nous carburons et d'arriver à distinguer désirs et aspirations profondes. Les désirs reviennent constamment nous hanter et leur assouvissement nous procure un plaisir bref et superficiel. Les aspirations profondes transforment notre état et nous guident vers l'épanouissement. Les désirs nous emprisonnent dans un mouvement répétitif alors que les aspirations profondes nous libèrent des contraintes matérielles et nous donnent des ailes pour avancer sur notre chemin spirituel.

En prenant le temps d'observer nos pulsions et nos impulsions, nous pouvons apprendre beaucoup sur nous-mêmes. Chaque temps d'observation nous permet de prendre un certain recul quant à nos désirs et cela nous aide à prendre des décisions plus alignées sur nos objectifs d'incarnation. Dans des moments de tumultes, ces informations nous seront très utiles pour mieux distinguer les appels de notre âme des désirs de notre personnalité. Le fait de noter nos observations nous permet d'y revenir de temps à autre et d'en ajouter de nouvelles au fur et à mesure de notre cheminement. Voici quelques éléments qui peuvent être observés. Évidemment, ce tableau peut être davantage étayé selon ce que nous souhaitons observer.

Désir, dis-moi, qui es-tu ?

Description du désir	Son intensité	Sa fréquence	Plus loin souvenir qui lui est associé	S'il est assouvi, je me sens…	S'il n'est pas assouvi, je me sens…	Changements après observations

Méditer

La méditation est l'outil par excellence pour élever nos vibrations et pour développer notre présence d'être. Les grands maîtres nous l'enseignent depuis la nuit des temps. Lors de consultations et de conférences, il m'est fréquemment demandé comment l'on médite. En fait, je crois qu'il n'y a pas une seule façon d'y parvenir. La méditation est un état qui s'acquiert par l'accueil de Soi dans le moment présent. Méditer, c'est être conscient de ce qui se passe en nous. C'est observer le défilement de nos pensées, de nos émotions, de nos désirs sans chercher à les retenir ni à les rejeter. C'est permettre à l'espace entre les pensées de se révéler pour savourer le vide qu'il contient. L'état méditatif peut s'atteindre à l'aide de nombreuses techniques. Celle choisie est ni plus ni moins qu'un guide qui aide à atteindre cet état. Aucune technique, si puissante soit-elle, n'est garante du nirvana. Son rôle est de nous conduire sur notre chemin d'intériorité, vers l'espace sacré qui réside en nous. C'est à partir de là que naît l'état méditatif. Une fois atteint, l'état méditatif nous permet de nous élever au-dessus du babillage interne pour en être simplement l'observateur.

La méditation n'est pas une question de résultat, mais d'état. Dès que nous cherchons à atteindre des résultats, nous corrompons nos possibilités d'accéder à l'état méditatif. Certes, nous méditons pour être en paix, pour élever nos vibrations et pour développer notre conscience de « Soi ». Cependant, tout cela demeure des avantages collatéraux qui n'arrivent que lorsque nous sommes ouverts et réceptifs à ce qui est dans le moment présent. Si nous méditons pour obtenir quelque chose, nous risquons de récolter de la déception ou de la frustration. Si nous méditons pour accueillir ce qui est, notre méditation sera fructueuse et épanouissante. Plus notre agitation intérieure est grande, plus notre capacité d'accueil sera sollicitée. À ce sujet, il est bon aussi de savoir que toute technique, si bonne soit-elle, ne fonctionne pas toujours. Lorsque nous sommes agités ou que nous vivons de grands bouleversements émotionnels, il faut parfois déjouer notre mental et utiliser un autre moyen d'atteindre un état méditatif. Vouloir atteindre à tout prix un état de paix nous en éloigne. Il est préférable d'accueillir l'agitation et de la regarder bien en face pour qu'elle se dégonfle d'elle-même. Notre ressenti est un précieux allié quant au choix d'une technique de méditation. Il nous guide vers tout ce qu'il y a de plus simple et d'accessible, tellement simple que nous sommes souvent portés à rejeter d'emblée ce moyen. N'oublions pas que méditer, c'est observer ce qui est. Alors, laissons notre intuition nous guider vers cet espace sacré. En voici un exemple :

J'accueille avec compassion

Installez-vous confortablement dans un endroit calme et propice à l'intériorisation. Musique de méditation, bougies et encens peuvent contribuer à élever le taux vibratoire de cette pièce. La position assise est préférable pour demeurer alerte et attentif pendant trente minutes. Lors des premières expérimentations de cette méditation, la durée peut être plus courte et par la suite s'allonger jusqu'à la période proposée de trente minutes. Pour ne pas être préoccupé par la notion de temps, vous pouvez utiliser une alarme qui vous avisera lorsque la période sera terminée. Vous pouvez utiliser une sélection musicale d'une durée équivalente à la période de méditation que vous entendez vivre.

Assurez-vous d'avoir le dos bien droit et de pouvoir maintenir la position durant toute la méditation. Lorsque vous êtes bien installé, prenez une première grande inspiration afin de gonfler vos poumons et votre abdomen. Expirez lentement pour évacuer tout l'air de vos poumons. Recommencez neuf autres fois ces profondes respirations en observant l'air qui entre et qui sort de votre corps. Puis, reprenez un rythme respiratoire normal. Portez maintenant votre attention sur votre corps. Que se passe-t-il ? Y a-t-il des tensions, des blocages, des douleurs ? Au contraire, est-ce que tout semble dégagé et fluide ? S'il y a une zone de tensions, entrez dans celle-ci et massez-la à l'aide de votre respiration. Inspirez et ressentez les muscles de cette zone se gorger d'oxygène. Puis, à l'expiration, observez la détente qui s'y installe.

Lorsque tout votre corps est détendu, portez votre attention sur le plan de votre cœur, où se trouve votre sanctuaire sacré. Entrez-y en savourant la beauté de l'endroit pendant un moment. Puis, dirigez-vous vers le pont, l'escalier ou la passerelle de lumière qui se trouve au centre de votre espace sacré. Franchissez ce passage en ressentant toutes les énergies qui en émanent. La clarté et la luminosité qui y règnent vous imprègnent et vous transportent. De l'autre côté de ce passage, il y a un promontoire d'où vous avez une vue imprenable sur votre vie et tout ce qui s'y déroule. Regardez simplement les pensées, les scénarios, les émotions qui défilent sous vos yeux. Dans cet espace d'amour et de compassion, observez-les avec une nouvelle perspective. Ne cherchez pas à comprendre, à analyser ou à juger ce que vous voyez. Accueillez tout ce qui se joue sous vos yeux intérieurs avec compassion pour votre personnalité qui tient ce rôle.

Si vous vous surprenez à reprendre les répliques ou à vouloir changer le scénario, revenez tout doucement au promontoire en passant par votre espace sacré et par la passerelle de lumière. Si vous êtes en mesure d'utiliser le pouvoir de votre pensée, projetez-vous de nouveau à cet endroit. Chaque fois que vous vous rendez compte que vous n'êtes plus sur votre promontoire, retournez-y sans vous juger. Soyez dans l'accueil de ce qui est, y compris des décrochages du mental pendant toute la durée de la méditation. Plus l'amour et la compassion seront grands envers vous-même, plus cette méditation saura vous apporter apaisement et nouvelles vues sur votre vie.

Lorsque le temps est écoulé ou lorsque vous ressentez un apaisement, prenez quelques minutes pour revenir en conscience dans votre corps. Bénissez ce moment que vous venez de vivre, bénissez votre être pour ce qu'il est et bénissez tout ce qui vous entoure.

La méditation nous aide à développer notre capacité de centration. Ici, c'est comme la forme physique. Si nous chaussons nos espadrilles une fois l'an, il ne faut pas nous étonner de ne pouvoir terminer un marathon. Il en est de même de l'atteinte de l'état méditatif. Lorsque la méditation est pratiquée en dilettante, cela s'avère souvent insatisfaisant, voire frustrant parce que notre capacité de centration n'est pas suffisamment développée pour en tirer les bénéfices. Il faut du temps et de la persévérance pour la développer. La constance et l'accueil de Soi sont des facteurs cruciaux pour cueillir les multiples cadeaux qu'elle a à offrir. Tout comme la forme physique, l'état méditatif n'est pas quelque chose qui s'atteint une fois pour toutes. L'entraînement permet de maintenir la vivacité de notre capacité de centration. Certes, celle-ci pourra être ébranlée par les tumultes émotionnels, mais plus notre capacité de centration est profonde, moins nous serons happés fortement par ces turbulences.

La méditation représente un des plus beaux cadeaux que nous puissions nous faire tant individuellement que collectivement. Dans notre vie personnelle, elle contribue à notre paix et à notre harmonie. Elle nous guide vers le bonheur tant recherché. Elle élève la teneur de nos pensées et les fait passer du niveau émotionnel nourri par la tête sur le plan des sentiments alimentés par le cœur. En conséquence, elle augmente notre taux vibratoire, qui nous donne accès à une vision encore plus élevée. Elle est donc un outil essentiel à l'élévation puisqu'elle nous permet de développer notre conscience de « Soi ». Enfin, en étant plus près de notre essence divine, nous devenons des phares pour tous ceux qui nous entourent. Ainsi, nous contribuons à l'accroissement général du taux vibratoire. Dans une étude réalisée par l'Institute of HeartMath, des chercheurs ont établi que le champ magnétique qui se dégage du cœur est cinq mille fois plus élevé que celui émis par le cerveau[1]. Imaginez à quel point la méditation est puissante et à quel point elle sert l'ouverture des consciences.

Développer nos capacités intuitives et notre discernement

L'intuition, c'est le langage subtil qui nous permet d'accéder à des informations. Elle n'est pas un don, mais une capacité qui se développe[2]. Dans les ateliers que j'offre, il est étonnant de voir que même les personnes les plus sceptiques quant à leur propre intuition parviennent à y accéder aisément. L'intuition nous permet d'accéder à des informations justes et des plus utiles non seulement dans notre quotidien, mais aussi dans tout notre cheminement spirituel. C'est un moyen d'être en contact avec notre essence divine, pour nous laisser guider vers les apprentissages que nous sommes venus effectuer. Elle s'avère une alliée dans notre élévation, mais elle doit s'exercer avec discernement pour que nos intuitions nous mènent à bon port.

En effet, l'intuition nous permet de capter une quantité impressionnante d'informations subtiles qui passent tout autour de nous. Le discernement est notre capacité de déterminer quelles sont celles qui nous conviennent en allant voir ce qui résonne en nous dans le moment présent. Il fait appel à nos capacités intellectuelles d'analyse et de raisonnement, mais il va bien au-delà de la capacité de juger ou de discriminer puisqu'il implique une introspection qui tient compte de notre ressenti et de notre connaissance intuitive. Alors que le jugement est une activité purement mentale qui se limite aux connaissances, croyances et valeurs acquises durant notre incarnation, le discernement est un processus qui passe par le cœur et qui nous ouvre la voie sur la connaissance divine. Il est notre vigile qui nous assure la qualité des informations reçues de manière intuitive. L'intuition seule se compare à Internet haute vitesse. Il y a de tout et il faut parvenir à sélectionner ce qui est bon pour nous. Cela demande une vérification. En passant nos intuitions au spectre de notre discernement, nous pouvons éliminer plus facilement ce qui n'est pas convenable. En cas de doute, il devient impératif d'effectuer une validation, c'est-à-dire de demander à notre âme, à notre esprit et à nos guides de plus amples informations pour éclairer notre direction. Dans les périodes d'émotivité, il est plus difficile de discerner la voix de notre intuition

---

Un super ordinateur

Selon le biologiste cellulaire Bruce Lipton, l'esprit conscient a une capacité de calcul équivalent au traitement d'environ quarante bits d'information par seconde, alors que le subconscient est apte à traiter plus de vingt millions de bits d'information par seconde. Autrement dit, le subconscient est cinq cent mille fois plus rapide !

Gregg Braden, auteur et chercheur

Tiré de *La guérison spontanée des croyances*, p. 130

de la voix de notre mental. Il est également ardu de trouver la certitude de la bonne direction, surtout si nous n'avons pas l'habitude d'écouter notre ressenti. Voilà pourquoi il importe de forger cette capacité dans des moments de calme, en l'appliquant à des situations qui n'auront aucune incidence, et ce, quel que soit le choix que nous effectuons. Le livre *J'aimerais tant te parler* propose de nombreux trucs et exercices pour parvenir à développer l'intuition et le discernement ainsi que pour obtenir une validation[3].

Chaque geste que nous faisons en conscience et que nous incluons dans nos habitudes de vie devient une force insoupçonnée dans la grande odyssée de la vie. N'attendons pas de devoir affronter la mort pour développer les capacités qui dorment au fond de notre être. La mort n'est qu'un prétexte pour regarder ce que nous avons dans notre coffre d'outils. La vie nous offre bien d'autres prétextes non seulement pour bien mourir, mais pour bien vivre toute notre vie. C'est là la plus belle récompense. Nos actions portent des fruits immédiatement. Tout comme l'interrupteur donne accès à la lumière dès que nous l'enclenchons, chaque connaissance sur nous-mêmes nous permet d'atteindre une parcelle de notre lumière. L'observation, la quête de connaissances, la méditation et le développement de notre intuition et notre discernement amplifient chacune de nos actions et nous élèvent encore plus vers notre lumière. Sur terre comme au ciel, le cycle d'incarnations nous permet de conscientiser la puissance de la lumière qui nous habite. Le monde terrestre est une occasion d'observation extraordinaire. La dualité ressentie dans nos corps denses nous incite à tourner notre regard vers l'intérieur pour découvrir le sens de la vie, le bonheur, la paix et le véritable amour. Le chemin extérieur de la terre mène au chemin intérieur du cœur. Il nous appartient de choisir en toute conscience tout ce qui nous ramène à ce sentier pour recouvrer la paix d'esprit tant attendue.

2 - Un moyen d'accroître encore plus la conscience de nous-mêmes

Comme nous l'avons vu tout au long de ce livre, il y a plusieurs similitudes entre l'incarnation et la mort. Au quotidien, nous avons la possibilité de nous observer pour apprendre sur nous, sur nos actions et sur nos réactions. Les expériences de vie recèlent petites et grandes morts à travers lesquelles nous sommes appelés à sortir des modèles de croyances et de perceptions pour toucher à nos véritables capacités et à notre sagesse. La période d'endormissement et le sommeil partagent également plusieurs points communs avec la mort. Ils représentent un passage d'un état à un autre et, à ce titre, ils requièrent un état de détente et de confiance pour que nous puissions nous y abandonner pleinement. À l'instar de la mort, le sommeil nous conduit dans l'astral pour y puiser des informations sur notre incarnation, des compréhensions à nos expérimentations et une capacité d'élévation. La plupart des activités qui s'y déroulent se passent à un niveau inconscient. Même la période d'endormissement passe inaperçue. Nous allons au lit, fatigués par notre journée et il nous tarde de sombrer dans un sommeil récupérateur pour oublier tous les tracas de la journée. Avez-vous remarqué que lorsque nous sommes très préoccupés avant de nous endormir, nos nuits sont souvent très mouvementées? Le trop-plein émotionnel que nous n'avons pas évacué consciemment avant de plonger dans le sommeil, nous le libérons durant les phases de sommeil profond. Ainsi, tout au long de l'incarnation, notre âme travaille en coulisse pour nous aider à découvrir les apprentissages au fur et à mesure où les leçons se vivent. Notre inconscient nous transmet des pistes de compréhension pour que les événements de la veille livrent leur sens profond. Ses messages symboliques nous indiquent ce sur quoi nous devrions porter notre attention pour éclairer nos zones d'ombre et mieux mesurer l'éclat de nos zones lumineuses. Ce sont des informations précieuses pour apprendre à nous connaître, même si elles nous semblent souvent difficiles à décoder. Pourtant, avec un peu d'observation de nos ressentis, tout s'éclaircit.

Si la nuit s'avère un temps propice pour nous rappeler à nous-mêmes, le moment de l'endormissement peut devenir une excellente occasion pour maximiser les informations que nous pouvons y cueillir. Prendre quelques minutes de manière assidue nous aidera grandement à rester en contact avec notre ressenti, avec notre âme et avec notre plan de vie. Je vous présente ici une série de suggestions qui, exécutées les unes à la suite des autres, constituent un rituel complet de préparation consciente à l'endormissement. Cependant, je suggère de les essayer une à la fois. Cela vous permettra de voir leurs effets respectifs, d'observer comment vous vous sentez dans cette pratique et d'ajuster, voire d'éliminer cette portion du rituel si elle ne vous convient pas. Lorsque l'expérimentation de l'une de ces étapes sera intégrée à votre routine, il sera plus facile d'ajouter une autre partie du rituel. Demeurez à l'écoute de votre ressenti. Si vous ne parvenez pas à exécuter le rituel en entier, observez quelles parties vous semblent plus aisées à accomplir et conservez-les dans votre hygiène quotidienne. Derrière toutes ces étapes, ce qui importe, au fond, c'est d'être attentif à ce que vous vivez dans le moment présent et de rechercher un état de paix intérieure, peu importe le moyen choisi.

Base du rituel : *appel de Morphée*

J'ai eu le privilège de grandir dans un foyer rempli d'amour avec des parents très amoureux l'un de l'autre. Mes parents nous ont toujours enseigné que pour garder leur relation amoureuse en santé, ils ne s'endormaient jamais sur une discorde entre eux. Ils ont toujours pris le temps d'avoir une bonne discussion sur l'oreiller pour retrouver l'harmonie avant de se laisser bercer par Morphée. Je crois que ce conseil s'applique aussi à une hygiène de vie globale. Aller au lit le cœur lourd mine nos énergies et les phases du sommeil en seront influencées. Voilà pourquoi il est capital de nous endormir dans des vibrations plus élevées afin que la nuit nous apporte la récupération dont notre corps a besoin, mais aussi la compréhension et le réconfort qui sont nécessaires à son cheminement spirituel. Développer ici et maintenant cette habitude nous sera salutaire dans les défis de l'incarnation et tout au long du passage de la mort.

S'endormir le cœur léger

Étendez-vous bien sur le dos et assurez-vous que tout votre corps est dans une position propice à la détente. Prenez quatre à cinq grandes respirations. Ressentez l'air entrer dans vos poumons, gonflez votre poitrine et votre abdomen, appréciez ce souffle de vie qui vous habite dans le moment présent. Voyez l'oxygène nourrir toutes vos cellules. Puis, laissez l'air vicié se retirer de votre corps. Observez le mouvement d'expulsion de l'air. Ressentez toute la puissance de la vie en vous. Bénissez-la et entourez-vous de lumière, d'amour, de joie ou de sérénité, selon le sentiment qui vous convient le mieux dans le moment présent.

Puis, repassez le film de votre journée. Focalisez ensuite votre attention sur un élément positif de cette journée. Il y en a toujours un quand nous y pensons bien. Que ce soit un sourire, un plat qui nous a plu, le réconfort d'un ami, un décor enchanteur de la nature ou encore le doux regard d'un être cher, le privilège de manger à notre faim ou de dormir à l'abri des intempéries. Bercé par ces belles énergies, entourez tout votre corps de lumière et remerciez la vie pour tout ce qu'elle vous offre. Puis, laissez-vous aller tout doucement vers un beau voyage nocturne.

Premier ajout : élan de gratitude

Lorsque le rituel de base est intégré dans notre quotidien ou à tout le moins dans une routine récurrente, nous pouvons ajouter l'exercice qui suit pour nourrir nos belles vibrations de gratitude. Au-delà de la prise de conscience qu'elle procure, la gratitude suscite une ouverture de cœur importante qui tourne notre regard vers l'essentiel : l'amour et la beauté de la vie. Plus les événements du jour ont été rudes, plus la gratitude vous aidera à y trouver un sens. Bien qu'il soit difficile d'être reconnaissants quand nous sommes en colère ou quand nous souffrons, c'est justement dans ces moments pénibles que la gratitude nous sera des plus utiles. En posant notre regard sur un élément positif de la journée et en ouvrant notre cœur pour le bénir, toute notre énergie vient de se transmuter. Cela nous permettra d'accueillir tout ce qui a pu nous perturber au cours de la journée. C'est dans l'accueil que les miracles se produisent et que la compassion envers nous-mêmes peut nous envelopper. Nous sommes l'être le plus important de notre vie. Il importe donc de poser un regard rempli de compassion sur ce que nous vivons. Pour offrir l'amour inconditionnel à l'autre, il faut pouvoir s'en faire cadeau au préalable.

Rendre grâce

Après avoir effectué la base du rituel, remerciez la vie de vous avoir procuré ce moment de bien-être, si court soit-il. Conservez cet état de bien-être et savourez-le. Remerciez la vie pour tout ce qui vous entoure, pour la beauté, l'amour et l'amitié dans votre vie. Bénissez les événements de la journée, car ils sont tous porteurs de sens pour vous, même si celui-ci ne s'est pas encore révélé. Si vous avez de la difficulté à bénir les événements troublants, accueillez-vous, sans plus. Cela vous permettra d'être plus ouvert à la situation elle-même. Puis, offrez ce qui pèse lourd sur votre cœur à la vie, à l'amour, à votre esprit en leur demandant de vous aider à voir la lumière dans cette situation. Entourez cette offrande d'amour et laissez-la s'envoler dans les plans vibratoires supérieurs pour que la meilleure solution pour toutes les âmes concernées puisse éclore. Cette offrande amorcera le mouvement d'élévation de vos énergies. Elle crée un espace intérieur nécessaire à l'émergence d'un nouvel état vibratoire en vous. Dans cet état d'amour, glissez tout doucement vers le sommeil. Tentez de rester le plus longtemps possible conscient du mouvement qui s'amène en savourant ce moment de bien-être.

Deuxième ajout : envol vers la lumière

L'étape suivante consiste à entrer dans l'espace du cœur pour accéder dans un premier temps à notre espace sacré, là où nous pouvons faire silence. C'est dans cet espace que nous évitons de nous perdre dans les méandres de notre personnalité. De là, nous pouvons accéder à notre canal de lumière et nous élever jusqu'à son sommet pour renouer avec notre essence divine. Ainsi, en dernier lieu, avant que le sommeil nous gagne, nous pouvons y ancrer notre conscience grâce à l'exercice suivant :

S'endormir dans la lumière

Après avoir rendu grâce, assurez-vous que votre corps est étendu dans une position confortable. Centrez votre attention sur votre cœur. Visualisez l'espace sacré de votre cœur. Il peut se présenter sous la forme d'un jardin splendide ou d'un temple somptueux. Au centre de ce lieu hautement vibratoire se trouve une aire de repos où vous bénéficiez de toutes les énergies dont vous avez besoin. Ressentez l'énergie d'amour parcourir tout votre corps et élever ses vibrations. Puis, laissez s'élever votre canal de lumière jusqu'aux confins du ciel. Ressentez l'énergie céleste vous entourer et vous habiter. Porté par les énergies d'amour, entrez dans ce canal de lumière en gravissant la spirale de lumière de votre temple intérieur. Laissez-vous imprégner des énergies de plus en plus lumineuses tout au long de votre élévation. Une fois au sommet de cette spirale, bénissez la période nocturne qui s'amène et entrez-y en toute quiétude en gardant votre attention focalisée tout en haut de votre spirale de lumière.

Autres suggestions pour évacuer les aspects émotionnels perturbants

Le rituel de l'endormissement nous propulse au cœur de notre être. Parfois, notre mental éprouve des résistances et il devient alors difficile de trouver un espace de quiétude. Prendre un temps de libération peut alors aider à enclencher le mouvement. Pour dénouer les blocages émotionnels perturbants, il importe de les observer, dans un premier temps, puis de créer un espace pour accueillir la compréhension nécessaire à son dénouement. Voici donc deux autres suggestions d'exercices à cette fin :

Un temps d'observation

Au moment d'aller dormir, si vous êtes perturbé ou préoccupé, notez brièvement, dans un cahier, la cause de votre perturbation ou de votre préoccupation et comment vous vous sentez par rapport à cet événement sans juger ce ressenti. Ensuite, prenez quelques respirations profondes et observez ce qui se passe dans votre corps, s'il y a des tensions, des inconforts, une anxiété. Puis, imaginez que l'air qui entre dans vos poumons apporte un vent de détente et d'apaisement. Respirez profondément jusqu'à ce que vous ressentiez le relâchement dans votre corps. Dans cet état de détente, centrez votre attention sur le cœur. Entourez-vous d'amour et de compassion. Parcourez le film de votre vie et tentez de voir si vous avez déjà vécu une telle émotion. À quels souvenirs se rattache cette émotion? Quel âge aviez-vous? Comment avez-vous vécu cette émotion? Restez centré dans l'espace du cœur et permettez à cette émotion de vous révéler son message dans l'amour et la paix. Puisque la mémoire est une faculté qui oublie, notez tous les souvenirs auxquels se rattachent ce que vous vivez actuellement et les liens que vous pouvez y observer avec les événements passés. Puis, allez au lit en exécutant le rituel de base ou le rituel bonifié pour vous endormir dans des énergies élevées. Si vous ne comprenez pas ce qui vous arrive, que les événements du jour demeurent un mystère pour vous et qu'il vous est toujours difficile de lâcher prise, vous pouvez exécuter le prochain exercice.

Demandez et vous recevrez

Si vous avez vécu quelque chose qui vous perturbe et que vous ne savez pas comment agir devant cette situation, que vous ignorez ce que vous devez en comprendre ou que vous vous trouvez devant une impasse, demandez à ce que la lumière se fasse sur cette situation. Prenez le temps de vous centrer un moment, en inspirant et en expirant profondément à quelques reprises. Lorsque vous vous sentez plus apaisé, confiez ce problème à l'amour inconditionnel, en étant absolument certain que tout ce qui surviendra ensuite sera au service de votre cheminement intérieur. Entourez ce problème d'amour, entourez-vous d'amour et coupez tous les liens émotifs néfastes qui vous lient à cet événement. Demandez à votre esprit et à votre âme de vous aider à comprendre la leçon derrière cet événement ou de vous indiquer quelles actions constructives vous pouvez y apporter pour découvrir cette leçon. Demandez à être accompagné dans ce passage et à ce que tous les outils nécessaires à l'apprentissage de cette leçon vous parviennent. Entourez cette demande de lumière, entourez-vous de lumière et laissez votre requête s'envoler, en sachant que la réponse vous parviendra en temps et lieu. Dans cet état de confiance et d'ouverture de cœur, notez votre interrogation et votre requête d'aide pour ne pas l'oublier et pour vous aider à la compréhension de la réponse lorsque celle-ci se manifestera. Ensuite, rejoignez Morphée à l'aide du rituel ci-dessus mentionné.

Être un bon entraîneur

Les exercices proposés ci-dessus exigent de l'entraînement. Qui dit entraînement dit persévérance, effort soutenu et constance. Leur succès repose sur la motivation et sur la discipline. Sans ces précieux atouts, notre intention sera rapidement reléguée aux oubliettes. Il importe donc d'être un bon entraîneur pour nous-mêmes. Si nous sommes trop exigeants, nous nous découragerons et si nous sommes trop laxistes, nous n'atteindrons pas nos objectifs. Pour commencer, il est nécessaire de trouver une source de motivation intrinsèque, qui nous procurera l'énergie et la persévérance nécessaires à l'intégration d'un rituel d'endormissement à notre routine quotidienne. Le rituel choisi devra correspondre à nos affinités pour alimenter cette motivation. Si bon ou efficace que puisse être un rituel, il ne sera d'aucune utilité s'il ne correspond pas à nos vibrations et s'il ne réjouit pas notre cœur. Bref, le secret du succès ici repose en grande partie sur le plaisir. Pour persévérer dans tout entraînement, il faut y retirer des bienfaits immédiats et bien sûr à long terme. Alors, notre rituel d'endormissement doit être un temps de réjouissance, une fête pour notre cœur, pour notre être tout entier. Ainsi nourris par cette joie, nous aurons de la difficulté à nous en passer et ainsi nous pourrons résister au pernicieux désir d'abandonner lorsque nous serons exténués par notre journée. Si les exercices mentionnés plus haut ne vous conviennent pas, vous pouvez utiliser l'exercice « Demandez et vous recevrez » pour découvrir celui qui sera approprié pour vous.

En matière de cheminement spirituel, il n'y a souvent pas de coup d'éclat et les résultats s'installent sans tambour ni trompette. La plupart du temps, ils ne se voient qu'avec les yeux du cœur, qui possèdent un regard juste et impartial. Le mental est un juge très sévère à notre égard et je vois de nombreuses personnes lors de consultations se condamner et ainsi miner leur confiance en leur ressenti. Durant l'entraînement, il faut adopter une attitude ferme, juste et diligente envers nous-mêmes. Même si nous avons les bons outils et des intentions louables, le dénigrement, le négativisme et le déplaisir viennent rapidement à bout de tous nos efforts. À l'instar du bon entraîneur, il est primordial de nous offrir compassion, écoute et tolérance sans toutefois verser dans l'excès de la complaisance. De plus, il est nécessaire d'éviter de mentaliser nos résultats ou de les comparer à ceux des autres. Ils perdent à ce moment toute leur nature et deviennent dès lors insatisfaisants. Sachant que la tête est un magistrat des plus exigeants et que le cœur est un entraîneur juste, avant d'accorder foi à une observation du mental, prenons un temps de centration pour la revoir sous un autre angle.

Dans le silence du cœur

En persistant dans cet entraînement à l'endormissement conscient, et en nous accueillant avec compassion dans notre expérimentation, nous développerons des outils pertinents pour traverser tous les passages en connexion avec notre âme. C'est là que nous découvrons le passeport vers la simplification de notre incarnation. Tout notre périple vise à nous ramener au centre de notre cœur pour y découvrir la vraie nature de notre être, la beauté et la grandeur des cycles d'incarnations. Point besoin d'attendre le seuil de la mort pour récolter ces trésors intérieurs. Dans le silence du cœur, nous trouverons toujours l'espoir, l'amour et la joie qui habitent notre être. La vibration même de la vie s'y trouve. Pour y toucher, pour l'émaner à travers toutes les circonstances de la vie, il ne reste qu'à s'entraîner…

3 - Une réflexion approfondie sur la mort

Pour plusieurs personnes, le seul mot *mort* suscite des angoisses profondes. Alors, elles ont peine à réfléchir à ce qu'elles souhaitent, ne serait-ce qu'en ce qui concerne les funérailles. Même si de nombreuses autres personnes parviennent à aller au-delà de ces angoisses, la plupart d'entre elles ne le font pas de gaieté de cœur. Certes, déterminer ce que nous désirons vivre à notre mort nous amène dans une grande réflexion qui nous plonge dans une quête de réponses aux grandes questions existentielles. Ce n'est que lorsque nous les avons trouvées qu'il devient plus facile de faire des choix judicieux, sans escamoter des points cruciaux qui pourraient avoir une incidence importante sur notre état de conscience avant ou après la fin de notre incarnation. Quand j'étais notaire, j'incitais fortement les gens à se prémunir d'un testament pour ne pas laisser leurs proches dans une situation problématique. Aujourd'hui, bien que les questions matérielles conservent leur importance, il m'apparaît bien plus important encore d'avoir une approche globale de la préparation en fin de vie ; c'est-à-dire une approche qui tient compte de tous les secteurs de notre incarnation et de ce qui surviendra après celle-ci.

La lecture du chapitre 4 nous donne plusieurs éléments de réflexion à ce sujet. Une des actions que nous pouvons dès maintenant accomplir pour nourrir notre réflexion et déterminer ce que nous désirons vivre à cette étape de notre incarnation est la rédaction d'un testament de vie, d'un testament biologique ou, plus justement nommé, de directives de fin de vie[4]. L'utilité d'un tel document est de le séparer complètement du testament, document juridique qui stipule nos dernières volontés concernant nos biens meubles et immeubles[5] après notre mort. Au Québec, les directives de fin de vie ne sont pas soumises à une législation spécifique. Nous avons donc l'entière liberté de consigner nos dernières volontés en ce qui a trait à notre être, à notre bien-être et à notre âme sans autre formalité que de dater et de signer ce document. Ces deux informations servent en cas de contestations. La date sert à déterminer s'il s'agit du dernier document et si nous étions considérés comme sains d'esprit au moment de la rédaction. La signature marque notre consentement. Sa grande accessibilité permet à tous de divulguer ce qui leur tient à cœur pour vivre un passage des plus sereins.

En elle-même, la rédaction d'un testament de fin de vie est un excellent exercice de préparation à la mort. En effet, les questions qu'il soulève nous amènent à une réflexion non seulement sur ce que nous souhaitons vivre dans ce passage, mais également sur notre survie, sur la manière dont nous l'envisageons et sur ce que nos proches vivront de leur côté. Il existe de nombreux modèles de directives de fin de vie et il nous est fortement conseillé d'en lire quelques-uns avant de rédiger le nôtre. Premièrement, cela nous donne un bon aperçu des informations que nous pouvons y indiquer. Ainsi, nous ne risquons pas d'oublier des points essentiels. De plus, cela nous familiarise avec le langage couramment utilisé dans ce type de document. L'utilisation du bon vocabulaire nous assure la compréhension de nos dernières volontés. Il est également fortement conseillé de discuter du contenu de ce document avec nos proches pour nous assurer d'une même compréhension au moment de l'exécution de nos dernières volontés.

Parmi les modèles disponibles, mon amie Diane m'en a fait découvrir un, magnifiquement conçu par Josée Bouchard, et qui s'intitule *Carnet de* passage[6]. À la fois un guide explicatif et un recueil pour consigner nos dernières volontés, il est vraiment bien structuré et il prévoit de nombreuses questions inhérentes à la préparation du passage de la mort. Puisqu'il ne sert à rien de réinventer une si belle roue, je vous y renvoie pour inspirer votre réflexion. À ce merveilleux outil, j'ajouterais les quelques questions suivantes en guise de complément aux besoins de l'âme dans cette grande traversée.

Pour que mon âme s'élève aisément

Lorsque les signes annonciateurs surviennent :

- Sachant qu'il est important d'être le plus alerte possible à ce moment, est-ce que je privilégie le silence et la solitude ou, au contraire, je préfère être entouré ? Dans ce cas, quelles personnes aimerais-je avoir auprès de moi ? Doivent-elles demeurer en silence et m'accompagner dans l'espace du cœur ou est-ce que je souhaite qu'elles m'accompagnent avec des paroles, des prières, des mantras ou des lectures que j'aurai choisis ?

- Est-ce que je souhaite que l'on me touche ? Le cas échéant, sachant que le fait de toucher certaines parties de mon corps peut ralentir le détachement de mon corps physique, quels sont les gestes qui m'apaiseront sans pour autant court-circuiter ce processus ? Il est possible ici d'expliquer pourquoi il est préférable de ne pas toucher les extrémités du corps et pourquoi il faut privilégier le cœur et la couronne comme points de contact.

- Si je sombre dans des états comateux, quel est le soutien que j'aimerais que mes proches m'offrent ? Quels sont les mots, prières, mantras qui m'inspireraient la clarté intérieure et qui m'aideraient à choisir ma route ? Ai-je déjà une difficulté à effectuer un choix pour moi ? Si oui, quelles sont les conditions qui m'aident à le faire plus aisément ?

- Est-ce qu'il y a des soins particuliers qui me font du bien au cœur et que j'aimerais que l'on m'offre à ce moment ? Sachant que certaines positions facilitent la transition, il est possible de les mentionner pour que mes proches en soient informés. Est-ce que je souhaite que l'on m'administre des médicaments et, le cas échéant, à quelle fin ? En matière de soins, est-ce que je privilégie une approche naturelle ? Quelles sont les circonstances où je ne veux plus que l'on m'administre des soins autres que ceux relatifs à mon confort ?

Après mon dernier souffle :

- Est-ce que je souhaite vivre un moment de recueillement avec mes proches avant même que l'on déplace mon corps ? Qu'est-ce que j'aimerais qu'il se passe durant ce moment : silence, prière, chant ?

- Si ma mort est survenue brutalement ou durant mon sommeil, est-ce qu'il y a des gestes, des paroles, une ambiance particulière qui m'aideraient à mieux vivre cette transition ? Ici, je peux envisager ce qui me fait du bien, ce qui m'aide à me recentrer quand je vis un passage perturbant dans ma vie.

- Est-ce que je souhaite qu'on lave mon corps pour m'aider à me libérer des énergies lourdes de la matière ? Le cas échéant, est-ce que je souhaite que cela soit fait par une personne en particulier ?

- Est-ce que je souhaite donner mes organes ? Le cas échéant, je peux expliquer ce qui m'anime dans ce choix. Puis, comment mes proches peuvent-ils m'accompagner au moment du prélèvement et de la transplantation ?

- Est-ce que je souhaite bénéficier d'un temps pour me déposer entre le décès et les funérailles ? De quelle manière j'aimerais que mes proches me soutiennent durant ce moment : prière, chant, pensée ? Quels sont les gestes ou les paroles qui me font du bien quand je vis un passage important et que j'aimerais recevoir ? Qu'est-ce qui m'aidera à trouver ma direction et à élever mes vibrations ? Comment aimerais-je être accueilli par mes proches si j'ai besoin de rester dans leur entourage un moment ? Quel serait le signal que je pourrai leur transmettre pour leur faire comprendre que ma présence n'est que temporaire ?

- Est-ce que je souhaite venir faire un dernier adieu à mes proches et, le cas échéant, quels sont les signes que je pourrai leur offrir pour qu'ils reconnaissent ma présence et qu'ils en comprennent le sens ? Y a-t-il des signes qu'il me serait préférable de ne pas utiliser pour ne pas leur faire peur ou souhaitent-ils que j'utilise certains moyens de communication particuliers[7] ?

- Quel est le rituel funéraire qui me convient ? Quels sont les chants, les prières ou les récitations qui aideront mon âme à s'élever à ce moment ? Est-ce que j'aimerais y ajouter une prière, un chant ou une récitation de mon choix pour soutenir mes proches dans ce passage ?

- Après les funérailles, de quelle manière mes proches peuvent-ils m'aider à m'élever ? Qu'est-ce qui m'aide à me détacher ou qui allège mes petits et grands deuils ? Qu'est-ce qui me permettra de partir en paix ? Y a-t-il des gestes ou des attitudes qui nuiront à cette élévation ?

- Quelle est la manière dont je souhaite que l'on « dispose » de mon corps ? Il m'est possible ici d'en fournir les raisons. Si j'opte pour l'enterrement, y a-t-il un lieu que je préfère ? Dans le cas de l'incinération, quel est mon souhait par rapport à la conservation des cendres ? Est-ce que mon choix ici sert aussi mes proches dans leur processus de deuil ?

- De manière générale, comment est-ce que j'envisage ma relation avec mes proches après la mort ? Qu'est-ce que je souhaite de mieux pour eux et comment est-ce que j'aimerais qu'ils vivent ce passage ?

- Y a-t-il d'autres souhaits qui me tiennent à cœur pour le repos de mon âme ou pour apaiser le cœur de mes bien-aimés ?

Répondre à ces questions représente une excellente manière de poursuivre le renouement avec la conscience de Soi amorcé en début de chapitre. Bien sûr, cela exige une quête d'informations et un temps de réflexion pour déterminer ce qui nourrit l'accroissement du taux vibratoire. Une fois que nous avons complété nos directives, ce document devient un fabuleux outil d'échange avec nos proches. Pourquoi attendre la proximité de la mort pour tenir ces échanges ? C'est lorsque nous sommes en forme et alertes que nous bénéficions de conditions propices à ce type de discussion. Notre solidité et notre confiance les aideront à s'ouvrir eux aussi à la réalité de la mort et à s'y préparer. De part et d'autre, l'état émotionnel n'est pas exacerbé par un départ imminent et il est alors plus facile d'aborder certains sujets plus délicats. En plus, les directives de fin de vie nous ouvrent à la possibilité d'approfondir nos relations avec nos proches. Il s'avère parfois plus difficile d'échanger sur nos valeurs et nos croyances profondes sans une direction particulière. Les questions soulevées dans les directives de fin de vie deviennent un excellent prétexte pour apprendre à connaître les êtres chers et à partager une dimension sacrée de leur être.

Cueillir le meilleur de la vie

Passer du mental au cœur représente un acte volontaire, conscient et accessible, qui n'a rien d'automatique ni d'acquis. Cela requiert efforts et persévérance. Cependant, quel cadeau cela nous procure-t-il ! Pourquoi attendre l'invitation que la mort nous lance pour renouer avec notre essence divine ? Tout est déjà en nous, juste là, dans notre cœur pour nous permettre de cueillir tous les trésors que nous offre notre incarnation. Apprenons dès maintenant à tirer profit de chaque expérience pour en voir la beauté et la grandeur. Incarnations et morts ne marquent que des moments clés de la plus belle aventure qui soit : la vie. Rien n'est laissé au hasard et si nous récoltons ce qu'elle nous offre de meilleur, nous ne pourrons que magnifier tout le reste de cette fabuleuse odyssée.

Comme l'ont si bien exprimé Anne Givaudan et Daniel Meurois dans *Chronique d'un départ*[8], « observe seulement un peu plus le silence qui veut s'installer en toi, Elisabeth. Essaie de goûter sa saveur et écoute ce qu'il veut te dire, car, vois-tu, c'est de l'intensité et de la pureté de cœur avec lesquelles tu vas vivre ces instants que dépend la beauté de ton voyage ».

⇒ Conclusion ⇐

*Bien que l'amour soit difficile à étudier scientifiquement,
la recherche médicale confirme actuellement ses effets.
On a découvert que les gens amoureux ont moins
d'acide lactique dans le sang, ce qui diminue leur
fatigabilité, et davantage d'endorphines, ce qui les rend
euphoriques et moins sensibles à la douleur. Leurs
globules blancs sont plus efficaces en cas d'infection
et ils attrapent moins de rhumes.*

Bernie S. Siegel, chirurgien et professeur, *L'amour, la médecine
et les miracles*, p. 242

Après la mort, ce qui nous attend, c'est la continuité de la vie avec le bagage que nous avons accumulé au fil des expériences terrestres. Alors, nous pouvons dès maintenant savoir quelle serait la suite de notre parcours si la mort frappait maintenant à notre porte. Dans cette grande traversée, nous apportons tout ce que nous sommes. La mort ne nous rend pas plus heureux ni plus malheureux. Elle ne guérit pas nos blessures émotionnelles ni ne règle aucune situation à laquelle nous avons refusé de faire face. Elle n'a rien de magique. Elle n'est qu'un changement de plan de conscience soumis aux mêmes lois qu'ici-bas. De l'autre côté, nous ne sommes ni mieux ni pires que nous étions ici-bas. Pour nous élever vers la lumière, il nous faut nous défaire des énergies lourdes que nous avons accumulées ici-bas. La lumière promise existe bel et bien. Cependant, elle n'est pas un prix de présence attribué du simple fait de traverser le voile d'incarnation. Elle n'est pas non plus un endroit merveilleux où nous sommes parachutés sans effort. La lumière, c'est une vibration d'amour. Le moteur de l'élévation, c'est donc l'amour que nous portons en nous.

Sur terre comme au ciel, l'amour est le fondement de toute chose, de toute expérience et de tout être. L'amour, c'est l'énergie qui insuffle et nourrit la vie. Il ne peut y avoir de vie sans amour. Même dans les zones les plus sombres, l'amour n'attend que le réveil de la conscience pour faire son œuvre. Il vit en nous et il s'active dans notre cœur. L'amour que nous posons sur nos gestes et sur notre être permet d'éclairer les zones d'ombre qui n'ont pas encore été révélées au grand jour. Il permet de les voir, de les accueillir avec compassion et, ainsi, d'y découvrir des trésors insoupçonnés. L'amour de « Soi » se répercute sur tout notre entourage. Il nous aide à mettre à profit nos talents, nos connaissances et nos habiletés. Ce faisant, nous élevons nos vibrations, et notre cœur s'ouvre davantage sur « Soi » et sur les autres. L'amour engendre l'amour. Il élève tout ce qu'il touche au passage. Il est déjà là, en nous, prêt à transformer notre quotidien.

Pourquoi souhaiter être de l'autre côté du voile pour découvrir ce que la mort nous réserve quand nous pouvons déjà en avoir une bonne idée en regardant ce qui compose nos bagages ? Pourquoi attendre que le temps soit compté pour amorcer une transformation intérieure, alors que nous pouvons déjà améliorer ce que nous vivons au quotidien ? Pourquoi retarder l'accueil de l'amour dans notre vie, alors que c'est ce que nous cherchons si ardemment ? De quoi avons-nous si peur pour repousser ainsi la source du mieux-être et de la paix que nous cherchons ? Il y a sans aucun doute de nombreuses explications pour répondre à ces questions, mais une réponse commune pointe. Une fois que nous sommes incarnés, la sensation de séparation avec notre essence divine nous fait craindre le pire : perdre cet amour, cette lumière qui nous habite.

Or, cette crainte n'est qu'une illusion engendrée par la présence des corps énergétique et physique. Il n'y a pas de véritable coupure. Nous sommes toujours unis à l'amour puisque c'est la force qui nous anime. C'est de cette illusion que vient notre peur de perdre, de ne plus être aimés, d'être abandonnés, de mourir. Dès que nous entrons dans l'espace du cœur, toutes ces peurs se dissipent pour faire place au sentiment d'unité. Toutes les expériences de l'incarnation sont un appel à l'intériorisation. C'est une des grandes leçons que nous venons apprendre. Son intégration facilite tout le reste de notre parcours, mais nous résistons à cet appel parce que nous avons peur de ce que nous allons y trouver.

En effet, l'appel à l'intériorisation suscite les mêmes angoisses que la mort. Entrer en soi, c'est comme traverser le voile de l'incarnation. Nous délaissons nos repères physiques si sécurisants pour entrer dans un monde intangible. Alors, nous craignons soit de trouver la confirmation du sentiment de séparation, du vide et de la finitude, soit de découvrir qu'il n'existe que l'unité, la plénitude et l'immortalité. La personnalité préfère la vision limitée de la séparation qu'elle connaît. Même si la perspective du vide n'a rien de réjouissant, la plénitude sort totalement de son cadre de référence et cette option s'avère encore plus angoissante que la notion de finitude. Entre deux maux, la personnalité choisit le moindre. Elle préfère vivre dans la séparation plutôt que de s'ouvrir à toutes les possibilités que lui ouvre la voie du cœur. Ainsi, elle craint la vie bien plus que la mort ; l'amour bien plus que le non-amour ; la lumière bien plus que l'ombre.

Durant toute notre incarnation, nous sommes ballottés entre la voix du cœur (de l'âme) et la voix de la tête (de la personnalité). L'une sait ce qu'il faut pour vivre l'incarnation en harmonie, l'autre y résiste. Comme dans notre société matérialiste, nous n'avons pas appris à écouter la voix du cœur, la tête remporte souvent la bagarre jusqu'à ce que la mort frappe à notre porte. Alors, devant l'urgence de trouver un sens à notre vie et à la vie, devant le spectre de la mort, la personnalité accepte d'envisager d'autres options. Au fond, ce n'est pas la mort qui mène à la transformation et à l'élévation dans notre lumière. C'est l'acceptation de l'intériorisation. C'est l'acceptation de vivre et de ressentir la plénitude de la vie.

Le processus préparatoire à la mort n'est qu'un rappel à ce mouvement auquel nous résistons parce que nous avons trop peur de découvrir la beauté et la grandeur que nous portons. Ainsi, sur terre comme au ciel, nous pouvons nous élever dans notre lumière et accéder à une conscience élargie. La mort n'est qu'un changement de point d'observation sur notre incarnation. Le seul sentier qui mène à la lumière, c'est notre cœur. Il n'y a que l'amour que nous portons qui nous élève dans des états de joie et de paix. Peu importe sur quel plan de conscience nous nous trouvons, c'est toujours notre niveau vibratoire qui détermine l'expérimentation. Tout ce qui est en haut est en bas, et vice versa. La vie dans l'au-delà est à la juste mesure de ce que nous avons nourri ici-bas. Elle sera libération si notre incarnation l'a été. Elle sera amour si l'amour a été au centre de notre vie. Elle sera lumière si nous avons appris à accueillir notre lumière dans les diverses expériences terrestres. Elle sera belle si nous avons accueilli la beauté de notre incarnation. Elle sera épanouissante si nous avons pris le temps d'extraire les apprentissages qui se cachaient dans les défis que nous avons vécus. Elle sera paisible si nous avons développé un espace de paix en nous. Elle sera porteuse de sens si nous avons cherché à comprendre ce que nous vivions avec les yeux du cœur.

Ce qui nous attend après la mort, ce sont les graines que nous semons au quotidien. Nous ne pouvons espérer récolter des roses si nous ensemençons des ronces. La mort n'a rien de magique. Elle n'est que le reflet de notre manière de vivre. Ce qui nous libère de la souffrance, ce n'est nullement la mort, mais l'amour. C'est lui qui nous offre la beauté et la joie tant espérées. N'attendons pas que le glas sonne pour accepter l'invitation à marcher sur le sentier du cœur. Ici et maintenant, l'amour éclaire notre route et élève notre vision. Dès à présent, l'amour panse toutes les souffrances. Immédiatement, paix et harmonie nous attendent au creux de notre être. Tout est en nous dès à présent, si nous prenons simplement le temps d'accueillir la vie et toute la lumière qui nous anime. Il n'y a rien à changer puisque nous sommes déjà la lumière. Il suffit de l'activer dans l'espace du cœur et nous bénéficierons de toute sa richesse et de tout son potentiel.

Alors, le seul mystère qu'il nous reste à découvrir, ce n'est donc plus ce qui nous attend après la mort, mais ce qui nous attend dès maintenant…

Que cette découverte soit des plus lumineuses !

⇒ Un temps pour la gratitude ⇐

*S*ans l'apport de précieuses aides, ce livre n'existerait tout simplement pas. Je suis donc extrêmement reconnaissante envers tous ceux qui ont, de près ou de loin, participé à son élaboration.

J'aimerais d'abord souligner les enseignements de mes guides, de tous les auteurs, chercheurs et enseignants qui ont nourri mes connaissances sur ce sujet. Ce livre a été tout simplement fascinant à vivre parce qu'il m'a demandé de repousser mes limites et ma compréhension pour m'ouvrir encore plus à la réalité de la vie. Merci à tous ces maîtres !

Puisque ce projet a exigé davantage de temps et d'efforts que mes autres livres, je n'y serais jamais parvenue sans la présence aimante de mon bel amoureux. Paul, merci infiniment pour ton amour, ton soutien inconditionnel et ta contribution exceptionnelle durant ces longs mois tant par ton aide au quotidien que par tes judicieux commentaires. Alexandra et Mathieu, je tiens aussi à vous dire un immense merci pour votre amour, votre patience et votre compréhension. Je sais qu'il vous a fallu me répéter pas mal de choses parce que j'avais la tête ailleurs... À vous trois, je dis merci aussi de m'avoir attendue et accompagnée. C'est un cadeau inestimable.

Merci à ma belle maman d'amour. Ton aide et tes commentaires sont très précieux et ont apporté un regard pertinent. Merci papa et maman pour votre soutien constant et votre amour si précieux.

Merci aux éditions Le Dauphin Blanc d'avoir accepté ce projet. Alain et toute l'équipe, je vous remercie pour la confiance accordée et pour tout le labeur que la mise en marché de ce livre implique. Je sais tout ce que cela exige et tout le dévouement que vous y mettez. Je vous en suis sincèrement reconnaissante.

J'aimerais aussi remercier sincèrement toutes les personnes qui m'ont fait confiance en me racontant un bout de leur histoire et toutes celles qui ont posé des questions durant les conférences ou les ateliers. C'est grâce à vous que le contenu de ce livre s'est développé. Je souhaite que ces quelques mots vous apportent toute ma gratitude. J'en profite pour remercier aussi toutes les personnes qui contribuent à l'organisation de ces événements. Marie-France, Suzanne, Martine, Hélène, Thérèse, Joceline, Heidi, Lorraine et Ryna, sans vous, je n'aurais pas pu bénéficier de tout ce merveilleux matériel de travail.

Enfin, mes derniers remerciements, mais non les moindres, vont à mes amis que j'ai réellement négligés depuis plusieurs mois. Votre présence inconditionnelle malgré tous mes reports de rendez-vous ou mes absences a été des plus réconfortantes. Andrée, Anne, Anick, Antoine, Catherine, Diane, France, Jean, Lise, Lilly, Lucie B., Lucie D., Mado, Marcel, Michèle, Michelle, Nicole, Vital et Yolande, merci d'être dans ma vie et d'y mettre tant de lumière.

Annexe

Tableau des subdivisions fréquentées durant le cycle d'incarnations

Plan de conscience	Subdivision	Caractéristiques
Astral Monde d'illusions nourries par les désirs et les émotions. État généralement agréable, sauf dans les niveaux inférieurs où la souffrance émotionnelle existe encore. La traversée passe par tous les niveaux, mais si aucun désir ne correspondant à l'un des niveaux ne se trouve dans nos bagages, nous n'y séjournons pas.	7- Désirs associés au corps physique – bas instincts et vices.	- Niveau d'errance des personnalités viles et méchantes. Les êtres qui s'y retrouvent ont alimenté les instincts les plus bas dans leur incarnation. - Communication avec la terre souvent inexistante parce que les êtres sont enfermés dans leurs projections mentales. Quand elle se manifeste, elle est souvent source de hantise.
	6- Désirs associés à la matière – inconscience.	- Accueil des êtres inconscients de l'emprise de leurs désirs matériels, qui n'ont pas développé un cheminement spirituel durant l'incarnation. - Niveau d'errance des personnalités égoïstes, mesquines, dépendantes ou inconscientes de leur état. - Reproduction fidèle de tout ce qui se passe sur la terre. - Communication avec la terre servant à assouvir les dépendances à la matière.
	5- Désirs associés aux émotions.	- Accueil des êtres encore attachés à la matière, à leur corps et pour qui les préoccupations durant l'incarnation ont été axées sur l'avoir plutôt que sur l'être. - Besoin de communication avec les êtres chers très présent pour satisfaire les désirs matériels.
	4- Désirs associés aux sentiments.	- Accueil des êtres bons qui ont axé leur vie sur des sentiments nobles. - Attachements moindres à la matière, mais besoin de communiquer avec la terre encore très présent ; par contre, il n'est plus pour satisfaire un désir matériel ou émotionnel, mais plus tourné vers l'altruisme.
	3- Désirs associés à la connaissance matérielle.	- Accueil des êtres qui ont développé leurs capacités créatives et qui ont exploré les possibilités que la matière offre, mais qui sont attachés à leurs créations. - Communication avec la terre moins présente puisque l'attention est principalement focalisée sur la création.
	2- Désirs associés à l'éveil.	- Accueil des êtres qui ont développé des outils spirituels, mais qui les utilisent de manière aveugle ou sans discernement. - Communication avec les êtres incarnés intuitifs très présente pour les aider dans leurs activités créatrices.
	1- Désirs associés à la pensée abstraite.	- Plus haut niveau vibratoire qui accueille les penseurs, les philosophes, les scientifiques qui réfléchissent aux grandes questions de la vie. - Communication avec la terre visant à transmettre des connaissances de nature intellectuelle.

Mental	4- Sentiments sincères envers les êtres chers.	- Corps mental peu développé par une incarnation axée sur la satisfaction des désirs matériels. - Séjour plus court, car la récolte de sentiments est moindre et les capacités mentales ne permettent pas d'en tirer beaucoup de compréhension. - État de félicité permettant d'élever les pensées. Les sentiments nourris dans l'incarnation sont vécus avec une plus grande intensité, ce qui contribuera à soutenir des aspirations supérieures sur le plan émotionnel dans la prochaine incarnation.
Monde des sentiments qui sert à la transformation des pensées en capacités concrètes. État de félicité plus ou moins élevé selon la nature des pensées et des capacités intellectuelles.	3- Sentiments associés à la dévotion.	- Corps mental moyennement développé par une incarnation axée sur les désirs d'ordre spirituel égocentriques. - État d'extase mystique qui sert à la transformation de sentiments dévots et égoïstes vers une vision plus élevée de la dévotion dans une prochaine incarnation. - Séjour se prolongeant en fonction des capacités mentales qui ont été développées durant l'incarnation.
Nous ne séjournons que sur un seul de ces quatre niveaux, soit celui qui correspond aux capacités mentales développées durant l'incarnation.	2- Sentiments associés au service.	- Corps mental développé par une incarnation axée sur le service et le dévouement désintéressés. - État d'une grande félicité qui sert à augmenter les connaissances abstraites des mondes subtils pour nourrir des projets destinés à l'élévation collective. - Séjour de longue durée permettant aux êtres de peaufiner leurs connaissances abstraites et leur développement spirituel.
	1- Sentiments associés à la création désintéressée.	- Corps mental très développé par une incarnation axée sur l'activité intellectuelle intense pour parvenir à repousser les limites de la connaissance ou des habiletés ; siège du génie humain. - État d'une grande félicité servant à augmenter la connaissance intuitive pour permettre la matérialisation de découvertes ou d'idées novatrices dans la prochaine incarnation. - Séjour également de longue durée pour affiner les connaissances intuitives et perfectionner de grandes capacités intellectuelles.

Causal	3- Conscience de Soi tournée vers l'individualité.	- Les êtres dont le corps mental n'est pas assez développé pour soutenir un niveau vibratoire aussi élevé sont dans un état d'inconscience ; leur séjour sera de très brève durée et servira uniquement à planifier la nouvelle incarnation. - Les êtres qui ont un corps mental suffisamment développé observent leur passé pour en comprendre les causes. Ils cherchent à en tirer les leçons pour améliorer les prochaines incarnations. Ils commencent le développement de leurs corps supérieurs avec l'aide des êtres des niveaux supérieurs.
Monde de la cause où les formes s'épurent et où les idées abstraites règnent. Accès à la claire vision qui révèle les nouveaux outils acquis durant l'incarnation. Retrouvailles avec la famille céleste. La personnalité disparaît pour laisser place à l'individualité. Sauf exception, la nouvelle incarnation se prépare sur ce plan.	2- Conscience de Soi tournée vers le service.	- Seuls les êtres ayant un niveau d'évolution élevé atteignent cette subdivision. Ils se sont consacrés ardemment à leur développement spirituel durant leur incarnation. Leur pensée est très claire et ils s'imprègnent des fondements des idées abstraites. - Accès à la clarté et à la réalité de la conscience. - Le développement de leurs corps supérieurs s'accroît et donne accès à des enseignements venant des plans supérieurs. - Leur vision élargie leur permet l'étude des formes évoluant dans les mondes inférieurs.
	1- Conscience de Soi tournée vers le divin.	- Évolution mentale terminée, ce qui permet d'achever l'évolution des corps supérieurs. - Accès à une vision et à une compréhension élargies du passé, des mondes inférieurs et des lois cosmiques. - Accès à des enseignements des plans supérieurs pour pouvoir accompagner les niveaux inférieurs à élever leur conscience.

≥ Bibliographie ≤

Livres

ALLIX, Stéphane, et Paul BERNSTEIN, *Manuel clinique des expériences extraordinaires*, Paris, InterÉdition, 2009-2010.

BAILEY, Alice A., *De l'intellect à l'intuition*, Genève, Lucis Trust, 1977.

BEAUREGARD, Mario, *Du cerveau à Dieu*, Paris, Guy Trédaniel, 2008.

BESANT, Annie, *La mort et l'au-delà*, Paris, Adyar, 1996.

BESANT, Annie, *La sagesse antique*, Paris, Adyar, 1993.

BONANNO, George A., *De l'autre côté de la tristesse*, Québec, Le Dauphin Blanc, 2011.

BOZZANO, Ernest, *Phénomènes psychiques au moment de la mort*, Agnières, JMG, 1998.

BRADEN, Gregg, *La guérison spontanée des croyances*, Outremont, Ariane, 2008.

BRADEN, Gregg, *Le code de Dieu*, Outremont, Ariane, 2004.

BRADEN, Gregg, *Le temps fractal*, Outremont, Ariane, 2010.

CALLANAN, Maggie, et Patricia KELLEY, *Final Gifts : Understanding the Special Awareness, Need and Communications of the Dying*, Bantam, New York, 1997.

COQUET, Michel, *Comprendre la mort pour connaître la vie*, Monaco, Alphée, 2010.

COQUET, Michel, *Les çakras : anatomie occulte de l'homme*, Croissy-Beaubourg, Dervy, 1990.

DOSSEY, Larry, *Le surprenant pouvoir de la prière*, Paris, Trédaniel, 1997.

DROUOT, Patrick, *Nous sommes tous immortels*, Paris, Éditions du Rocher, 2005.

DUTHEIL, Régis, et Brigitte, *L'homme superlumineux*, Montréal, Libre Expression, 1991.

FAUCHÈRE, Andrée, *Dans un coma profond*, Genève, Slatkine, 2002.

FAUCHÈRE, Andrée, *Il est vivant*, Aubenas, SMÉ, 1992.

GIVAUDAN, Anne, *La rupture de contrat*, Plazac, SOIS, 2006.

GROOPMAN, J., *La force de l'espoir*, Paris, JC Lattès, 2004.

HARDY, Christine, *L'après-vie à l'épreuve de la science*, Monaco, du Rocher, 1986.

HEINDEL, Max, *Cosmogonie des rose-croix*, Aubenas, Rosicrucienne, 1986.

LABONTÉ, Marie Lise, *Accompagnement d'âmes*, Québec, Le Dauphin Blanc, 2009.

LAPRATTE, Anick, et Sylvie OUELLET, *Pétales de vie*, Québec, Le Dauphin Blanc, 2010.

LASZLO, Ervin, *Science et Champ Akashique* – tomes 1 et 2, Outremont, Ariane, 2008.

LASZLO, Ervin, et Jude CORRIVAN, *Cosmos*, Outremont, Ariane, 2008.

LERMA, John, *Learning from the Light*, Pompton Plains (NJ), New Page Books, 2009.

LEVINE, Stephen, *Qui meurt?*, Barret-le-Bas, Souffle d'Or, 1991.

LONGAKER, Christine, *Trouver l'espoir face à la mort*, Paris, La Table Ronde, 1998.

McTAGGART, Lyne, *Le champ de la cohérence universelle*, Outremont, Ariane, 2005.

MEUROIS, Daniel, et Anne GIVAUDAN, *Chronique d'un départ*, Plazac, Amrita, 1993.

MEUROIS, Daniel, et Anne GIVAUDAN, *Récits d'un voyageur de l'astral*, Montréal, Le Perséa, 2000.

MEUROIS, Daniel, et Anne GIVAUDAN, *Terre d'émeraude*, Plazac, Amrita, 1983.

MOODY, Raymond, *La vie après la vie*, Paris, Robert Laffont, 1975.

MOODY, Raymond, et Paul PERRY, *Témoins de la vie après la vie*, Paris, Robert Laffont, 2010.

MORRANNIER, Jeanne, *La mort est un réveil*, Paris, F. Lanore & F. Sorlot, 1988.

MORRANNIER, Jeanne, *La totalité du réel*, Paris, F. Lanore & F. Sorlot, 1986.

MORRANNIER, Jeanne, *La science et l'esprit*, Paris, F. Lanore & F. Sorlot, 1983.

OSIS, K., et E. HARALDSSON, *Ce qu'ils ont vu... au seuil de la mort*, Monaco, du Rocher, 1982.

OUELLET, Sylvie, *Bienvenue sur Terre !*, Québec, Le Dauphin Blanc, 2008.

OUELLET, Sylvie, *Ils nous parlent... entendons-nous ?*, Québec, Le Dauphin Blanc, 2004.

OUELLET, Sylvie, *J'aimerais tant te parler*, Québec, Le Dauphin Blanc, 2006.

PARNIA, Sam, *Que se passe-t-il quand nous mourons ?*, Varennes, AdA, 2009.

POWELL, Arthur E., *Le corps astral*, Paris, Adyar, 1994.

POWELL, Arthur E., *Le corps causal*, Paris, Adyar, 2000.

POWELL, Arthur E., *Le corps mental*, Paris, Adyar, 1993.

POWELL, Arthur E., *Le double éthérique*, Paris, Adyar, 1999.

RADIN, Dean, *La conscience invisible*, Paris, Presses du Châtelet, 1997.

RÉANT, Raymond, *Parapsychologie pratique pour tous*, Monaco, du Rocher, 1988.

RING, Kenneth, *En route vers oméga*, Paris, Robert Laffont, 1991.

RING, Kenneth, *Sur la frontière de la vie*, Monaco, Alphée, 1985.

RING, Kenneth, et Evelyn ELSAESSER, *Lessons from Light*, Newburyport, Moment Point Press, 2006.

RINPOCHÉ, Sogyal, *Le livre tibétain de la vie et de la mort*, Paris, La Table Ronde, 1993.

SIEGEL, Bernie S., *L'amour, la médecine et les miracles*, Paris, J'ai Lu, 1989.

SLATE, Joe H., *Au-delà de la réincarnation*, Varennes, AdA, 2009.

STEINER, Rudolph, *La science de l'occulte*, Laboissière-en-Thelle, Anthroposophiques Romandes, 1993.

STEINER, Rudolph, *Le sens de la mort*, Laboissière-en-Thelle, Triades, 1995.

STEINER, Rudolph, *Les guides spirituels de l'homme et de l'humanité*, Paris, De l'Aube, 1922.

VAN EERSEL, Patrice, *La source noire*, Paris, Bernard Grasset, 1986.

VAN EERSEL, Patrice, *Réapprivoiser la mort*, Paris, Albin Michel, 1997.

VINCENT, Louis-Thomas, *Rites de mort*, Paris, Fayard, 1985.

VOGEL, Gretchen, *Les choix dans l'au-delà*, Québec, Le Dauphin Blanc, 2009.

Informations sur Internet

BÉDARD, Gilles, *La transformation spirituelle au moment de la mort – une entrevue avec Kathleen Dowling*, réalisée en 2000 et publiée au http://korprod.over-blog.com.

BÉDARD, Gilles, *Ultimes présents : une entrevue sur la conscience accrue à l'approche de la mort*, réalisée le 19 janvier 1998 et publiée au http://korprod.over-blog.com.

BOUSQUET, Jacqueline, *Introduction de la conscience dans la matière – de la physique quantique à la biologie*, au www.arsitra.org/yacs/articles/view.php/38/introduction-de-la-conscience-dans-la-matiere-de-la-physique-quantique-a-la-biologie.

BRADEN, Gregg, *La science des miracles*, au www.lespacearcenciel.com/gregg-braden-la-science-des-miracles.html.

BRASSEUR, Patrice, *Les 7 plans et leurs 7 sous-plans*, au http://sites.google.com/site/psychologieesoterique/documents/les-7-plans-et-leurs-7-sous-plans.

CRÈVECOEUR, Jean-Jacques, *Le cerveau holographique*, au www.youtube.com/watch?v=qxiTlT_v6WQ.

DEUTCH, David, *L'apocalypse quantique et l'univers holographique*, au www.youtube.com/watch?v=QAZzvsqOEh4.

Dossier *Origine de la vie*, au www.infomysteres.com.

DUBÉ, Maryse, *Questions de vie ou de mort*, entrevue avec Luce Des Aulniers, *Revue Profil*, Coopérative funéraire de la Mauricie, vol. 22, n° 1, www.cooperativefunerairemauricie.com/images/Profil.pdf.

DUREAU, Laurent, *Qu'est-ce qui différencie l'âme de l'esprit?*, le 5 décembre 2008 au www.laurent.dureau.fr.

DUTHEIL, Régis et Brigitte, *La thèse fondamentale développée par Régis Dutheil concernant la structure de notre conscience et de notre univers*, au www.outre-vie.com/vieapresvie/chercheurs/Dutheil.htm.

GIVAUDAN, Anne, *D'une dimension à l'autre*, entrevue accordée à Mario Lemay et diffusée au www.vimeo.com/mariolemay/videos.

HEINDEL, Max, *La science de la mort*, au www.e-rose-croix.org.

HESSEN, Jorge, *Don d'organes pour transplantation*, traduit par Jean Emmanuel Nunes, au www.spiritisme.net/index. php?option=com_content&view=article&id=257:don-dorganes-pour-transplantation&catid=105:science&Itemid=17.

Inexpliqué en débat, documentaire sur la science, les phénomènes paranormaux et psi diffusé au www.inexplique-endebat.com.

INSTITUTE OF NOETIQUE SCIENCES, *The Big Questions*, au http://noetic.org/library/sets/video/the-big-questions/.

KHOURI, Nagib, *Rituels funéraires et travail de deuil*, dans la revue *Psychanalyse dans la société*, au http://inconscientetsociete.free.fr/n62. php.

La corde d'argent, au www.outre-vie.com/contacter/inconscient/corde.htm.

La mort décodée, entrevue de Jean-Jacques Charbonnier accordée au forum paranormal, au www.besoindesavoir.com/article/203851/jean-jacques-charbonnier-medecin-auteur-specialiste-des-nde-experiences-mort-imminente.

Le processus de la mort et ses suites, au www.radio-canada.ca/par4/special/mort_processus.html.

LOUBIER, Pierre, Lionel OLLIVE, et Hervé RATEL, *Quatre dimensions ne suffisent pas pour expliquer l'Univers*, dans *Sciences & Avenir*, n° 1018, juillet 2002, au www.outre-vie.com.

MATHIEU, Monique, *Le suicide*, au http://ducielalaterre.org/fichiers/divers/le_suicide_ccQ.php.

MOREAU, Alain, *Les NDE et l'univers multidimensionnel*, au www.mondenouveau.fr.

MOREAU, Alain, *Le corps spirituel*, au www.mondenouveau.fr.

MOREAU, Alain, *L'univers multidimensionnel et les plans de conscience*, au www.mondenouveau.fr.

MOREAU, Alain, *Le processus de transition et les premières phases de l'après-vie – première et seconde parties*, au www.mondenouveau.fr.

MOREAU, Alain, *Les expériences au seuil de la mort – parties 1 à 5*, au www.mondenouveau.fr.

MOREAU, Alain, *Le processus de la mort – première et deuxième partie*, au www.mondenouveau.fr.

Organisation mondiale de la Santé, Étude multicentrique d'intervention sur les comportements suicidaires – SUPRE – MISS, au www.who.int/mental_health/prevention/suicide/supre_miss_protocol_french.pdf.

Oscar, le petit chat qui pressent, le 28 juillet 2007 au www.lefigaro.fr/sciences/20070728.FIG000000815_oscar_le_petit_chat_qui_pressent_la_mort.html.

Phénomène de la mort, sur le site Oasis 2012, http://oasis2002.pagespersoorange.fr/phenomene_de_la_mort.htm.

SIÉMONS, Jean-Louis, *La Théosophie et les états de conscience après la mort*, *Revue Psi International*, n° 8, janvier, février, mars 1979.

DVD

BARKALLAH, Sonia, *Faux départ*, réalisé et produit par S17 Production en juillet 2010.

DE ASSIS, Wagner, *Notre demeure* (titre original *Nosso Lar*), coproduit par Cinética et Migdal Filmes en 2010.

JOHNSTONE, Gary, $E=MC^2$ – *Biologie d'une équation*, produit par ARTE France en 2005.

SCHELTEMA, Renée, *Something Unknown is Doing We Don't Know What*, produit par Tele Kan en 2009.

≈ À propos de l'auteure ≈

D étentrice d'un baccalauréat en droit, d'un diplôme en droit notarial et d'un certificat en enseignement, Sylvie Ouellet a pratiqué la profession de notaire durant cinq ans à Rivière-du-Loup, d'où elle est originaire. Puis, elle a été enseignante et formatrice au Cégep Limoilou et à l'ENAP. Intéressée par la psychologie, la parapsychologie et la spiritualité, elle a suivi de nombreuses formations et elle mène une quête personnelle depuis plusieurs années. C'est son cheminement intérieur qui l'a amenée à vivre des expériences d'accompagnement auprès d'âmes désincarnées. Elle est aussi chroniqueuse pour la revue *VIVRE*.

ELLE A PUBLIÉ AUX ÉDITIONS LE DAUPHIN BLANC LES TITRES SUIVANTS :

- *Ils nous parlent… entendons-nous ?*
- *J'aimerais tant te parler… ABC de la communication entre Ciel et Terre*
- *Bienvenue sur Terre ! Accueillir, comprendre et accompagner l'âme dans le processus de l'incarnation*
- *Pétales de vie, 12 stratégies à votre portée pour surmonter les épreuves*, coauteure avec Anick Lapratte

L'auteure offre des conférences, des ateliers et des consultations. Pour obtenir la liste de ses activités, consultez le *www.sylvieouellet.ca* ou consultez la page Facebook Sylvie Ouellet, auteure, conférencière et formatrice.

Pour communiquer avec Sylvie Ouellet, écrivez à : *info@sylvieouellet.ca*.

Notes de fin de document

Introduction

1. Sylvie Ouellet, *Ils nous parlent... entendons-nous ?*, Québec, Le Dauphin Blanc, 2004.

Chapitre 1

1. George A. Bonanno, *De l'autre côté de la tristesse*, Québec, Le Dauphin Blanc, 2011.

Chapitre 2

1. Maggie Callanan et Patricia Kelley, *Final Gifts*, Bantam, New York, 1997.

2. Extrait d'une entrevue réalisée par Gilles Bédard, le 19 janvier 1998, au http ://korprod. over-blog.com.

3. Sylvie Ouellet, *Bienvenue sur Terre !*, Québec, Le Dauphin Blanc, 2008.

4. Dans le livre *Bienvenue sur Terre !* (note 3), le projet « Conscience » représente la volonté de l'âme de découvrir qui elle est à travers l'expérimentation des incarnations. Pour accomplir ce projet, elle se fixe des objectifs inhérents à toutes les incarnations, qui la mèneront à voir les diverses facettes d'elle-même et à découvrir toute la lumière et la connaissance qu'elle porte de façon consciente.

5. Sylvie Ouellet, *Ils nous parlent...entendons-nous ?*, Québec, Le Dauphin Blanc, 2004.

6. Kathleen Doheny, *Cat's Sixth Sense Predicting Death ?*, CBC News, le 25 juillet 2007, au www.cbcnews.com.

7. Karlis Osis et Erlendur Haraldsson, *Ce qu'ils ont vu au seuil de la mort*, Monaco, du Rocher, 1982.

8. John Lerma, *Learning from the Light*, Pompton Plains (NJ), New Page Books, 2009. Médecin au Texas Medical Center, il a fait de nombreuses recherches sur l'activité cérébrale des personnes en fin de vie. Il a découvert qu'au moment où celles-ci disent avoir vu ou entendu un défunt, un ange ou un être de lumière venir les informer qu'il était temps de partir (visions appelées par les scientifiques expérience de conscience accrue – *near-death experience* – ou expérience préalable à la mort – *pre-death experience*), les zones cérébrales qui s'activent alors sont les mêmes qui entrent en action lors des expériences extrasensorielles. Il a également observé l'activité cérébrale durant des épisodes hallucinatoires et il les a comparés avec les visions. Selon ses observations, les visions des défunts n'ont rien d'hallucinatoire. Elles démontrent clairement l'activation des lobes temporaux durant les visions, alors que les expériences hallucinatoires se produisent dans les zones du cerveau associées à des épisodes schizophréniques. Voir également le *Manuel clinique des expériences extraordinaires* (Stéphane Allix et Paul Berstein, Paris, InterÉdition, 2009-2010) pour une description étayée des ECA et des recherches à leur sujet.

9. Un état de conscience modifiée ou altérée s'obtient par la relaxation, la contemplation ou la méditation. Il représente un alignement de l'activité cérébrale dans chacun des hémisphères du cerveau, c'est-à-dire que les deux hémisphères se synchronisent pour fonctionner

ensemble et non en phase comme cela est autrement le cas. L'état de conscience modifiée permet donc d'avoir accès à une conscience élargie et ainsi à des informations qui sortent de nos connaissances normales.

10. Les expériences extrasensorielles, ou capacités psi, sont des phénomènes reconnus par de nombreux scientifiques. Elles ont notamment été étudiées par Dean Radin, Charles Tart, Edgard Mitchell et Larry Dossey, chercheurs à l'Institut des sciences noétiques (*IONS*), en Californie. Pour en savoir plus, voir www.noetic.org ou le film *Something Unknown is Doing We Don't Know What...* de la réalisatrice Renée Scheltema. Ces expériences ont été étudiées également par Norman Don, qui s'est spécialisé dans l'étude de l'activité cérébrale durant les ESP et les hallucinations. Pour en savoir davantage au sujet de ces expériences, voir l'émission *Le sixième sens*, dans les sections « Parapsychologie » et « Science », au www.inexplique-endebat.com.

11. *Op. cit.*, note 4.

12. Le retrait des corps énergétiques du corps physique se produit suivant des étapes spécifiques, plus amplement décrites au chapitre 4. Voir aussi, à ce sujet, les écrits de Michel Coquet dans *Comprendre la mort pour connaître la vie* (Monaco, Alphée, 2010), et ceux de Max Heindel dans *Cosmogonie des rose-croix* (Rosicrucienne, 1972).

13. Voir cette émission au www.dailymotion.com/video/x548la_t-harpur-les-mourrants-et-leurs-rev_news.

14. Betty J .Eadie, *Dans les bras de la lumière*, Paris, Pocket, 1995.

15. Karlis Osis et Erlendur Haraldsson, *Ce qu'ils ont vu au seuil de la mort* (*op. cit.*, note 7). Dans leur étude, Osis et Haraldsson rapportent que dans les cas observés aux États-Unis et en Inde, les personnes en fin de vie qui ont été en présence d'un être cher décédé, d'un guide ou d'une autre présence céleste expliquent cette présence comme « un messager de l'autre monde venu les chercher » (p. 274). Dans la plupart des cas recensés, les mourants sont transformés par une telle apparition et l'accueillent avec un grand soulagement. La plupart des Américains et deux tiers des Indiens se sont dits disposés à « partir » après avoir vécu une ECA (p. 276). La divergence des résultats entre les ECA vécues aux États-Unis et en Inde s'explique par des facteurs culturels et religieux. Des images plus terre à terre de personnes vivantes ou de figures appelées Yamdoots, les messagers du Dieu de la mort, composent les phénomènes vécus par les mourants indiens qui ne les incitent pas à quitter la Terre.

16. *Op. cit.*, note 5.

17. *Op. cit.*, note 7. Cette étude démontre que les images reçues ne viennent pas d'un facteur culturel ou religieux. Elles surviennent souvent même au-delà des croyances de la personne. Certaines de ces visions de l'au-delà vont même à l'encontre des croyances de la personne puisque certains patients qui se disaient athées ont pourtant vu des images de l'au-delà très nettes. La plupart des mourants qui ont reçu de telles visions ont été transformés. Leur anxiété quant à la mort s'est dissipée et une sérénité est venue les habiter. Osis et Haraldsson concluent que ces visions ont pour rôle d'apaiser la personne en fin de vie en lui montrant ce qui l'attend après la mort.

18. Il faut apporter une précision ici sur la nature du coma. En fin de vie, il survient des états comateux vécus par beaucoup de mourants. Ils sont préparatoires au passage dans l'au-delà. Il se distingue du coma de guérison dont nous parlons plus amplement au chapitre 4.

19. James Van Praagh, *Ces histoires inachevées*, Québec, Le Dauphin Blanc, 2010.

20. Christine Longaker, *Trouver l'espoir face à la mort*, Paris, La Table Ronde, 1998.

Chapitre 3

1. La langue des oiseaux est le langage des sons qui composent les mots. En décortiquant les mots pour s'attarder aux sons, nous découvrons un sens caché souvent très révélateur.

2. Sogyal Rinpoché, *Le livre tibétain de la vie et de la mort*, Paris, La Table Ronde, 1992.

3. Christine Longaker, *Trouver l'espoir face à la mort*, Paris, La Table Ronde, 1998, p. 44.

4. Sylvie Ouellet, *Ils nous parlent...entendons-nous?*, Québec, Le Dauphin Blanc, 2004.

5. Louis-Vincent Thomas, *Rites de mort*, Paris, Fayard, 1985.

6. George Bonnano, *De l'autre côté de la tristesse*, Québec, Le Dauphin Blanc, 2011.

Chapitre 4

1. Stephen Levine, *Qui meurt?*, Barret-le-Bas, Souffle d'Or, 1991, p. 354.

2. Une expérience de mort imminente (EMI) survient lorsque les fonctions vitales cessent durant un court laps de temps pour ensuite reprendre. Dans cet espace où la personne est cliniquement morte, il arrive qu'elle goûte à un aperçu de la vie après la vie. Le docteur Raymond Moody a été l'un des premiers à étudier ce phénomène. Son livre *La vie après la vie* dresse un portrait des différentes étapes qui surviennent au cours d'une EMI.

3. Voir, à ce sujet, les exercices d'accompagnement proposés dans le livre *Ils nous parlent... entendons-nous?* (Québec, Le Dauphin Blanc, 2004).

4. Mario Beauregard et Denyse O'Leary, *Du cerveau à Dieu*, Paris, Guy Trédaniel, 2008 ; Gregg Braden, *La guérison spontanée des croyances*, Outremont, Ariane, 2008 ; Lynne McTaggart, *Le champ de la cohérence universelle*, Outremont, Ariane, 2005 ; Ervin Laszlo, *Science et champ akashique* – tomes 1 et 2, Outremont, Ariane, 2008 ; Ervin Laszlo, *Cosmos*, Outremont, Ariane, 2008 ; Renée Scheltema, *Something Unknown is Doing We Don't Know What* (film), produit par Tele Kan, 2010.

5. Pour en connaître davantage sur ce passage et les différents enseignements sur le sujet, voir *La mort et l'au-delà* d'Annie Besant (Paris, Adyar, 2011) ; *Comprendre la mort pour connaître la vie* de Michel Coquet (Alphée, Jean-Paul Bertrand, 2010) ; *La science de l'occulte*, de Rudolph Steiner (Laboissière-en-Thelle, Anthroposophiques Romandes, 1993) ; *Cosmogonie des rose-croix* de Max Heindel (Abenas, Rosicrucienne, 1986) ; *Le livre tibétain de la vie et de la mort* de Sogyal Rinpoché (Paris, La Table Ronde, 1993) ; *Les çakras: anatomie occulte de l'homme* de Michel Coquet (Croissy-Beaubourg, Dervy, 1990) ; les articles d'Alain Moreau, *Le processus de transition et les premières phases de l'après-vie – première et deuxième parties* et *Le processus de la mort – première et deuxième parties*, au www.mondenouveau.com ; l'article *La science de la mort* par Max Heindel, au www.e-rose-croix.org ; l'article *Le phénomène de la mort*, au http:// oasis2002.pageperso-orange.fr ; l'article de Werner Huemer, *Le chemin de l'au-delà*, au www.mondedugraal.com ;

6. Raymond Moody et Paul Perry, *Témoins de la vie après la vie*, Paris, Robert Laffont, 2010.

7. Francis Lefebure, médecin, physiologue et inventeur du « phosphénisme », qui consiste à apprendre à transformer l'énergie lumineuse en énergie mentale. Cette technique a pour but d'accroître les capacités cérébrales à partir d'une méthode basée sur des réactions physiologiques appelées phosphènes. Pour de plus amples informations, visitez le www. encyclopediefrancaise.com/Francis_Lefebure.html.

8. Sogyal Rinpoché, *Le livre tibétain de la vie et de la mort*, Paris, La Table Ronde, 1993.

9. Écrit et réalisé par Sonia Barkallah et produit par S17 Production en juillet 2010, ce documentaire bien ficelé fait état de la recherche sur les EMI. L'auteure y interviewe des cardiologues, des neurologues, des anesthésistes, des psychologues et de nombreuses personnes ayant vécu une telle expérience.

10. Christine Longaker, *Trouver l'espoir face à la mort*, Paris, La Table Ronde, 1998, p. 57.

11. *Op. cit.*, note 3.

12. Série américaine (*Ghost Whisperer*), créée par John Gray, qui raconte le quotidien d'une jeune femme médium qui aide des âmes errantes à rejoindre les plans plus lumineux. Le célèbre médium James Van Praagh est coproducteur exécutif de cette série très réaliste.

13. Les âmes errantes n'ont pas réalisé qu'elles n'appartiennent plus à la Terre ou refusent de quitter ce plan. Elles s'alimentent d'énergies d'âmes incarnées soit en restant près de leurs corps denses, soit en s'accrochant à l'énergie d'un lieu significatif, soit en usurpant l'identité d'âmes désincarnées. Pour de plus amples informations à ce sujet, voir *Se libérer des âmes errantes* d'Anick Lapratte (Québec, Le Dauphin Blanc, 2009); *Les esprits possessifs* d'Edith Fiore (Paris, Exergue, 2005); *Et si ce n'était pas moi* d'Anne Deligné (Saint-Sauveur, Marcel Broquet, 2010).

14. *Témoins de la vie après la vie*, *op. cit.*, note 6.

15. Ervin Laszlo, *Science et champ akashique* – tome 1, Outremont, Ariane, 2005. Ce registre akashique est ce qu'on appelle en physique quantique le champ akashique, ou plus précisément le champ du point zéro, là où se trouvent une énergie hautement vibratoire à l'origine de toute création et la mémoire holographique de tout ce qui existe dans l'Univers.

16. Alain Moreau, *Les NDE et l'univers multidimensionnel*, au www.mondenouveau.com; Dutheil, Brigitte, *L'univers supralumineux*, Paris, Éditions Sand, 1994.

17. Régis et Brigitte Dutheil, *Thèse fondamentale développée par Régis Dutheil concernant la structure de notre conscience et de notre univers*, au www.outre-vie.com. La curiosité scientifique de Régis Dutheil l'a mené à étudier ce qui se passe au-delà du mur de la lumière. Pour lui, la découverte du tachyon – particule qui se déplace à une vitesse plus grande que la lumière – laisse supposer l'existence d'un univers où cette vitesse existe. Cette supposition l'amène à bâtir un schéma de cet univers baigné dans un champ « tachyonique ». Pour étayer ce schéma, il utilise les découvertes de ses prédécesseurs, dont ceux de Michael Faraday, de James Clark Maxwell et d'Albert Einstein. Il appelle l'univers dense dans lequel nous gravitons « l'univers sous-lumineux » puisque la vitesse des particules est inférieure à la lumière. En conséquence, il appelle le champ tachyonique « l'univers supralumineux ». Pour lui, la conscience serait formée de matière supralumineuse qui à la mort du corps physique traverserait le mur de la lumière et retournerait séjourner dans ce champ. Durant la traversée, elle s'imprégnerait de lumière, ce qui lui donnerait une impression que tout ce qui l'entoure est obscur. Puis, une fois dans le champ tachyonique, elle serait alors envahie par la grande luminosité qui y règne. Cela expliquerait l'effet tunnel et le changement de perception et de sensation éprouvé après cette traversée. Grâce à ce modèle, il est possible de faire un lien entre de nombreux concepts évoqués dans les enseignements théosophiques, philosophiques et religieux et les récentes découvertes en physique quantique. Les découvertes de Dutheil alimentent d'ailleurs de nombreuses autres recherches qui tentent d'expliquer le fonctionnement de la conscience à travers la matière dense et en dehors de celle-ci.

18. Raymond Moody, *La vie après la vie*, Paris, Robert Laffont, 1977.

19. Nom donné par l'Institut de recherche sur les expériences extraordinaires (INREES), fondé en 2007 dans le but de mieux connaître ces phénomènes et de partager les connaissances cliniques sur ces expériences.

20. Cité dans le *Manuel clinique des expériences extraordinaires* (Stéphane Allix, Paul Berstein, Paris, InterÉdition, 2009-2010, p. 43).

21. *Op. cit.*, note 18.

22. Pour en savoir davantage sur ces étapes, voir *op. cit.*, note 20 (Stéphane Allix, Paul Berstein, *Manuel clinique des expériences extraordinaires*, Paris, InterÉdition, 2009-2010, p. 44 ; Sam Parnia, *Que se passe-t-il lorsque nous mourons ?*, Varennes, AdA, 2009, p. 32 ; Kenneth Ring, *En route vers oméga*, Paris, Robert Laffont, 1991 ; Alain Moreau, *Les expériences au seuil de la mort – parties 1 à 5*, au www.mondenouveau.fr).

23. Ervin Laszlo, *Science et champ akashique – tomes 1 et 2*, Outremont, Ariane, 2008 ; Dean Radin, *La conscience invisible*, Paris, Presses du Châtelet, 2000 ; Dutheil, Régis, *op. cit.*, note 17.

24. Kenneth Ring, *op. cit.*, note 22.

25. Pour de plus amples informations à ce sujet, voir un entretien avec Luce Des Aulniers, docteure en anthropologie, dans le magazine *Profil*, produit par la Coopérative funéraire de la Mauricie (vol. 22, nº 1 ; dossier *Quelle place pour les défunts ?*, journal *Passage* publié par Pompes funèbres générales, disponible au www.pfg.fr/html/deuil/old/P9a.html).

26. Luce Des Aulniers, *op. cit.*, note 25.

Chapitre 5

1. Film *Nosso Lar*, coproduit par Cinética et Migdal Filmes en 2010.

2. Sylvie Ouellet, *Ils nous parlent... entendons-nous ?*, Québec, Le Dauphin Blanc, 2004.

3. *Au-delà de nos rêves* (*What Dreams May Come*), mettant en vedette Robin Williams et Annabelle Sciorra, réalisé par Vincent Ward en 1998.

4. Référence au film *Les autres* (*The Others*), réalisé par Alejandro Amenábar et produit par Wagner Productions en 2001.

5. Référence au film *Le sixième sens* (*The Sixth Sense*), réalisé par M. Night Shyamalan, produit par Hollywood Pictures en 1999.

6. Voir à ce sujet *La rupture de contrat* d'Anne Givaudan (Plazac, SOIS, 2006) et *L'ultime choix* de Marie Bolduc (Québec, Le Dauphin Blanc, 2006).

7. Pour connaître le récit complet de cette communication, voir *Ils nous parlent...entendons-nous ?* (*op. cit.*, note 2).

Chapitre 6

1. *Faux Départ*, écrit et réalisé par Sonia Barkallah et produit par S17 Production en juillet 2010.

2. Extrait d'une entrevue de Raymond Moody dans le film *Faux Départ* (*op. cit.*, note 1).

3. L'astronaute Edgar Mitchell de l'Institut des sciences noétiques (*IONS*), en Californie, s'est intéressé aux états de conscience altérée. Il a observé que « la transformation de la

conscience est un changement fondamental de la manière dont on regarde le monde et de la manière dont on agit au quotidien ». Voir à ce sujet le documentaire *The Big Questions* au http://noetic.org/.

4. Anick Lapratte et Sylvie Ouellet, *Pétales de vie*, Québec, Le Dauphin Blanc, 2010, p. 109-128.

5. Op. cit. note 4.

Chapitre 7

1. Les directives de fin de vie contiennent des informations relatives aux soins souhaités en fin de vie. Elles contiennent aussi un consentement aux soins et mandatent un proche pour décider des soins pertinents à ce moment si la personne ne peut plus y consentir elle-même. Ce document peut également servir à consigner tout ce que nous souhaitons vivre en fin de vie (voir chapitre 8).

2. Cette huile est issue d'un mélange de sapin (lâcher-prise), de bouleau (estime de soi), d'églantine (ouverture du nouveau plan de conscience), de hêtre (sérénité), de genêt (renouveau) et d'aubépine (centration). Quelques herboristes fabriquent ce mélange, dont Le Jardin de Vie (www.jardindevie.com).

3. Sogyal Rinpoché, *Le livre tibétain de la vie et de la mort*, Paris, La Table Ronde, 1993.

4. Sylvie Ouellet, *J'aimerais tant te parler*, Québec, Le Dauphin Blanc, 2006, p. 206-208.

5. Sylvie Ouellet, *Ils nous parlent... entendons-nous ?*, Québec, Le Dauphin Blanc, 2004; Sogyal Rinpoché, *op. cit.*, note 3; Marie Lise Labonté, *Accompagnement d'âmes*, Québec, Le Dauphin Blanc, 2009; Anne Givaudan et Daniel Meurois, *Chronique d'un départ*, Plazac, Amrita, 1993.

6. Josée Bouchard, *Carnet de passage*, ISBN 978-2-9812120-0-9, Josée Bouchard, 2010. Pour de plus amples informations sur ce carnet ou sur les services de Josée Bouchard, consultez le www.joseebouchard.com.

7. Sylvie Ouellet, *Ils nous parlent...entendons-nous ?*, Québec, Le Dauphin Blanc, 2004.

8. Marianne Williamson, *Méditations pour une vie de miracle en miracle*, Varennes, AdA audio, 2010.

Chapitre 8

1. Cité dans *La guérison spontanée des croyances* de Gregg Braden (Outremont, Ariane, 2008, p. 97).

2. Sylvie Ouellet, *J'aimerais tant te parler*, Québec, Le Dauphin Blanc, 2006, pp. 206-208.

3. *Op. cit.*, note 2, chapitre V – Validations, p. 261-271.

4. Les directives de fin de vie sont reconnues par le Code civil du Québec, mais le législateur n'y régit que le consentement aux soins par une personne saine d'esprit au moment où elle rédige un tel consentement. Cependant, il importe de spécifier que, même si ce consentement est valide, il ne dégage pas les autorités médicales de leur devoir d'assistance. Ce n'est qu'au moment d'utiliser ce consentement que ces dernières décideront avec l'entourage du patient si elles doivent ou non intervenir en fonction des circonstances. Des directives de fin de vie demeurent à ce titre des informations pertinentes sur ce que nous souhaitons vivre dans certaines circonstances, mais comme toutes directives, elles laissent une latitude dans

leur exécution. Cependant, comme mentionné dans le précédent chapitre, il importe de les considérer comme des requêtes chères à la personne en fin de vie.

5. Un testament olographe, sous seing privé ou notarié peut contenir les dernières volontés du défunt relatives aux soins en fin de vie et à la disposition de sa dépouille. Cependant, ces clauses s'avèrent de peu d'utilité en raison du caractère même du testament. En effet, selon la loi, un testament n'est valide qu'à la mort du testateur et que s'il revêt une forme authentique. Tout ce qui concerne les soins en fin de vie devient dès lors caduc. De plus, de nos jours, il arrive souvent que le testament soit lu seulement après les funérailles. Les clauses qui s'y rattachent ne peuvent elles non plus être exécutées.

6. Josée Bouchard, *Carnet de passage*, ISBN 978-2-9812120-0-9, Josée Bouchard, 2010. Pour de plus amples informations sur ce carnet ou sur Josée Bouchard, consultez le www. joseebouchard.com. D'autres modèles sont également disponibles gratuitement sur Internet, mais ceux-ci s'avèrent incomplets. Il importe que ce document soit le plus descriptif possible pour que nos proches et le personnel médical soient en mesure de bien nous accompagner. *Le temps précieux de la fin* développé par Jean Monbourquette (Montréal, 2011) représente aussi une excellente préparation à la mort et un outil aidant pour nos proches. En rédigeant un tel document, il faut nous assurer qu'il ne porte pas uniquement sur un consentement aux soins, mais qu'il prévoit aussi tout ce qui est propice à notre mieux-être.

7. Sylvie Ouellet, *Ils nous parlent... entendons-nous ?* Dans ce livre, les moyens de communication utilisés par les âmes pour joindre leurs proches sont évoqués : signes de jours ou signes de nuit.

8. Anne Givaudan et Daniel Meurois, *Chronique d'un départ*, Plazac, Amrita, 1993, p. 129.

RECYCLÉ
Papier fait à partir
de matériaux recyclés
FSC
www.fsc.org   FSC® C103567

Marquis imprimeur inc.

Québec, Canada
2012

Imprimé sur du papier Silva Enviro 100% postconsommation
traité sans chlore, accrédité ÉcoLogo et fait à partir de biogaz.